令和07年

キタミ式 イラストIT塾

シラバス6.3対応

ITパスポート

きたみりゅうじ 著

技術評論社

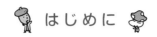

はじめに

　ITパスポート試験は、数種類ある情報処理技術者試験の中で、もっとも初級の入り口にあたる試験です。ちなみにお題目は「ITに携わる職業人として誰もが共通に備えておくべき基礎的な知識を測る」というもの。パソコンが広く活用されるようになった現代では、是非ともおさえておきたい基礎知識たちだと言えます。

　といっても、相変わらずITといえば慣れない人にはチンプンカンプンな横文字専門用語が目白押し。そのためにも試験対策では「まず解説書を一冊完読して、用語や計算に慣れること」が欠かせません。

　ところがこの「解説書を一冊完読」というのが思いのほか難しかったりするんですよね。なんせ慣れない用語がワケワカメーなわけですから。

　そのため本書では、「とにかく最後まで飽きずに読んでもらえること」を重視しました。イラストやマンガをふんだんに入れるだけじゃなくて、なによりも重視したポイントは「なぜなに?」に応えること。そして「試験のためだけの勉強」で終わらないこと。この2点です。

　勉強って、わからないままに暗記を強いられると苦しいですけど、「わからないことがわかるようになる」瞬間って、本当は楽しくて飽きないものだと思うんです。だから「なんでこーなるの」「だからこーしてるの」的な部分をとにかく掘り下げるように心がけて書いたのでした。

　ただ、中には「なんか妙に小難しい言い回しを使って説明しているな」という文が出てくる箇所もあります。そういう場合は、その文が「ほぼそのままの形で問題の選択肢として登場する」のだと思ってください。平易に書き直した結果が、逆に回答の選択に迷わせることになっては本末転倒…と判断したものは、できる限りそのままの文を引用して用いるようにしてあります。

　さて、解説書をみごと完読できましたら、今度は過去に出た試験問題をあたって総仕上げです。問題の傾向に慣れると同時に、残っている知識の穴を補完しながら試験本番に備えましょう。

　そんな力試し用の過去問題は、本書巻末…には解説に凝りまくったせいで「ページ数かさみすぎ!」と怒られちゃって収録することができませんでしたが、別途PDF形式でダウンロードできるようにしてあります(巻末記載のURL参照)。PDFだから印刷して何度でも使えるわけで「むしろこっちの方が便利なんじゃ?」と結果オーライ。是非ともご活用ください。

　それでは、本書が資格取得の一助となりますことを願っています。合格に向けて、幸運を祈ります。

きたみりゅうじ

学習の手引き

 試験対策の勉強は、次の流れで行うのがオススメです　ほ〜…

① 解説書を1回完読して、用語や計算に慣れる

 読む！

試験範囲は多岐に渡ります。特にIT関係に慣れない人がいきなり試験問題に向かってしまうと、横文字専門用語の羅列で面食らうことになります。

そこで、とにかく一冊を通して読むことにより、チンプンカンプンだった世界を「あ、なんか聞いたことあるかも」という世界に持っていきましょう。

② 過去問題を実際に解いてみる

 試す！

本テキスト中にも試験問題は載せていますが、一通り読み終えたなら、実際の試験形式で問題演習に取り組んでみましょう。

試験を実施しているIPAのWebサイト※で過去問題が公開されていますし、市販の過去問対策テキストや、そうしたWebサイトを利用するのもオススメです。

本試験では過去問から多く出題される傾向があるため、この演習は欠かせません。直近3年分（計6回分）くらいを目安にすると良いです。

単なる用語の暗記問題でしかないものについては、本テキストではあまり重視していないため取り上げてないものも多々あります。それらについては、この演習を通して暗記してしまいましょう。

③ 苦手な分野を復習する

 分析して復習！

問題演習の結果から、自身の得意・不得意分野を分析します。テキストに戻り、項目について理解が足りていなかった場合はその項目を、分野自体が少しあやふやな場合はその章を、全体的に自信がない場合は一冊まるごと再読すると良いでしょう。章と章が相互に関連するものも多いため、読む回数を重ねる度、以前はわからなかったものが理解しやすくなっていることも多いはずです。これによって知識の穴を埋めていきましょう。

 満点を目指すと大変なので、8割程度の正解率になるよう勉強範囲を取捨選択するのも良いと思いますよ！

②に戻って繰り返し

※情報処理推進機構(IPA) Webサイト　https://www.ipa.go.jp

CONTENTS

Chapter 9 セキュリティ 268

Chapter 13 システム構成と故障対策 450

Chapter 14 企業活動と関連法規　490

本書の使い方

　ITパスポート試験は、経済産業大臣認定の国家試験である「情報処理技術者試験」の最も初級のものであり、平成21年の春期試験から開始されました。それまで行われていた初級システムアドミニストレータ試験（初級シスアド試験）の後継試験にあたります。詳しくは16ページを参照してください。本書は、膨大な試験範囲のITパスポート試験の学習を助けるため、読みやすく、また理解しやすい構成となっています。

① 導入マンガ

　各Chapterで学習しなければならない項目のおおよその概要をつかんでいただく導入部です。あまり難しいことは気にせず、気楽な気持ちで読み進めてください。

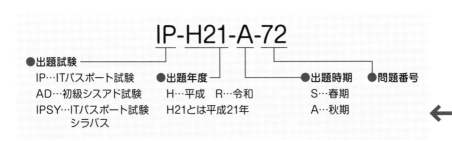

　つまり、IP-H21-A-72とは、平成21年度秋期ITパスポート試験問72で出題されたということを示します。

※平成24年度以降の試験問題は公開問題を使用しています。
※平成23年度特別試験を平成23年度春期としています。

② 解説

　メインの解説となる部分です。イラストをふんだんに使い、またわかりやすい例などをあげていますので、イメージをつかみやすく、理解しやすい解説となっています。もし、難しく理解できないという箇所がありましたら、何度もイラストをみてイメージをつかんでいただくと理解できると思います。

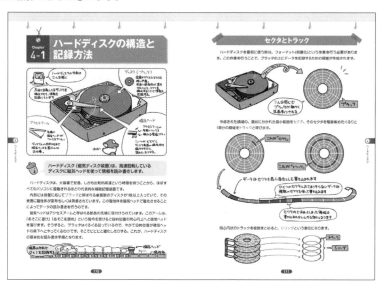

③ 過去問題と解説

　実際にITパスポート試験とITパスポート試験の前身である初級シスアド試験で出題された過去問題と解説です（一部、試験概要を記したシラバスからも出題されています）。

　解説は、情報技術者試験の講師などを務めている金子則彦氏によります。

　問題番号の下に記されている記号は、それぞれ左のようになります。

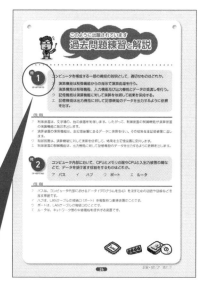

ITパスポート試験とは？

① ITパスポート試験の位置づけ

ITパスポート試験は、国家資格である情報処理技術者試験の12区分の1つであり、初級レベル（レベル1）に位置づけられています。

② 受験資格・年齢制限・受験料

ITパスポート試験に限らず、情報処理技術者試験はすべて受験者に関する制限がありません。学歴や年齢を問わず誰でも受験できます。令和6年4〜8月のITパスポートの受験者比率（社会人：学生）は、78.6%：21.4%です。また、学生のうち大学生が最も多く受験しています。受験料は7,500円（税込）です。

③ 試験内容

試験時間	120分
出 題 数	100問
出題形式	4肢択一
出題分野	ストラテジ系（経営全般）：35問程度
	マネジメント系（IT管理）：20問程度
	テクノロジ系（IT技術）：45問程度
合格基準	総合評価点　600点以上／1,000点（総合評価の満点） <分野別評価点> 　ストラテジ系　300点以上／1,000点（分野別評価の満点） 　マネジメント系　300点以上／1,000点（分野別評価の満点） 　テクノロジ系　300点以上／1,000点（分野別評価の満点）
採点方式	IRT（Item Response Theory：項目応答理論）に基づいて解答結果から評価点を算出します。IRTは難易度によって重みを付ける理論ですが、受験する上では均等であると解釈しても差し支えありません。

④ CBT方式

ITパスポート試験は、2011年の11月からCBT（Computer Based Testing）方式に移行しました。具体的には、パソコンに表示される問題に対し、受験者はマウスやキーボードを用いて解答します。

⑤ 受験案内

試 験 日	2日間に1回から1週間に1回程度の頻度で実施されます。受験会場によって異なります。
試 験 会 場	全国47都道府県の主要都市で実施されています。県庁所在地が多いです。
試 験 時 刻	午前・午後・夕方の中から選べます。ただし試験会場によって異なります。
受験申込 手　　続	試験センタのWebページで利用者IDを登録してから受験申込み入力をします。受験料の支払方法は、クレジットカード・コンビニ・バウチャーが選択できます。

予約可能な 試　験　日	支払い方法及び受験申込時の時間により、予約可能な試験日が異なります。

支払方法	受験申込時の時刻	予約可能な試験日
クレジットカード もしくはバウチャー	00:00 ～ 11:59	申込日の翌日 ～ 3ヵ月後まで
	12:00 ～ 23:59	申込日の翌々日 ～ 3ヵ月後まで
コンビニ	00:00 ～ 23:59	申込日の5日後 ～ 3ヵ月後まで

試 験 結 果	試験終了時間になるか、もしくは"解答終了"ボタンを押すと採点が開始されます。採点が完了すると画面に試験結果が表示されます。試験結果を印刷して持ち帰ることはできませんが、ITパスポート試験ホームページから試験結果レポートをダウンロードできます。

⑥ 受験者数などの統計情報

	R03年春	R03年秋	R04年春	R04年秋	R05年春	R05年秋
応募者	91,193	153,061	95,441	157,718	123,087	174,777
受験者	80,077	131,068	88,028	143,498	108,842	156,198
合格者	44,694	66,547	47,318	72,177	55,687	77,605
合格率	55.8%	50.8%	53.8%	50.3%	51.20%	49.70%

⑦ 令和6年8月の得点分布

評価点	対象者	評価点	対象者	評価点	対象者
900 ～ 1,000点	52名	650 ～ 699点	2,682名	400 ～ 449点	1,456名
850 ～ 899点	204名	600 ～ 649点	3,633名	350 ～ 399点	956名
800 ～ 849点	446名	550 ～ 599点	2,705名	300 ～ 349点	517名
750 ～ 799点	1,013名	500 ～ 549点	2,394名	0 ～ 299点	291名
700 ～ 749点	1,872名	450 ～ 499点	1,923名	合計	20,198名

⑧ 令和6年4月～ 8月度の最年少及び最年長の合格者

	10才以下	11才	12才	13才	14才	…	71才	72才	73才	74才	75才以上
応募者	24	6	17	42	64		8	4	8	4	18
受験者	20	6	17	41	61		8	4	7	4	15
合格者	5	0	3	11	15		4	3	3	1	7

ITってなんだ？

1

ITというのは
インフォメーション
Information
テクノロジー
Technology の略

2

日本語にすると
「情報技術」
なんて意味の
言葉で…

世界各地のできごとが

3

ようするに
色んな情報を処理
する技術ってこと

あっという間に
びゅんびゅんと

とびかったりするのも
ITの力

4

その技術の
中心にいるのが
コンピュータ
なのです

ばばばん

5

たとえば会社や
自宅で一般的に
使われるように
なった…

『パーソナル
コンピュータ』

略して
PC

6

言うまでもなく
様々な業務で
活用されてます

給与の計算

電子メール

文書作成

www

受発注処理

etc…

7

一方で、普段
目にすることの
少ないのが

とっても大型の
『汎用コンピュータ』

でかっ

8

企業の基幹業務
など、大量の情報を
さばくのに
活躍しています

PCが普及するまでは
業務処理の主役でした

住民基本台帳が～

ウィーン

ウィーン

チェーン店の在庫管理が～

携帯電話なんかも
もはや小型の
コンピュータって
感じですし

ん？

9

意外なところでは
電子レンジや
冷蔵庫、洗濯機や
電子炊飯ジャー
なんかの家電機器

10

これにも小型の
チップが入ってて、
色んな情報を処理
してます

洗濯物の
量は？
OK
ピッ

フタは
閉まってる？
OK
ピッ

ピッ

11

センタク
開始ー

グォン

グォン

12

そんな感じに
様々な姿形の
コンピュータたち
ですが

家電とかに入ってるのは
特定の用途に特化した

『マイクロコンピュータ』

という小さなチップ型の
コンピュータ

13

命令を出す
ソフトウェアと
それを処理する
ハードウェア…

ソフトウェア →
ハードウェア ↓

ぐぃん
ぐぃん

洗濯物の
量をチェック
↓
水と洗剤を
投入
↓
30分かく拌
↓
水を捨てる
↓
すすぎ用に
給水

14

その組み合わせで
動くのは皆同じ

センタク
終了ー

ポロピロ
ポロ♪
〜♪
パロピロ

おー終わった
うん

15

このあたりの技術
をひっくるめて、
「IT」と総称して
いるのです

便利になった
よなー
昔は脱水も
ローラー使って
手動でさ

お前
いくつだよ？

16

Chapter 0-1 コンピュータ、ソフトなければタダの箱

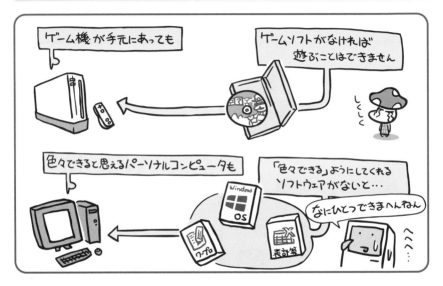

どれだけ高価で高性能なコンピュータがあっても、
それを動かすソフトなしでは、単なる置物でしかないのです。

　ハードウェアとは、言ってみれば機械の集まりです。色々と複雑なことができるように考えられていますが、それ単体では動くことができません。ローラー式脱水機のついた洗濯機が勝手に脱水まで済ませてたら怖いですよね。それと同じで、「機能はあるんだけど、自分では動けない存在」、それがハードウェアと言ってよいでしょう。

　でも人間はモノグサなので、「勝手にやってくれたら楽なのに」と思うわけです。

　そこで、自動で動けるように作ってみた。テレビのチャンネルはガチャガチャダイヤル回すんじゃなくてリモコンでボタン一発だし、洗濯機なんてボタン押したら今や乾燥まで全自動。実にラクチンです。

　でも、「自動」ってことは、誰かが人間のかわりに機械を動かしているはずなのです。「4チャンネルと言われたら周波数をいくつにあわせろ」とか「洗い終わったらすすぎをしろ」とか、誰かがかわりに指示出しをしなきゃいけない。そうじゃないと機械は動けない。というわけで、その役割を果たすべくソフトウェアの登場とあいなったわけ。

　ハードウェアとソフトウェアは、複雑なことを機械にやらせる上で、欠かすことの出来ないパートナー関係にあるのです。

パソコンの中身を見てみよう

それではハードウェアの実例として、もっとも身近なコンピュータであるパソコンの中身を見ていきましょう。

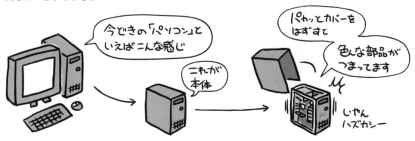

…で、どんな部品がつまっているのかというと、とにかく色々とつまっているわけです。

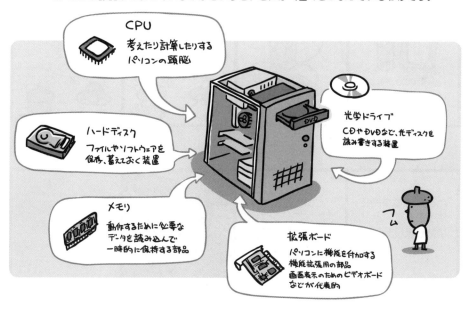

そんなものを人間がいっこいっこ管理できるわけもないので、OSと呼ばれる基本ソフトウェアがその代わりを務め、パソコンとして協調動作するようにしてくれています。

Chapter 1

コンピュータ
こと始め

すでに何度も
登場しております
こちらの
パソコンくん

①

なんか色々
つながってるん
ですが

②

「どれがパソコン?」
といえばコイツ

いちばん目立つから
コッチだと思ってた

③

でもこの子は
1人じゃなんにも
できない子、
なのです

お恥ずかしい

照れてるぞコイツ

④

たとえば電卓的に
使ってみたいと
いたしましょう

⑤

…といっても
はたしてどうやって
1+1を計算してねと
伝えたものか

えっと…
お話できる?

わぁお
返事もないや

⑥

困っちんぐ

⑦

そこで
キーボード登場

あ、コレを使うわけね

⑧

9

それじゃあ
キーボードを使い、
1+1を計算してね
と伝えたとします

パチパチ
パチコン

10

・・・・・・

ん？

11

弱っちんぐ

返事しない
んだったー

12

ディスプレイが
なければ、
結果を見ることも
できません

しくしくしくしくしくしく

こ…これがいる
みたいよ？

13

そんな具合に
コンピュータは
それだけがポツン
とあっても、能力を
発揮することは
できません

・・・・・・

14

キーボードや
ディスプレイなど、
様々なハードウェア
が必要なのです

キーボードや

マウスに

オラにカを
かしてくれー

ディスプレイとか

プリンタとか

15

これらを総称して
コンピュータの
5大装置といいます

入力する
装置があり

考えたり
計算したり

CPU

記憶したり

で、その結果を
出力する装置が
ある

16

わかった!!
つまりは
ゴレンジャー
みたいなものか

ミドー
オレンジャー
アオレンジャー
モモー
キレンジャー

いや、
どこがだよ

ギラリン

コンピュータの5大装置

Chapter
1-1

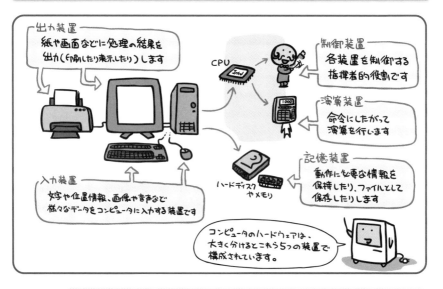

出力装置
紙や画面などに処理の結果を
出力(印刷したり表示したり)します

CPU

制御装置
各装置を制御する
指揮者的役割です

演算装置
命令にしたがって
演算を行います

記憶装置
動作に必要な情報を
保持したり、ファイルとして
保存したりします

ハードディスク
やメモリ

入力装置
文字や位置情報、画像や音声など
様々なデータをコンピュータに入力する装置です

コンピュータのハードウェアは、
大きく分けるとこれら5つの装置で
構成されています。

制御装置、演算装置、記憶装置、入力装置、出力装置という
5種類の装置が連携して、コンピュータは動いています。

　コンピュータは、ソフトウェアがハードウェアに指示出しすることで動くようになる…というのは前章に書いた通りです。ソフトウェアはいわば「こう動けという指示を集めた文書」のようなもので、プログラムとも呼ばれます。

　さて、このプログラム。いくら複雑なことが書かれていても、その逆にいくら単純なことが書かれていても、それを理解し、咀嚼し、命令として実行できる存在がなければ意味がありません。というわけで、CPUの出番がくるのです。CPUは、その中に「制御装置」という役割と「演算装置」という役割を両方とも内包しています。

　CPUは与えられたプログラムを解釈して、時には入力装置からのデータを受け取り、時には画面に各種情報を表示してみせ、そして時には複雑な計算を実行して、その結果をプリンタに出力したりする。このように制御装置たるCPUが各装置を制御してみせることで、コンピュータはコンピュータとして用をなすようになるのです。

　ちなみにプログラムは通常なんらかの補助記憶装置に納められています。それが主記憶装置に読み込まれた後、プログラムという名の指示書としてCPUに渡されます。

5大装置とそれぞれの役割

　5大装置の役割については左ページのイラスト通りですが、それぞれの装置にはどんな機器があって、具体的にどんな動きをしているのかを紹介します。

　なお、5大装置のうち記憶装置については、さらに主記憶装置と補助記憶装置に細分化されてますので要注意。

装置名称		代表的な機器とその役割
制御装置	中央処理装置 (CPU:Central Processing Unit)	CPUはコンピュータの中枢部分で、制御と演算を行なう装置です。うち制御装置の部分では、プログラムの命令を解釈して、コンピュータ全体の動作を制御します。
演算装置		CPUはコンピュータの中枢部分で、制御と演算を行なう装置です。うち演算装置の部分では、四則演算をはじめとする計算や、データの演算処理を行います。
記憶装置	主記憶装置	動作するために必要なプログラムやデータを一時的に記憶する装置です。代表的な例としてメモリがあります。コンピュータの電源を切ると、その内容は消えてしまいます。
	補助記憶装置	プログラムやデータを長期に渡り記憶する装置です。長期保存を前提としているので、主記憶装置のようにコンピュータの電源を切ることで内容が破棄されたりするようなことはありません。代表的な例としてハードディスクの他、CD-ROM、DVD-ROMのような光メディア等があります。
入力装置		コンピュータにデータを入力するための装置です。代表的な例として、以下のものがあります。 ❶キーボード：文字や数字を入力する装置です。 ❷マウス：マウス自身を動かすことで、位置情報を入力する装置です。 ❸スキャナ：図や写真などをデジタルデータに変換して入力する装置です。
出力装置		コンピュータのデータを出力するための装置です。代表的な例として、以下のものがあります。 ❶ディスプレイ：コンピュータ内部のデータを画面に映し出す装置です。 ❷プリンタ：コンピュータの処理したデータを紙に印刷する装置です。

装置間の制御やデータ（およびプログラム）の流れは次のようになります。

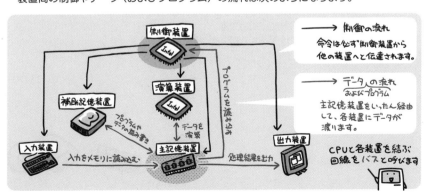

問 1
(IP-H21-A-72)

コンピュータを構成する一部の機能の説明として，適切なものはどれか。

ア　演算機能は制御機能からの指示で演算処理を行う。
イ　演算機能は制御機能，入力機能及び出力機能とデータの受渡しを行う。
ウ　記憶機能は演算機能に対して演算を依頼して結果を保持する。
エ　記憶機能は出力機能に対して記憶機能のデータを出力するように依頼を出す。

解説

ア　制御装置は、文字通り、他の装置を制御します。したがって、制御装置の制御機能が演算装置の演算機能に指示を出します。
イ　演算装置の演算機能は、主記憶装置にあるデータに演算を行い、その結果を主記憶装置に返します。
ウ　制御装置は、演算機能に対して演算を依頼して、結果を主記憶装置に保持します。
エ　制御装置の制御機能は、出力機能に対して記憶機能のデータを出力するように依頼を出します。

問 2
(IP-H26-S-62)

コンピュータ内部において，CPUとメモリの間やCPUと入出力装置の間などで，データを受け渡す役割をするものはどれか。

ア　バス　　イ　ハブ　　ウ　ポート　　エ　ルータ

解説

ア　バスは、コンピュータ内部におけるデータ（プログラムを含む）を流すための回路や回線などを指す用語です。
イ　ハブは、LANケーブルの接続口（ポート）を複数持つ集線装置のことです。
ウ　ポートは、LANケーブルの接続口のことです。
エ　ルータは、ネットワーク層の中継機能を提供する装置です。

正解 ▶ 問1：ア　問2：ア

Chapter 1-2 CPU (Central Processing Unit)

 CPUは制御と演算を担当し、人間で言うと頭脳にあたる部品です。

CPUはコンピュータ全体の動作を制御する部分と、四則演算をはじめとする各種演算を行う部分の両方を含む部品です。「人間で言うと〜」などと書いていますが、コンピュータにとってもそのものズバリ「頭脳」にあたるので、この部品の性能がコンピュータの処理速度に大きく影響します。

CPUは、レジスタという非常に高速な小容量の記憶回路を内部に持っています。これは、演算や制御に関わるデータを一時的に記憶しておくためのもので、主記憶装置からレジスタへプログラムを読み込むと、そこに記された命令を解釈して処理を実行し、その結果に応じて各装置を制御します。

クロック周波数は頭の回転速度

　コンピュータには色んな装置が入っています。それらがてんでバラバラに動いていてはまともに動作しませんので、「クロック」と呼ばれる周期的な信号にあわせて動くのが決まり事になっています。そうすることで、装置同士がタイミングを同調できるようになっているのです。

　CPUも、このクロックという周期信号にあわせて動作を行います。

　チクタクチクタク繰り返される信号にあわせて動くわけですから、チクタクという1周期の時間が短ければ短いほど、より多くの処理ができる（すなわち性能が高い）ということになります。

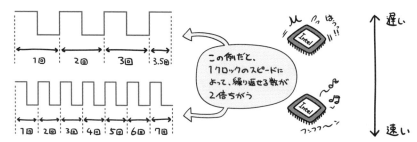

　クロックが1秒間に繰り返される回数のことをクロック周波数と呼びます。単位はHz。たとえば「クロック周波数1GHzのCPU」と言った場合は、1秒間に10億回（1Gは10^9＝1,000,000,000回）チクタクチクタクと振動していることになります。

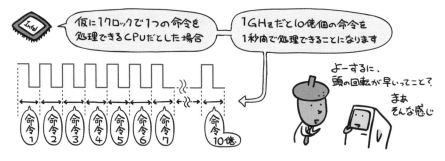

キャッシュメモリは脳のシワ

CPUは、コンピュータの動作に必要なデータやプログラムをメモリ（主記憶装置）との間でやり取りします。しかしCPUに比べるとメモリは非常に遅いので、読み書きの度にメモリへアクセスしていると、待ち時間ばかりが発生してしまいます。

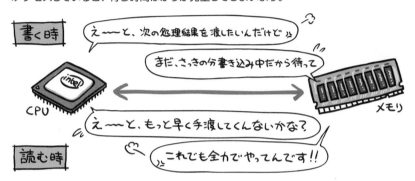

そこでメモリとCPUの間に、より高速に読み書きできるメモリを置いて、速度差によるロスを吸収させます。これをキャッシュメモリと呼びます。

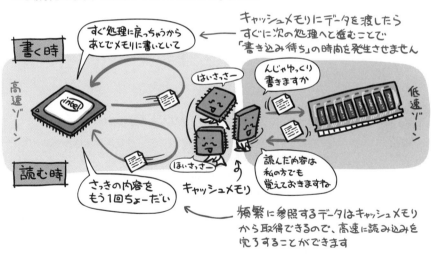

CPUの中にはこのキャッシュメモリが入っていて、処理の高速化が図られています。

問 1

(IP-R04-81)

CPUの性能に関する記述のうち，適切なものはどれか。

ア 32ビットCPUと64ビットCPUでは，64ビットCPUの方が一度に処理するデータ長を大きくできる。

イ CPU内のキャッシュメモリの容量は，少ないほどCPUの処理速度が向上する。

ウ 同じ構造のCPUにおいて，クロック周波数を下げると処理速度が向上する。

エ デュアルコアCPUとクアッドコアCPUでは，デュアルコアCPUの方が同時に実行する処理の数を多くできる。

解 説

ア 32ビットCPUや64ビットCPUの「32」や「64」は、CPUが一度に処理するデータ量を示します。

イ CPU内のキャッシュメモリの容量は、多いほどCPUの処理速度が向上します。

ウ 同じ構造のCPUにおいて、クロック周波数を上げると処理速度が向上します。

エ デュアルコアCPUは、1個のCPU内に「コア」と呼ばれる演算処理にかかわるユニットを2個もっています。また、クアッドコアCPUは、4個のコアを持っています。コアの個数が多いほど、同時に実行できる処理の数が多くなります。

問 2

(IP-R03-90)

CPUのクロックに関する説明のうち，適切なものはどれか。

ア USB接続された周辺機器とCPUの間のデータ転送速度は，クロックの周波数によって決まる。

イ クロックの間隔が短いほど命令実行に時間が掛かる。

ウ クロックは，次に実行すべき命令の格納位置を記録する。

エ クロックは，命令実行のタイミングを調整する。

解 説

ア USB接続された周辺機器とCPUの間のデータ転送速度は、使用しているUSB規格によって決まります。例えば、USB3.0のスーパースピードモードを使っている場合のデータ転送速度は、5Gビット／秒です。

イ クロックの間隔が長いほど命令実行に時間が掛かります。

ウ 次に実行すべき命令の格納位置（主記憶装置上の番地）を記録するのは、プログラムカウンタというレジスタです。

エ クロックに関する説明は、28ページを参照してください。

正解 ▶ 問1：ア 問2：エ

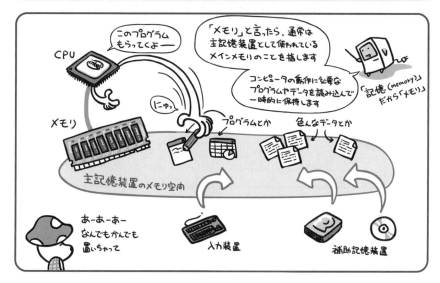

 メモリはコンピュータの動作に必要なデータを記憶します。
メモリがないとCPUはデータを読み出すことができません。

　上記はパソコンのメインメモリを想定した場合の話です。このようなメモリは、電源を切ると内容が消去されてしまい後に残りません。これは、RAMというメモリ種別の特性であり、このような性質を「揮発性」と呼びます。

　一方、家電製品のように「決められた動作を行うだけの特定用途向けコンピュータ」の場合にはROMという種別のメモリを使用します。ROMは基本的には読み込み専用のメモリなので、動作に必要なプログラムやデータは、あらかじめメモリ内に書き込まれた状態で工場から出荷されます。そして、その内容は電源の状態に関係なく保持されたままです。このような性質を「不揮発性」と呼びます。

　RAMはRandom Access Memoryの略。ROMはRead Only Memoryの略。どちらの種別も、さらにその下でいくつかの種類に分かれます。次ページでは、その細かい分類について、より詳しく見ていきましょう。

RAMとROM

RAMは読み書きを自由に行えるのが特徴です。RAMにはDRAMとSRAMという2つの種類があり、それぞれ次のような特徴を持ちます。

DRAM (Dynamic RAM)

安価で容量が大きく、主記憶装置に用いられるメモリです。ただ読み書きはSRAMに比べて低速です。
記憶内容を保つためには、定期的に内容を再書き込みするリフレッシュ動作が欠かせません。

SRAM (Static RAM)

DRAMに比べて非常に高速ですが価格も高く、したがって小容量のキャッシュメモリとして用いられるメモリです。
記憶内容を保持するのに、リフレッシュ動作は必要ありません。

ROMは基本的には読み込み専用のメモリですが、専用の機器を使うことで記憶内容の消去と書き込みができる、PROMという種類も存在します。デジタルカメラなどで利用されているメモリカード（SDカードなど）もこの1種で、フラッシュメモリと呼ばれます。ROMの種類と特徴は、それぞれ次のようになります。

マスクROM

読み込み専用のメモリです。製造時にデータを書き込み、以降は内容を書き換えることができません。

PROM (Programmable ROM)

プログラマブルなROM。つまり、ユーザの手で書き換えることができるROMです。下記のような種類があります。

EPROM (Erasable PROM)

紫外線でデータを消去して書き換えることができます。

EEPROM (Electrically EPROM)

電気的にデータを消去して書き換えることができます。

フラッシュメモリ

EEPROMの1種。全消去ではなく、ブロック単位でデータを消去して書き換えることができます。

このように出題されています
過去問題練習と解説

問 1
(IP-R06-56)

PCにおいて，電力供給を断つと記憶内容が失われるメモリ又は記憶媒体はどれか。

ア DVD-RAM　イ DRAM　ウ ROM　エ フラッシュメモリ

解説

ア 読み書き可能な光ディスクの一つです。選択肢イ～エの説明は、下記の各ページを参照してください。　イ 32ページ　ウ 31ページ　エ 32ページ

選択肢ア・ウ・エは、電力供給を断っても、記憶内容は失われません。

問 2
(IP-H30-S-76)

メモリに関する説明のうち，適切なものはどれか。

ア DRAMは，定期的に再書込みを行う必要があり，主に主記憶に使われる。

イ ROMは，アクセス速度が速いので，キャッシュメモリなどに使われる。

ウ SRAMは，不揮発性メモリであり，USBメモリとして使われる。

エ フラッシュメモリは，製造時にプログラムやデータが書き込まれ，利用者が内容を変更することはできない。

解説

ア DRAMの説明は、32ページを参照してください。　イ ROMのうち、マスクROMは、読み込み専用であり、キャッシュメモリには使えません。また、PROMは、データの書き換えが可能ですが、読み込み・書き換え速度（＝アクセス速度）が主記憶装置よりも遅いので、キャッシュメモリには使われません。　ウ SRAMは、揮発性メモリであり、USBメモリには使われません。　エ フラッシュメモリは、利用者によって内容の変更が可能です。

問 3
(IP-H29-A-67)

フラッシュメモリの説明として，適切なものはどれか。

ア 紫外線を利用してデータを消去し，書き換えることができるメモリである。

イ データ読出し速度が速いメモリで，CPUと主記憶の性能差を埋めるキャッシュメモリによく使われる。

ウ 電気的に書換え可能な，不揮発性のメモリである。

エ リフレッシュ動作が必要なメモリで，主記憶によく使われる。

解説

ア 当選択肢の説明に該当するのは、EPROMです。　イ 当選択肢の説明に該当するのは、SRAMです。　ウ そのとおりです。　エ 当選択肢の説明に該当するのは、DRAMです。

正解▶問1：イ　問2：ア　問3：ウ

 **補助記憶装置はメモリより低速ですが、大容量であるため
たくさんのデータやプログラムを保存することができます。**

　名は体を表すの言葉の通り、補助記憶装置は補助をするための装置です。なんの補助かというと主記憶装置の補助。

　主記憶装置さんといえば、電源を切るとすっかりなにもかもを忘れちゃいますし、そのメモリ上に記憶しておける量も限りがあります。

　一方、補助記憶装置である…たとえばハードディスクなんかだと、電源を切っても中身は残ったままだし、入れておける量なんかも主記憶装置の200倍とか400倍は当たり前。しかも安価なので、必要なら必要な分だけドカドカ付け足せちゃう。ただ、読み書きする速度は主記憶装置と比較にならないほど低速です。なので、倉庫役としてプログラムやデータを自分の中にたくわえておくのが補助記憶装置くんの役割です。

　ちなみにワタシ、暗記が苦手でして、ひと晩寝たらたいていのことは綺麗さっぱり忘れ去る自信があります。だからプロットを考えたりした内容はメモとして残しておかないとお話になりません。主記憶装置と補助記憶装置の関係に、とても似ていると思います。

仮想記憶（仮想メモリ）でメモリに化ける

メモリはハードディスクに比べて高速ですが、サイズが限られるのでプログラムを複数動かしたり、大きなデータを扱ったりすると、メモリ上に入りきらなくなってしまいます。

そのため、ハードディスクの一部をあたかもメモリであるかのように見なし、見かけ上扱えるサイズを増やす仮想記憶という技術が用いられます。

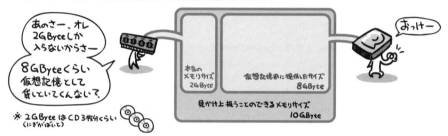

仮想記憶では、今時点の動作に必要ではないメモリ上のプログラムやデータを、一時的にハードディスク上へ退避させることで、メモリ上に空き領域を作り出します。これをスワップアウトと言います。

退避させたデータが必要になった時は、先ほど退避させた内容を再びメモリ上へと呼び戻します。これをスワップインといいます。

このように、メモリとハードディスクとの間で仮想記憶のための読み書きが発生することを総称してスワッピングと呼びます。ハードディスクは低速なので、スワッピングが発生するとコンピュータの処理速度は低下します。

リムーバブルは持ち運び可能

　補助記憶装置には、ハードディスクだけではなく、他にも様々な種類のものが存在します。特に駆動装置から記録媒体を簡単に取り外すことのできるリムーバブルメディアは、バックアップ用途やソフトウェアの配布媒体として広く利用されています。

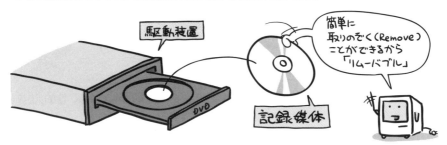

　リムーバブルメディアには次のようなものがあります。

光ディスク 	レーザ光を使ってデータの読み書きを行うディスクメディアです。CD-ROMやDVD-ROMが有名で、非常に安価であるためソフトウェアの配布媒体としても広く使われています。ディスクの種類には、読み出し専用タイプの他、一度だけ書き込み可能なタイプ、何度でも書き換え可能なタイプなどがあります。
光磁気ディスク (MO:Magneto Optical disk) 	レーザ光と磁気の両方を使って書き込みを行うメディアです。読み出しにはレーザ光のみを使います。
磁気テープ 	磁性体を塗ったテープを使い、磁気によってデータの読み書きを行うメディアです。非常に低速である反面、かなり大容量なので、バックアップ用のメディアとしてよく使われます。
フラッシュメモリ 	EEPROM (P.32) の一種を、補助記憶媒体に転用したものです。 コンパクトかつ低価格であるため様々な用途に使われています。代表的なものに、デジタルカメラやスマートフォンなどの記録メディアとして使われるSDカードや、持ち運び用の記憶媒体として使われているUSBメモリなどがあります。

SSD (Solid State Drive)

ハードディスクの代替として、近年注目度を増してきているのがSSDです。

SSDは内部にディスクを持ちません。フラッシュメモリを記憶媒体として内蔵する装置です。

機機械的な駆動部分がないため省電力で衝撃にも強く、ハードディスクのようなシーク（ディスク上の読み書き位置を決める動作）やサーチ（ディスクの回転待ちをする動作）といった待ち時間もありません。その分高速に読み書きを行うことができます。

ただしSSDには書き込み回数に上限があり、かつハードディスクに比べてビットあたりの単価も高くなります。そのため、完全な置き換えには至っていません。

問 1
(IP-R02-A-59)

仮想記憶を利用したコンピュータで，主記憶と補助記憶の間で内容の入替えが頻繁に行われていることが原因で処理性能が低下していることが分かった。この処理性能が低下している原因を除去する対策として，最も適切なものはどれか。ここで，このコンピュータの補助記憶装置は1台だけである。

ア　演算能力の高いCPUと交換する。
イ　仮想記憶の容量を増やす。
ウ　主記憶装置の容量を増やす。
エ　補助記憶装置を大きな容量の装置に交換する。

解説

　主記憶と補助記憶の間で内容の入替えが頻繁に行われていることが原因で、処理性能が低下する現象が生じた場合、これを解消するための根本的な対策は、主記憶装置の容量を増やすことです。こうすると、主記憶と補助記憶の間で内容の入替え頻度が下がります。

問 2
(IP-H24-A-58)

媒体①～⑤のうち，不揮発性の記憶媒体だけを全て挙げたものはどれか。

① DRAM　② DVD　③ SRAM　④ 磁気ディスク　⑤ フラッシュメモリ

ア　①，②　　　イ　①，③，⑤　　　ウ　②，④，⑤　　　エ　④，⑤

解説

　不揮発性の記憶媒体とは、電源が切られた状態でも記憶を失わない媒体です。①DRAMと③SRAMは、揮発性の記憶媒体であり、②DVDと④磁気ディスクと⑤フラッシュメモリは、不揮発性の記憶媒体です。

問 3
(IP-H31-S-70)

次の記憶装置のうち，アクセス時間が最も短いものはどれか。

ア　HDD　　　イ　SSD　　　ウ　キャッシュメモリ　　　エ　主記憶

解説

　各選択肢のアクセス時間は、「キャッシュメモリ＜主記憶＜SSD＜HDD」のように示されます。

問 4
(IP-H25-S-70)

コンピュータの補助記憶装置であるDVD装置の説明として，適切なものはどれか。

ア　記録方式の性質上，CD-ROMを読むことはできない。

イ　小型化することが難しく，ノート型PCには搭載できない。

ウ　データの読出しにはレーザ光を，書込みには磁気を用いる。

エ　読取り専用のもの，繰返し書き込むことができるものなど，複数のタイプのメディアを利用できる。

解説

ア　DVD装置は、CD-ROMを読むことができます。

イ　ノート型PCの中には、DVD装置を搭載しているものもあります。

ウ　データの読出しと書込みの両方にレーザ光を用います。

エ　読取り専用のDVD-ROM、追加して書き込めるDVD-RW、繰返し書き換えられるDVD-RWやDVD-RAMなど、複数のタイプのメディアを利用できます。

問 5
(IP-R05-88)

読出し専用のDVDはどれか。

ア　DVD-R　　イ　DVD-RAM　　ウ　DVD-ROM　　エ　DVD-RW

解説

ア　DVD-R (DVD Recordable) … 読出し、一度だけ書込み（追記）ができます。

イ　DVD-RAM (DVD Random Access Memory) … 読出し、書込み、書換えができます。

ウ　DVD-ROM (DVD Read Only Memory) … 読出し専用です。

エ　DVD-RW (DVD ReWritable) … 読出し、書込み、書換えができます。

問 6
(IP-R06-63)

SSDの全てのデータを消去し，復元できなくする方法として用いられているものはどれか。

ア　Secure Erase　　　　　イ　磁気消去

ウ　セキュアブート　　　　エ　データクレンジング

解説

　SSDをフォーマットするソフトウェアを使う場合、SSDの全てのデータを完全には消去できず、データの復元が可能です。そこで、情報漏洩を防止するため、SSDを廃棄する際には、Secure Eraseのような方法を用いて、データの復元ができない状態にします。

正解▶問1：ウ　問2：ウ　問3：ウ　問4：エ
　　　問5：ウ　問6：ア

入力装置

入力装置はこちらの意志を伝える道具。
処理に必要なデータをコンピュータに与える機器たちです。

コンピュータは単に電卓代わりにと計算だけさせる道具ではなく、文字や画像、音楽、動画など、様々なデータを処理させることのできる機械です。しかし、どれを処理させるにしても、そのために必要なデータを与えてやらなければコンピュータは一切なにもしてくれません。

この、「処理に必要となるデータ」をコンピュータに入力してあげるのが入力装置の役割です。代表的なところでは文字を入力するキーボードと、位置情報を伝えるマウス。もしくはマウスの代わりに使うポインティングデバイスとして、最近のノートパソコンでは一般的になったトラックパッドなどがあります。

あ、ポインティングデバイスというのは、画面内の特定の位置を指し示すために使う機器のことです。マウスやトラックパッドの他、銀行のATMや駅の券売機にあるようなタッチパネル（画面をさわって操作できるやつ）もこれにあたります。

代表的な入力装置としては、次のようなものがあります。

キーボード	パソコンにはほぼ標準装備されている、文字や数字を入力するための装置。
マウス	マウス自身を動かすことで、その移動情報を入力して画面内の位置を指し示す装置。
トラックパッド	パッド上で指を動かすことで、その移動情報を入力して画面内の位置を指し示す装置。ノートパソコンでマウスの代わりに搭載されていることが多い。
タッチパネル	画面を直接触れることで、画面内の位置を指し示す装置。銀行のATMや駅の券売機等で使われていることが多い。
タブレット	パネル上で専用のペン等を動かすことにより、位置情報を入力する装置。絵を描く用途に使われることが多い。大型のものはディジタイザと呼ばれ、図面作成用途に用いられる。
ジョイスティック	スティックを前後左右に傾けることで位置情報を入力する装置。これを使うとゲームがアツい。
イメージスキャナ	絵や写真を画像データとして読み取るための装置。単にスキャナとも呼ばれる。
キャプチャカード	ビデオデッキなどの映像機器から、映像をデジタルデータとして取り込むための装置。
バーコードリーダ	バーコードを読み取るための装置。コンビニエンスストアでピッピピッピと読み取らせているのをよく見かける。

バーコードの規格

バーコードには、様々な規格が存在します。昔から使われている縦縞模様のバーコードはもちろん、近年目にする機会の増えた小さな四角（セルと言う）の集合体のようなものもバーコードの一種です。前者を1次元バーコード、後者を2次元コードと呼びます。

ここでは代表的なJANコードとQRコードについて、特徴をおさえておきましょう。

▌JAN コード

9784774138213

世界共通の商品識別コードです。白黒の帯によって、13桁(標準タイプ)または8桁(短縮タイプ)の数字列を表現します。

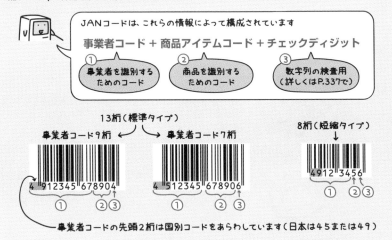

JANコードは、これらの情報によって構成されています

事業者コード ＋ 商品アイテムコード ＋ チェックディジット

① 事業者を識別するためのコード
② 商品を識別するためのコード
③ 数字列の検査用（詳しくはP.337で）

13桁（標準タイプ）

事業者コード9桁 ← → 事業者コード7桁

8桁（短縮タイプ）

4 912345 678904
① ② ③

4 512345 678906
① ② ③

4912 3456
① ② ③

事業者コードの先頭2桁は国別コードをあらわしています（日本は45または49）

▌QR コード

縦と横、2次元の図形パターンによって情報をあらわす2次元コードです。格納できる情報量は非常に多く、数字だけなら最大7,089文字、漢字・かなだと最大1,817文字を表現することができます。

3個の検出用シンボルによって、回転角度と読取り方向が認識可能です。

検出用シンボル
↓
上下左右どこからでも読み取れる

QRコードのサンプル

漢字　記号
数字
ひらがな
英字
カタカナ

これら多様な文字種やバイナリ形式のデータも表現できちゃいます

RFID〈Radio Frequency IDentification〉

ICタグ (RFID) は、電磁界や電波を使って読み取りを行う、非接触型のスキャンシステムです。電子情報を記録したRFタグを商品に貼り付けておき、専用のリーダーを用いてその内容を読み取ります。

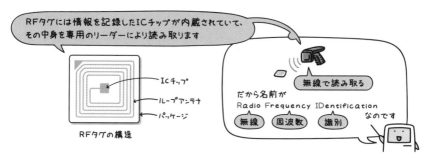

RFタグには情報を記録したICチップが内蔵されていて、その中身を専用のリーダーにより読み取ります

- ICチップ
- ループアンテナ
- パッケージ

RFタグの構造

だから名前が
Radio Frequency IDentification
なのです

無線で読み取る

無線　周波数　識別

RFIDはアンテナによって情報をやり取りするため、バーコードのように視認できる必要がありません。そのため、タグが汚れていたり、箱の中に隠れていても、問題なく読み取ることができます。

RFタグが汚れていても読み取れる
OK!

RFタグが箱の中に隠れていても読み取れる
OK!

RFタグが複数あっても一括で読み取れる
OK!

身近なところでは、交通系ICカードなんかにも、同じ技術が用いられています。

Suica とか ICOCA とか
PiTaPa とか PASMO とか…

へ～

問 1
(IP-H28-S-14)

紙に書かれた過去の文書や設計図を電子ファイル化して，全社で共有したい。このときに使用する機器として，適切なものはどれか。

ア GPS受信機　　イ スキャナ　　ウ ディジタイザ　　エ プロッタ

解説

ア GPS (Global Positioning System) は、地球を周回する人工衛星が発信する電波を用いた、地球上の位置（経度・緯度・高度）測定システムです。GPS受信機の具体例は、乗用車のカーナビやスマートフォンなどです。なお、GPS発信機は人工衛星です。

イ スキャナは、イメージスキャナとも呼ばれます。その説明は、41ページを参照してください。

ウ ディジタイザは、タブレットとも呼ばれます。その説明は、41ページを参照してください。

エ プロッタは、建築や機械などの図面データを出力する印刷装置です。A0版やA1版など大判の紙に印刷できます。

問 2
(IP-H25-S-56)

タッチパネルに関する記述として，適切なものはどれか。

ア 画面上の位置を指示するためのペン型又はマウス型の装置と，位置を検出するための平板状の装置を使用して操作を行う。

イ 電子式や静電式などの方式があり，指などで画面に直接触れることで，コンピュータの操作を行う。

ウ 表面のタッチセンサを用いて指の動きを認識し，ホイールと呼ばれる円盤に似た部品を回すようにして操作を行う。

エ 平板状の入力装置を指でなぞることで，画面上のマウスポインタなどの操作を行う。

解説

各選択肢は、下記の用語に関する記述です。　ア タブレット　イ タッチパネル　ウ タッチホイールもしくはクリックホイール　エ トラックパッド

問 3
(IP-R06-76)

スマートフォンなどのタッチパネルで広く採用されている方式であり，指がタッチパネルの表面に近づいたときに，その位置を検出する方式はどれか。

ア 感圧式　　イ 光学式　　ウ 静電容量方式　　エ 電磁誘導方式

解説

問題文は、"指がタッチパネルの表面に近づいたとき" としています。選択肢ア・イ・エの方式では、下記の変化を感知します。　ア 指から圧力　イ 光　エ 磁束

ディスプレイは出力装置のひとつ。
コンピュータからの出力を画面上に映し出します。

　出力装置は、コンピュータ内部の処理結果を外部に出力するための装置です。

　ディスプレイはそのうちのひとつで、見た目は家庭用のテレビと酷似しており、コンピュータの出力結果を画面上に映す（出力する）のが仕事です。

　家庭用テレビが大型のブラウン管テレビから薄型の液晶テレビへと変遷したように、ディスプレイの世界もかつて主流であったブラウン管方式のCRTディスプレイはなりを潜め、現在では薄型で省電力の液晶ディスプレイが主流となっています。

解像度と、色のあらわし方

前ページでも書いたように、ディスプレイは表示面を格子状に細かく区切り、その格子ひとつひとつの点（ドット）を使って画像を表現します。つまりディスプレイに表示されている内容は、どれだけ滑らかに見えても、点の集まりに過ぎないのです。

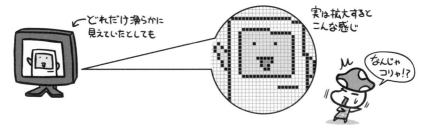

この時、ディスプレイをどれだけ細かく区切るかによって、表示される画面の滑らかさが決まります。この、ディスプレイが表示するきめ細かさのことを解像度と呼びます。

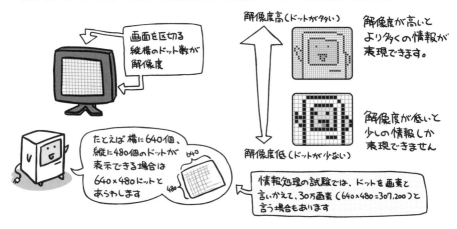

ディスプレイは、ひとつひとつのドットを表現するために、1ドットごとにRGB3色の光を重ねて色を表現します（RはRed、GはGreen、BはBlueの頭文字）。

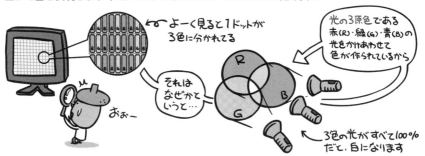

ディスプレイの種類と特徴

ディスプレイには次のような種類があります。

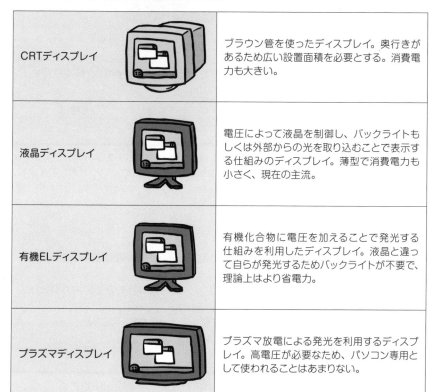

CRTディスプレイ		ブラウン管を使ったディスプレイ。奥行きがあるため広い設置面積を必要とする。消費電力も大きい。
液晶ディスプレイ		電圧によって液晶を制御し、バックライトもしくは外部からの光を取り込むことで表示する仕組みのディスプレイ。薄型で消費電力も小さく、現在の主流。
有機ELディスプレイ		有機化合物に電圧を加えることで発光する仕組みを利用したディスプレイ。液晶と違って自らが発光するためバックライトが不要で、理論上はより省電力。
プラズマディスプレイ		プラズマ放電による発光を利用するディスプレイ。高電圧が必要なため、パソコン専用として使われることはあまりない。

問 1

(AD-H19-A-05)

電圧を加えると自ら発光するのでバックライトが不要であり，低電圧駆動，低消費電力を特徴とするものはどれか。

ア　CRT　　　イ　PDP　　　ウ　TFT液晶　　　エ　有機EL

解説

　有機ELは、電圧を加えると発光する有機化合物を用います。有機ELディスプレイは、低電力で高い輝度を得られ、画像の美しさ・応答速度・寿命・消費電力の点で優れています。なお、選択肢イのPDPは、プラズマディスプレイのことです。

問 2

(AD-H18-S-04)

液晶ディスプレイの特徴はどれか。

ア　CRTディスプレイよりも薄く小型であるが，消費電力はCRTディスプレイよりも大きい。

イ　液晶自身は発光しないので，バックライト又は外部の光を取り込む仕組みが必要である。

ウ　同じ表示画面のまま長時間放置すると，焼付きを起こす。

エ　放電発光を利用したもので，高電圧が必要となる。

解説

ア　CRTディスプレイよりも薄く小型で、消費電力はCRTディスプレイよりも小さいです。

イ　液晶自身は発光しません。バックライトとは、文字通り、液晶の後ろに付ける発光装置です。

ウ　同じ表示画面のまま長時間放置すると焼付きを起こすのは、CRTディスプレイです。

エ　放電発光を利用し、高電圧が必要となるのは、プラズマディスプレイです。

問 3

(IP-H26-S-80)

ディスプレイ画面の表示では，赤・緑・青の3色を基に，加法混色によって様々な色を作り出している。赤色と緑色と青色を均等に合わせると，何色となるか。

ア　赤紫　　　イ　黄　　　ウ　白　　　エ　緑青

解説

　ディスプレイの場合、赤色と緑色と青色を均等に合わせると、白色が表示されます。

Chapter 1-7 プリンタ

 処理結果をプリント（印刷）する装置だから「プリンタ」。
代表的な出力装置のひとつです。

　出力装置といえばパッと頭に思い浮かぶのがこのプリンタ。ガシガシ印刷してペッと紙を吐き出すあたりが、いかにも「出力」という感じでわかりやすい装置です。

　同じく代表的な出力装置としてディスプレイがありますが、ディスプレイがRGB（Red、Green、Blue）の組み合わせで色を表現するのに対して、プリンタはCMYK（Cyan:シアン、Magenta:マゼンタ、Yellow:イエロー、blacK:ブラック）という4色の組み合わせで色を表現します。

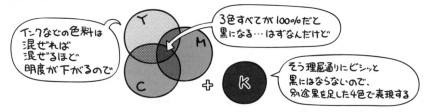

プリンタの種類と特徴

プリンタは、その印字方式によって様々な種類に分かれます。
ここでは代表的な次の3種類を紹介します。

ドットインパクト プリンタ	印字ヘッドに多数のピンが内蔵されていて、このピンでインクリボンを打ち付けることによって印字するプリンタです。 物理的に叩きつけるわけですから印字音は大きく、その印字品質もあまり高くありません。しかし、複写式の伝票印刷に使用できる唯一のプリンタであるため、事務処理分野では重宝されています。 
インクジェット プリンタ	印字ヘッドのノズルから、用紙に直接インクを吹き付けて印刷するプリンタです。インクのにじみなど印字先の紙質に左右される面もありますが、基本的には音も静かで、かつ高速。高品質のカラー印刷を安価に実現することができるとあって、個人用途のプリンタとして普及しています。 最近では基本のCMYKだけでなく、ライトシアンなどを加えた多色表現を可能としたモデルが出ており、写真並みの高画質印刷を可能としています。 
レーザプリンタ	レーザ光線を照射することで感光体上に1ページ分の印刷イメージを作成し、そこに付着したトナー(顔料などの色粒子からなる粉)を紙に転写することで印刷するプリンタ。基本的にはコピー機と同じ原理です。ページ単位で印刷するため非常に高速で、音も静か。粉を定着させる方式であるため、インクがにじむようなこともなく、もっとも高品質な印字結果を得ることができます。ビジネス用途のプリンタとして普及しています。 

プリンタの性能指標

プリンタの性能は、印字品質とその速度によって評価することができます。

プリンタの解像度

印字品質をはかる指標が解像度です。プリンタの場合は、「1インチあたりのドット数」を示すdpi (dot per inch) を用いてあらわします。

ディスプレイの項 (P.46) でも述べたように、この数値が大きいほどきめの細かい表現ができるので、高精細な印字結果を得ることができます。

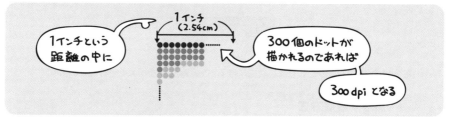

プリンタの印字速度

印字速度をあらわす指標には、「1秒間に何文字印字できるか」をあらわすcps (character per second) と「1分間に何ページ印刷できるか」をあらわすppm (page per minute) の2つがあります。

プリンタの印字方式により、いずれか最適な方を用いてあらわします。

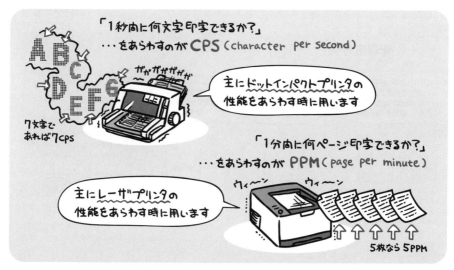

3Dプリンタ

前ページまでの「紙に印刷する装置」としてのプリンタとは異なり、3Dデータを用いて立体物を造形する出力装置が3Dプリンタです。

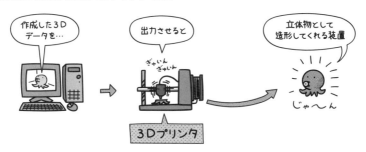

一般向けの3Dプリンタとしては、次に挙げる2つの造形方式がよく使われています。

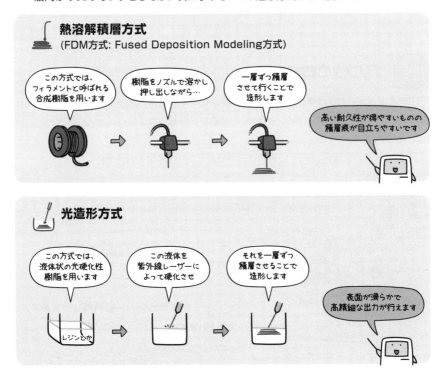

問1 (IP-R04-94)

インクジェットプリンタの印字方式を説明したものはどれか。

ア　インクの微細な粒子を用紙に直接吹き付けて印字する。
イ　インクリボンを印字用のワイヤなどで用紙に打ち付けて印字する。
ウ　熱で溶けるインクを印字ヘッドで加熱して用紙に印字する。
エ　レーザ光によって感光体にトナーを付着させて用紙に印字する。

解説

各選択肢は、下記の説明です。
ア　インクジェットプリンタ　　イ　ドットインパクトプリンタ
ウ　熱転写プリンタ　　　　　　エ　レーザプリンタ

問2 (IP-H28-S-88)

感光ドラム上に印刷イメージを作り，粉末インク（トナー）を付着させて紙に転写，定着させる方式のプリンタはどれか。

ア　インクジェットプリンタ　　　　イ　インパクトプリンタ
ウ　熱転写プリンタ　　　　　　　　エ　レーザプリンタ

解説

「粉末インク（トナー）を付着させ」が主なヒントになり、レーザプリンタが正解です。インクジェットプリンタとインパクトプリンタの説明は、50ページを参照してください。選択肢ウの熱転写プリンタは、インクが塗布されたインクリボンに、熱した印字ヘッドを圧着し、インクを溶かして用紙に印刷するプリンタです。

問3 (IP-H26-A-49)

プリンタが1分間に印刷できるページ数を表す単位はどれか。

ア　cpi　　　　　　イ　dpi　　　　　　ウ　ppm　　　　　　エ　rpm

解説

プリンタが1分間に印刷できるページ数は、ppm（page per minute）を単位として表されます。

正解▶問1：ア　問2：エ　問3：ウ

Chapter 1-8 入出力インタフェース

 コンピュータと様々な周辺機器をつなぐために
定められている規格。それが「入出力インタフェース」です。

　入出力インタフェースの規格には、「ケーブルや端子などの差し込み口の形状」や「ケーブルの種類」、「ケーブルの中を通す信号のパターン」など、細々とした内容が定められています。この規格を守ることで、異なるメーカーのキーボードに買いかえても問題なく交換できたり、プリンタとスキャナのようにまったく異なる用途の機器も同じケーブルを共用できたりといった互換性が保たれているのです。

　たとえばAC100Vの電気コンセント。あれは日本全国どこにいっても同じ形をしています。そして、電気製品はすべてコンセントにささる形の電気プラグを持っています。これらが問題なくつながるのも、つまりは「AC100Vコンセント」という入出力インタフェースをみんなが守っているからということなのです。

　コンピュータの入出力インタフェースには様々なものがありますが、周辺機器との接続で現在もっともポピュラーなのは「USB」という規格です。この規格では、コンピュータに周辺機器をつなぐと自動的に設定が行われるプラグ・アンド・プレイ（差し込めば使えるという意味）という仕組みが利用できます。

シリアルインタフェースとパラレルインタフェース

　入出力インタフェースは、データを転送する方式によってパラレルインタフェースとシリアルインタフェースに分かれます。

　パラレルは並列という意味で、複数の信号を同時に送受信します。一方シリアルは直列という意味で、信号をひとつずつ連続して送受信します。

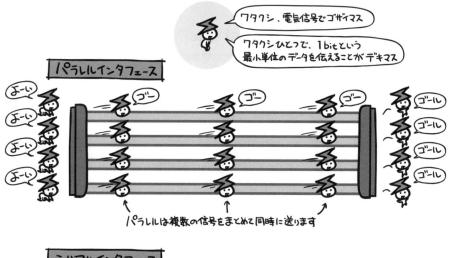

パラレルは複数の信号をまとめて同時に送ります

シリアルは信号をひとつずつ送ります

　当初は複数の信号を1回で送れるパラレルインタフェースが高速とされていました。しかし高速化を突き進めていくにつれ信号間のタイミングを取ることが難しくなったため、現在はシリアルインタフェースで高速化を図るのが主流となっています。

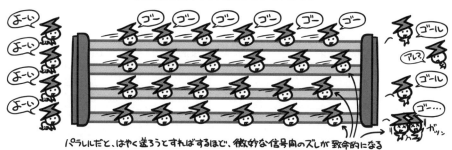

パラレルだと、はやく送ろうとすればするほど、微妙な信号間のずれが致命的になる

有線規格の有名どころ

周辺機器をケーブルでつないで使う形式の規格としては、「USB」と「IEEE1394」が代表的なところです。どちらの規格もシリアルインタフェース方式を採用しており、電源を入れたまま機器を抜き差しできるホットプラグと、周辺機器をつなぐと自動的に設定が開始されるプラグ・アンド・プレイに対応しています。

ユーエスビー
USB (Universal Serial Bus)

パソコンと周辺機器とをつなぐ際の、もっとも標準的なインタフェースです。

Universal（広く行われる;万能の;）とあるように広く使える高い汎用性に主眼が置かれた規格で、キーボードやマウス、スキャナなどの入力装置、プリンタなどの出力装置、外付けハードディスクなどの補助記憶装置と、機器を選ばず利用できるようになっています。

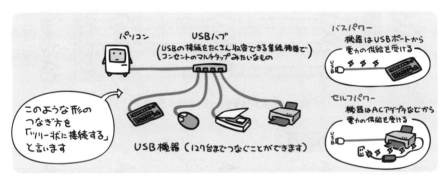

USBには複数の規格があり、各規格で性能もそれぞれ違います。代表的な規格をまとめると次のようになります。

通信方式の「半二重通信」とは、受信と送信を同時に行えず、「全二重通信」とは、受信と送信を同時に行える方式のことです

名称	最大転送速度		最大供給電力	通信方式
USB 1.1	ロースピードモード	1.5Mbps	2.5W (5V×0.5A)	半二重
	フルスピードモード	12Mbps		
USB 2.0	ハイスピードモード	480Mbps	2.5W (5V×0.5A)	半二重
USB 3.0 / 3.1 Gen1 / 3.2 Gen1	スーパースピードモード	5Gbps	4.5W (5V×0.9A)	全二重
USB 3.1 / 3.1 Gen2 / 3.2 Gen2	スーパースピードプラスモード	10Gbps	100W (20V×5A)	全二重
USB 3.2 Gen2×2	スーパースピードプラスモード	20Gbps	100W (20V×5A)	全二重

Type-Cというコネクタのみの対応ですが、USB PD(USB Power Delivery)という給電規格を使うと、機器に最適な電力を自動的に決めて供給することができます（最大100W）

さらにUSBには、複数のコネクタ形状があります。代表的な形状は次の通りです。

名称	対応する規格	コネクタ形状	ピンの数
Type-A	USB 1.1、2.0		4本
	USB 3.0、3.1		9本
Type-B	USB 1.1、2.0		4本
	USB 3.0		9本
Type-C	USB 3.0、3.1、3.2		24本
Mini-A	USB 1.1、2.0		5本
Mini-B	USB 1.1、2.0		5本
Micro-A	USB 1.1、2.0		5本
Micro-B	USB 1.1、2.0		5本
	USB 3.0		10本

コネクタ形状とは
ここのこと

こっちはコネクタの中が
青く着色されてることが多い
（推奨なので絶対ではない…）

USBは細かく規格を
追うととんでもなく
ややこしいので、
ここでは代表的な
ものを紹介しています

種類多すぎだろ
はは…

一時期のAndroidスマホ
とかで良く使われていた
のはコレ

※ 下位互換性が考慮されているため、ほとんどの場合、新しい規格
のコネクタでも、古いUSB規格の通信をサポートしています。

コネクタ形状については、現在はType-Cに統一されていこうとしています。

このType-Cコネクタには、「向きを気にせずに接続できる」「機器に合わせて自動で供給電力を変更できる」などの特徴があります。

アイトリプルイーイチサンキューヨン
IEEE1394

i.LinkやFireWireという名前でも呼ばれる、主にハードディスクレコーダなどの情報家電やデジタルビデオカメラなどの機器に使われているインタフェースです。

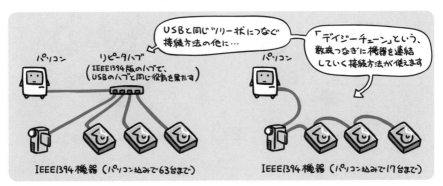

USBと同じツリー状につなぐ
接続方法の他に…

パソコン

リピータハブ
（IEEE1394版のハブで、
USBのハブと同じ役割を果たす）

IEEE1394機器（パソコン込みで63台まで）

「デイジーチェーン」という、
数珠つなぎに機器を連結
していく接続方法が使えます

パソコン

IEEE1394機器（パソコン込みで17台まで）

無線規格の有名どころ

　入出力インタフェースには、周辺機器との接続にケーブルを使用しない、無線で通信するタイプのものがあります。代表的なものに「IrDA」と「Bluetooth」があります。

アイアールディーエー
IrDA (Infrared Data Association)

　赤外線を使って無線通信を行う規格です。携帯電話やノートパソコン、携帯情報端末などによく使われています。赤外線で通信を行うといえばテレビのリモコンなどを思い浮かべますが、赤外線という点が共通しているだけで、IrDAとの互換性はありません。

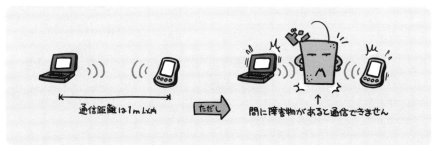

ブルートゥース
Bluetooth

　2.4GHzの電波を使って無線通信を行う規格です。携帯電話やノートパソコン、携帯情報端末の他、キーボードやマウス、プリンタなど様々な周辺機器をワイヤレス接続することができます。

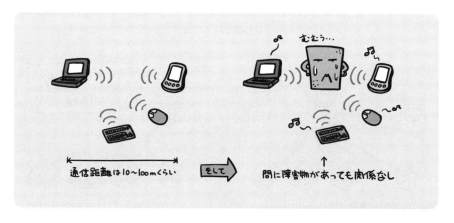

問 1

(IP-H29-S-64)

プラグアンドプレイ機能によって行われるものとして，適切なものはどれか。

ア　DVDビデオ挿入時に行われる自動再生

イ　新規に接続された周辺機器に対応するデバイスドライバのOSへの組込み

ウ　接続されている周辺機器の故障診断

エ　ディスクドライブの定期的なウイルススキャン

解 説

ア・ウ・エ　当選択肢の説明は、基本ソフトウェアやアプリケーションソフトウェアの機能によって行われます。

イ　プラグアンドプレイの説明は、54ページを参照してください。

問 2

(IP-H29-A-82)

USBに関する記述のうち，適切なものはどれか。

ア　PCと周辺機器の間のデータ転送速度は，幾つかのモードからPC利用者自らが設定できる。

イ　USBで接続する周辺機器への電力供給は，全てUSBケーブルを介して行う。

ウ　周辺機器側のコネクタ形状には幾つかの種類がある。

エ　パラレルインタフェースであり，複数の信号線でデータを送る。

解 説

ア　USBのデータ転送速度には、ロースピード、フルスピードなどの幾つかのモードがあります。そのモード設定は、PCと周辺機器の間で自動的に行われるので、PC利用者自らが設定することはありません。

イ　専用のACアダプタを使って、電源供給を受ける周辺機器もあります。当選択肢の説明のように「全てUSBケーブルを介して、電源供給を行う」とは言えません。

ウ　周辺機器側のコネクタ形状には、Type-B、Type-C、Micro-Bなどの種類があります。

エ　シリアルインタフェースであり、1本の信号線でデータを送ります。

正解 ▶ 問1：イ　問2：ウ

コンピュータの
扱うデータは、
すべてが
デジタルのデータ

1

それも、電気的な
オンとオフしか
わかりませんよと
きたもんで

ON OFF

2

奴の中には電気的に
「オン」なら「1」、
「オフ」なら「0」
という…

ON

OFF

3

たった2つの
数字しか、
存在しないのです

アホだな

アホだね

4

でも、そんな
コンピュータが
複雑な絵や文や
音楽や動画を
扱えたりする…

アホな

んて

そーしや
そだね

5

さあ
なぜでしょう？

ナンデだ？

サァ？

6

その原理は、
こいつらなんかと
同じこと

バッ

バッ

手旗信号とか

ババッ

S.O.S
S.O.S

トン
トン
ツー
ツーツートンツー

モールス
信号とか

7

単純な信号でも
それを組み合わせる
ことで、
より複雑な内容を
表現できちゃうん
です

ア・イ・シ・
テ・ル

5回点滅は
「ア・イ・シ・テ・ル」の
サインです

ドリカム？

だよ

8

たとえば電球が
いっぱい集まって
できた、
ネオンサイン や
電光掲示板

9

あれなんかも電球
いっこいっこは、
オンとオフしか
表現できないのに

10

いっぱい集まれば
色んな文字や図形を
表現できちゃったり
するでしょ？

オー　　たしかに

11

だから、
たとえ0と1しか
理解できなくても、
たくさんの0と1を
組み合わせることで
多様なデータが
扱える…

12

それが、
「デジタルデータ」
という考え方

CD-ROMの
中身だって、
実は「オン」と「オフ」の
集合なのです

13

ちなみにこの、
「オン」と「オフ」しか
あらわせない
最小の単位

いわば

いっこの電球ね

14

これを
コンピュータの
世界では

bit
（ビット）

←1bit
←2bit
←4bit

…と呼びます

15

ち「びっと」しか
表現できないから

bit
（びっと）
なんだね？

それは…

ちがうと思うよ

16

デジタル世界は、0と1だけの2進数

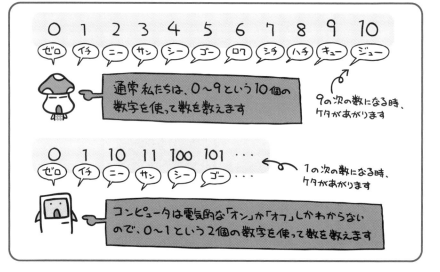

通常 私たちは、0〜9という10個の数字を使って数を数えます

9の次の数になる時、ケタがあがります

1の次の数になる時、ケタがあがります

コンピュータは電気的な「オン」か「オフ」しかわからないので、0〜1という2個の数字を使って数を数えます

私たちのような数え方を「10進数」、
コンピュータのような数え方を「2進数」といいます。

10進数は10個の数字しかないのに、10個以上の数をあらわすことができますね。私たちは0〜9という数字でおさまりきらなくなった時でも、「9の次は10だ」と桁（ケタ）をあげることで、それ以上の数を数える習慣が身についています。

さて、オンとオフしか理解できないコンピュータでもそれは同じ。オフを0、オンを1とみなし、0〜1という数字でおさまりきらなくなった時は、「1の次は10（10進数の2）だ」と桁をあげることで、それ以上の数をあらわすことができるようになっているのです。この数え方を2進数といいます。

とっつきづらいことこの上なしですね! なんだこれ!?

はい、その気持ちはよくわかります。でもコンピュータが0と1だけで考えることができる仕組みや、ネットワークで情報をやり取りしたり、DVDからデータを読み取ったり…なんてできる理由を読み解くには欠かせない概念です。なのでがんばって理解…できない時も、苦手意識だけは芽生えさせないように気をつけて、とりあえずは流し読みしてぐいぐい次へと進みましょう。

2進数であらわす数値を見てみよう

2進数の2という数字は「桁が進む数」をあらわしています。「2になるごとに桁が進む数え方」という感じ。これは同時に「使える数字の数」だと思って差し支えありません。つまり2進数だと使える数字の数は2個。それで収まらない時は、どんどん桁をあげていく。10進数だと、使える数字の数は10個で、収まりきらなきゃ桁あがり。16進数なら16個使えて…とそんな感じ。

さて、それでは実際に2進数で数を数えた時、それぞれの数値はどんな書き方になるのでしょうか。細かく順をおって見ていきましょう。

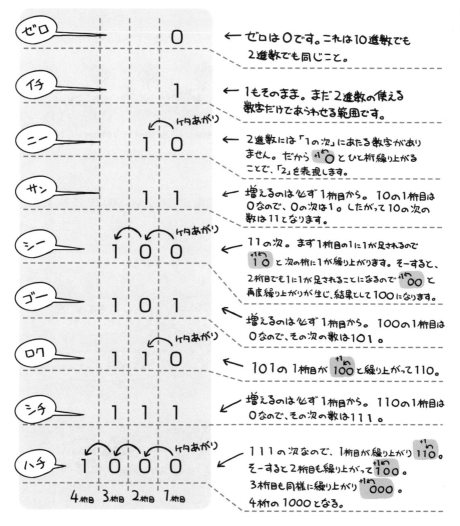

ゼロ → **0** ← ゼロは0です。これは10進数でも2進数でも同じこと。

イチ → **1** ← 1もそのまま。まだ2進数の使える数字だけであらわせる範囲です。

ニー → **10** （ケタあがり） ← 2進数には「1の次」にあたる数字がありません。だから10とひと桁繰り上がることで、「2」を表現します。

サン → **11** ← 増えるのは必ず1桁目から。10の1桁目は0なので、0の次は1。したがって10の次の数は11となります。

シー → **100** （ケタあがり） ← 11の次。まず1桁目の1に1が足されるので10と次の桁に1が繰り上がります。そーすると、2桁目でも1に1が足されることになるので00と再度繰り上がりが生じ、結果として100になります。

ゴー → **101** ← 増えるのは必ず1桁目から。100の1桁目は0なので、その次の数は101。

ロク → **110** （ケタあがり） ← 101の1桁目が100と繰り上がって110。

シチ → **111** ← 増えるのは必ず1桁目から。110の1桁目は0なので、その次の数は111。

ハチ → **1000** （ケタあがり） ← 111の次なので、1桁目が繰り上がり110。そーすると2桁目も繰り上がって100。3桁目も同様に繰り上がり000。4桁の1000となる。

4桁目 3桁目 2桁目 1桁目

2進数の重みと10進数への変換

まず、先ほどのページにある2進数の数値を、いくつか抜粋して見てみましょう。

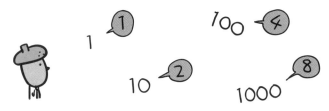

1という数字が1桁左へ移動するごとに、倍々ゲームで値が増えているのがわかるでしょうか。

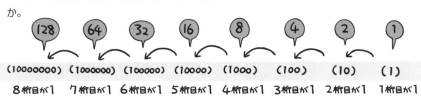

これを、2進数が持つ各桁の重みといいます。

1桁目は2の0乗、2桁目は2の1乗、3桁目は2の2乗…と、桁ごとに「2の（桁数-1）乗」を行なった数値がその正体です。

ちょっとここで10進数に立ち返ってみましょう。

そう、三百三十二.五mですね。三三二.五mではありません。

私たちは10進数であれば、自然と各桁の重みを使って、その表記の示す値を認識できるようになっているのです。

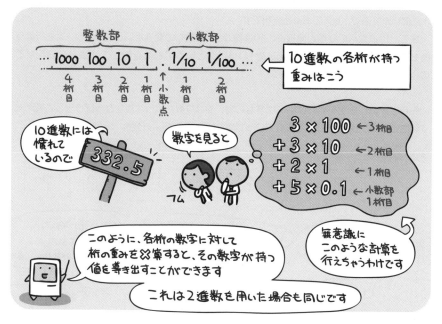

これでなにができるかというと、2進数から10進数への変換が簡単にできるようになります。実際に、2進数表記で「1011.011」という数値が10進数だといくつになるか、計算してみましょう。

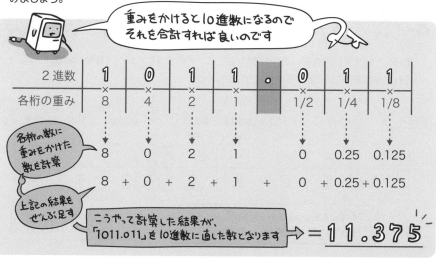

10進数から2進数への変換

　重みを使った10進数への変換は理解できましたでしょうか? 特に1～8桁目までの重みはよく使いますので、覚えておくと便利です。

　さて、10進数への変換と同様に、10進数から2進数への変換という逆のパターンを行なう時も重みを使います。先ほど算出した「11.375」という10進数を使って、2進数の表記がどのようになるか変換してみましょう。

　先ほど計算した逆をやればいいはずなので、やはり似たような表をひっぱり出して考えます。さて、この表のどこに1を入れていってやればいいのでしょうか。

各桁の重み	8	4	2	1	○	1/2	1/4	1/8
	?	?	?	?		?	?	?

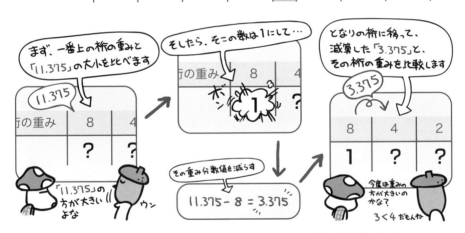

　重みの方が大きい場合は、そこの数は0にして、そのまま次の桁へと移動します。

　これを繰り返していくと、下図のようになります。

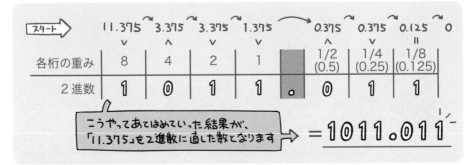

このように出題されています
過去問題練習と解説

問1

(IP-R02-A-62)

10進数155を2進数で表したものはどれか。

ア 10011011　　イ 10110011　　ウ 11001101　　エ 11011001

解説

10進数155を2進数に置き換えは、下記のような方法を使うことが一般的です。

```
2) 155
2)  77 …1    ← : 155を2で割ると、商は77、余りは1
2)  38 …1    ← :  77を2で割ると、商は38、余りは1
2)  19 …0    ← :  38を2で割ると、商は19、余りは0
2)   9 …1    ← :  19を2で割ると、商は 9、余りは1
2)   4 …1    ← :   9を2で割ると、商は 4、余りは1
2)   2 …0    ← :   4を2で割ると、商は 2、余りは0
2)   1 …0    ← :   2を2で割ると、商は 1、余りは0
     0 …1    ← :   1を2で割ると、商は 0、余りは1
             ← :   商が0になると終了
```

: 太い矢印線のように、下から上へと余りを並べると
　2進数になります。10011011

問2

(IP-R03-89)

情報の表現方法に関する次の記述中のa～cに入れる字句の組合せはどれか。

情報を，連続する可変な物理量（長さ，角度，電圧など）で表したものを　 a 　データといい，離散的な数値で表したものを　 b 　データという。音楽や楽曲などの配布に利用されるCDは，情報を　 c 　データとして格納する光ディスク媒体の一つである。

	a	b	c
ア	アナログ	デジタル	アナログ
イ	アナログ	デジタル	デジタル
ウ	デジタル	アナログ	アナログ
エ	デジタル	アナログ	デジタル

解説

連続する可変な物理量（長さ，角度，電圧など）で表したものを「アナログ」データといいます。
これに対し、「デジタル」データは、2進数の「0」と「1」のような離散的な数値で表されます。コンピュータで用いるのは「デジタル」データです。

正解 ▶ 問1：ア　問2：イ

2進数の足し算と引き算

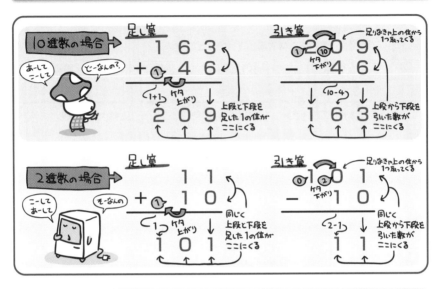

 足し算と引き算の基本は10進数も2進数もかわりありません。

「3+2はさあいくつ?」「5−2はさあいくつ?」という、簡単な足し算引き算を聞かれて答えに詰まる人は、多分この本の読者さんにはいないと思います。3+2は5ですし、5−2は3ですよね。カンタンカンタン。

でも、それはあくまでも「10進数なら簡単」という話。じゃあ2進数で「11+10はさあいくつ?」「101−10はさあいくつ?」と聞かれたら? これは思わず「うっ」と答えに詰まってしまう方…居そうです。慣れてないですもんね、2進数。

でも、上のイラストを見ていただければわかるように、10進数だろうが2進数だろうが、足し算引き算の基本は同じなのです。桁が上がったり下がったりする時の数が少々異なるので面食らいますが、違いはホントにそれだけ。計算する手順自体は変わらないんですよね。

ただ…、なるべくシンプルに回路を構成したいですわーというコンピュータの求めに応じて、実はコンピュータには「引き算」という概念が載ってません。じゃあどうやって引き算をするのか。それについては、次ページ以降で詳しく見ていきましょう。

足し算をおさらいしながら引き算のことを考える

2進数の足し算引き算を考える上で、欠かせないのが足し算に対する理解です。

足し算については前ページのイラストでもふれました。あの通りで間違いないのですが、アチラの絵はちょっと詰め込みすぎかな…という感もなきにしもあらず。

そんなわけで、あらためて足し算だけにフォーカスをあて、理解を確実なものにするところからはじめましょう。

それでは練習問題。

2進数の1111と2進数の101。両者を加算すると結果はいくつになるでしょうか?

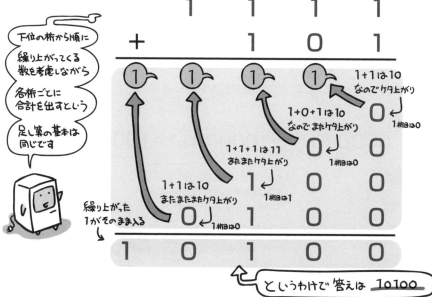

さてさて、ここでクイズです。

「引き算」という概念がないものに「引き算」を行わせたい場合、どうすれば引き算をさせることができるでしょうか。

いやいや、実はキノコが正解なのです。

仮に5−3という計算をさせたい場合、5+(−3)という計算ができれば、足し算を使って引き算と同じ結果を得ることができるはず。つまり引き算を知らなくとも、「負の数」を表現することができれば、足し算の回路だけで両方できるようになるのです。

負の数のあらわし方

単純に「負の数があらわせればいい」と考えれば、やり方は様々です。もっとも単純なところでは、「先頭の1ビットは符号にするね」と決めてしまう方法があります。

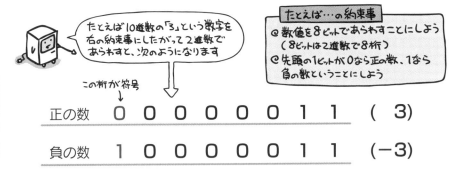

たとえば「10進数の「3」という数字を右の約束事にしたがって2進数であらわすと、次のようになります

たとえば…の約束事
●数値を8ビットであらわすことにしよう（8ビットは2進数で8桁）
●先頭の1ビットが0なら正の数、1なら負の数ということにしよう

この桁が符号

正の数 　0　0　0　0　0　0　1　1　　（ 3）

負の数 　1　0　0　0　0　0　1　1　　（−3）

ところがこれだと、「足し算だけで引き算も済ませちゃうぜイェイ」という目的が果たせません。

$$00000011+10000011=10000110$$

3と−3を足したら0にならないといけないはずなのにそうなってない

そこで出てくるのが補数という表現方法です。

干す？

チガウチガウ

補数とは、言葉の通り「補う数」という意味。補数の種類には、「その桁数での最大値を得るために補う数」と「次の桁に繰り上がるために補う数」という2つの補数が存在します。
…と書いただけじゃよくわかんないと思うので、10進数の数字を例に実際の数字を見てみましょう。

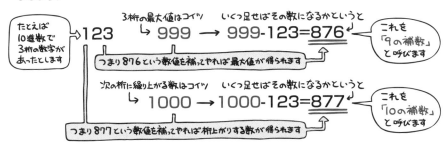

たとえば10進数で3桁の数字があったとします →123

3桁の最大値はコイツ ↳999 → いくつ足せばその数になるかというと 999-123=876 これを「9の補数」と呼びます

つまり876という数値を補ってやれば最大値が得られます

次の桁に繰り上がる数はコイツ ↳1000 → いくつ足せばその数になるかというと 1000-123=877 これを「10の補数」と呼びます

つまり877という数値を補ってやれば桁上がりする数が得られます

このような10進数でいうところの「9の補数」と「10の補数」と同じものが、2進数にもあるわけです。2進数では、「1の補数」と「2の補数」という2つの補数を使います。

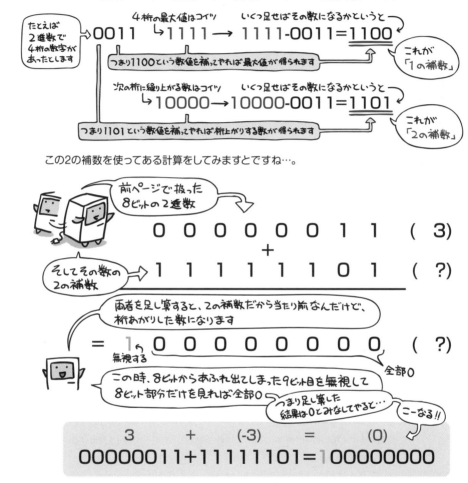

たとえば2進数で4桁の数字があったとします
→ 0011

4桁の最大値はコイツ
↳ 1111 →

いくつ足せばその数になるかというと
1111-0011=1100

これが「1の補数」

つまり1100という数値を補ってやれば最大値が得られます

次の桁に繰り上がる数はコイツ
↳ 10000 →

いくつ足せばその数になるかというと
10000-0011=1101

これが「2の補数」

つまり1101という数値を補ってやれば桁上がりする数が得られます

この2の補数を使ってある計算をしてみますとですね…。

前ページで扱った8ビットの2進数
0 0 0 0 0 0 1 1 （ 3 ）
　　　　　＋
そしてその数の2の補数
1 1 1 1 1 1 0 1 （ ? ）

両者を足し算すると、2の補数だから当たり前なんだけど、桁あがりした数になります

= 1 0 0 0 0 0 0 0 0 （ ? ）
無視する　　　　　　　　　　全部0

この時、8ビットからあふれ出てしまった9ビット目を無視して8ビット部分だけを見れば全部0

つまり足し算した結果は0とみなしてやると…

こーなる!!

3　＋　(-3)　＝　(0)
00000011+11111101=100000000

このように、ある数値に対する2の補数表現は、そのままその数値の負の値として使えるというわけなのです。このことから、コンピュータは負の数をあらわすのに2の補数を使います。2の補数は、次のようにすると簡単に求めることができます。

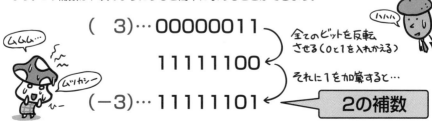

(3)…00000011

全てのビットを反転させる（0と1を入れかえる）

11111100

それに1を加算すると…

(−3)…11111101

2の補数

このように出題されています
過去問題練習と解説

・・・・・・・・・・・・・・・・・・・・・・・・・・・・

問 1
(IP-H29-S-72)

二つの2進数01011010と01101011を加算して得られる2進数はどれか。ここで，2進数は値が正の8ビットで表現するものとする。

ア 00110001　　イ 01111011　　ウ 10000100　　エ 11000101

解説

2進数01011010との01101011を加算すると、以下のようになります。

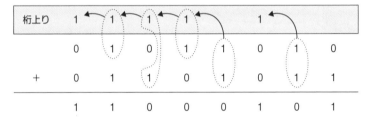

桁上り	1	1	1	1		1	
	0	1	0	1	1	0	1	0
+	0	1	1	0	1	0	1	1
	1	1	0	0	0	1	0	1

問 2
(IP-H21-S-64)

2進数10110を3倍したものはどれか。

ア 111010　　イ 111110　　ウ 1000010　　エ 10110000

解説

2進数10110を3倍することは、2進数10110+10110+10110を計算することと同じです。

①：2進数10110+10110を計算する

```
    1 0 1 1 0
+   1 0 1 1 0
  1 0 1 1 0 0
```

②：2進数101100+10110を計算する

```
    1 0 1 1 0 0
+     1 0 1 1 0
  1 0 0 0 0 1 0
```

したがって、加算した結果は、1000010 になります。

正解 ▶ 問1：エ　問2：ウ

ビットとバイトと その他の単位

Chapter
2-3

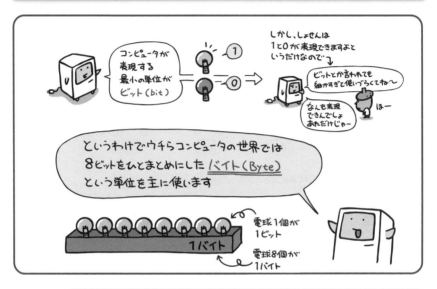

8ビットをひとまとめにした単位を「バイト」と呼びます。
メモリの記憶容量などは、主にバイトを用いてあらわします。

　ビット（bit）はコンピュータの扱う最小の単位なので、あれもこれもこの単位であらわそうとすると、やたら大きな数字になって扱いに困ります。また、しょせんは1と0が表現できるだけなので、1ビットという情報量だけじゃあ、その中にあまり意味を持たせることもできません。

　そこで、ある程度まとまった扱いやすい単位として、8ビットをひとまとめにしたバイト（Byte）という単位が、コンピュータでは主に用いられています。

　ビットとバイトには、それぞれ省略形の書き方があります。コンピュータの情報量をあらわす際に、「500b」と末尾に小文字のbが書いてある場合はビット、「500B」と大文字のBが書いてある場合はバイトを示しています。

　ちなみに、なんで8ビットなんて一見半端なサイズにまとめたかというと、アルファベット一文字をあらわすのに8ビットくらいがちょうどいい案配だったから。そう、1バイトとは、アルファベット一文字をあらわす単位でもあるのです…が、そのあたりについては本節ではなく、次の節でくわしく触れることにします。

2進数の1桁であらわせる範囲は、何度も出てきているように電球のオンとオフ。つまり1か0かという2通りしかありません。これが1ビットという単位であらわせる限度。

じゃあ2ビット使えばどうなるかというと、4通りに増えます。2ビットだと2進数2桁になるので、2^2個の数を表現できるのです。

同じ理屈で、3ビットあれば2^3個で8通り。4ビットだと2^4個で16通り。

じゃあ8ビット…つまり1バイトだといくつ表現できるかというと、2^8個になるので2×2×2×2×2×2×2×2でなんと256通り。0 〜 255という数をあらわすことができちゃいます。

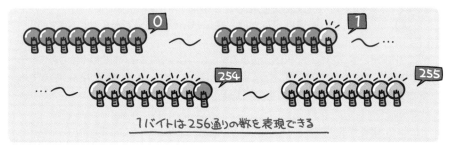

ちなみに負の数を入れると表現できる数値は正と負に2等分されるので、符号ありの場合あらわせる数は次のようになります。

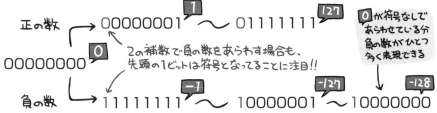

74

m（メートル）という長さの単位がありますよね。身長とか建物の高さとか、目的地までの距離とか、様々なシチュエーションで使う単位です。

ところで、たとえば目的地まで40,000mだった時。ほとんどの人が「あと40,000mだよ」とは言わないと思います。わかりやすいように「あと40kmだよ」と言うのではないでしょうか。

この時の「k」というのが補助単位です。

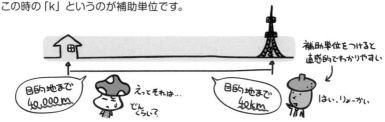

これまでビットだバイトだと小さい基本単位の話をしてきましたが、実際にコンピュータで扱うデータは、もっと大きな情報量になっていることがほとんどです。けれどもその時に、「このデータは1,000,000,000バイトです」なんて言われたらわかりづらくてしょうがないですよね。

そこで、先のkmの例と同様に、コンピュータの世界でも補助単位を使います。補助単位には、記憶容量などでよく使う「大きい数値をあらわす補助単位」と、処理速度などでよく使う「小さい数値をあらわす補助単位」がありますので、どちらも名前を覚えておきましょう。

 ## 記憶容量など大きい数値をあらわす補助単位

補助単位	意味	説明
キロ（k）	10^3	基本単位×1,000倍の意味
メガ（M）	10^6	基本単位×1,000,000倍の意味
ギガ（G）	10^9	基本単位×1,000,000,000倍の意味
テラ（T）	10^{12}	基本単位×1,000,000,000,000倍の意味

 ## 処理速度など小さい数値をあらわす補助単位

補助単位	意味	説明
ミリ（m）	10^{-3}	基本単位×1/1,000倍の意味
マイクロ（μ）	10^{-6}	基本単位×1/1,000,000倍の意味
ナノ（n）	10^{-9}	基本単位×1/1,000,000,000倍の意味
ピコ（p）	10^{-12}	基本単位×1/1,000,000,000,000倍の意味

このように出題されています
過去問題練習と解説

問1
(IP-R05-96)

CPUのクロック周波数や通信速度などを表すときに用いられる国際単位系(SI)接頭語に関する記述のうち，適切なものはどれか。

ア　Gの10の6乗倍は，Tである。　　　イ　Mの10の3乗倍は，Gである。
ウ　Mの10の6乗倍は，Gである。　　　エ　Tの10の3乗倍は，Gである。

解説

ア　Gの10の6乗倍は、Pです。Pはペタの頭文字であり、10の15乗を示す単位です。
ウ　Mの10の6乗倍は、Tです。
エ　Tの10の3乗倍は、Pです。

問2
(IP-H24-S-52)

負の整数を2の補数で表現するとき，8桁の2進数で表現できる数値の範囲を10進数で表したものはどれか。

ア　−256 〜 255　　　　　　イ　−255 〜 256
ウ　−128 〜 127　　　　　　エ　−127 〜 128

解説

　2の補数とは、負の数の表現方法の一つであり、2進数の各ビットを反転させて1加算したものです。こうすれば、正負が逆の数値になります。例えば、10進数の1を8ビットの2進数で表現すれば、00000001です。これを各ビット反転させると11111110になり、それに1加算すれば、11111111になり、これがマイナス1になります。

　2の補数を使った2進数の場合、2進数の桁数をnとすると、最大値は$2^{n-1}-1$、最小値は-2^{n-1}になります。したがって、8桁の2進数では、最大値は$2^{8-1}-1 = 127$、最小値は$-2^{8-1} = -128$です。

問3
(IP-R01-A-80)

パスワードの解読方法の一つとして，全ての文字の組合せを試みる総当たり攻撃がある。"A"から"Z"の26種類の文字を使用できるパスワードにおいて，文字数を4文字から6文字に増やすと，総当たり攻撃でパスワードを解読するための最大の試行回数は何倍になるか。

ア　2　　　　　　イ　24　　　　　　ウ　52　　　　　　エ　676

解説

　26種類の文字を4文字使って作られるパスワードの組合せは、26の4乗です。また、6文字の場合は、26の6乗です。したがって、文字数を4文字から6文字に増やすと、総当たり攻撃でパスワードを解読するための最大の試行回数は、26の6乗÷26の4乗＝26の2乗＝676倍になります。

Chapter 2-4 文字の表現方法

 コンピュータは文字に数値を割り当てることで、
文字データを表現します。

　前節でも書いたように、そもそもバイトという単位には「1文字をあらわすのに事足りるひとまとまりのサイズ」なんて理由がこめられています。

　さて、「事足りる」とはどういうことか。それは、「アルファベットそれぞれに数値を対応づけるには、256通りもあれば足りてくれるでしょ」ということに他なりません。実際には8ビット分丸々は使わず、1ビット分は他の用途に使ったりとか色々ありますが、それはとりあえず置いといて。

　そんなわけで、コンピュータは文字を「こんな感じの図形ね」くらいにしか思ってなくて、実際には「○番に該当する図形データを表示せよ」と言われてその通りに処理しているだけなのです。文字の意味など知ったこっちゃなし。文字コードとして各文字に割り当てられた数値だけが大事な情報なのです。

　ところでこの文字コード。世界中のコンピュータがすべて同じ起源かというとそうでない以上、数値の割り当て方にも方言が出てきます。しかも、ひらがなカタカナ漢字となんでもござれな日本みたいな国だと、たかが256通りですべての文字を網羅できるはずもありません。そのため文字コードには様々な種類が存在しています。

文字コードの種類とその特徴

文字コードの代表的な種類としては、次のようなものがあります。

ASCII
アスキー

米国規格協会（ANSI）によって定められた、かなり基本的な文字コード。含まれる文字はアルファベットと数字、あといくつかの記号のみで、1文字を7ビットであらわします。

EBCDIC
エビシディック

IBM社が定めた文字コードで、8ビットを使って1文字をあらわします。大型の汎用コンピュータなどで使われています。

シフトJISコード（S-JIS）
ジス エスジス

ASCIIのコード体系の文字と混在させて使えるようになっている日本語文字コードです。ひらがなや漢字、カタカナなどが扱えます。マイクロソフト社のOSであるWindowsでも使われており、1文字を英数字は1バイト、全角文字は2バイトであらわします。

EUC
イーユーシー

拡張UNIXコードとも呼ばれ、UNIXというOS上でよく使われる日本語文字コードです。基本的には1文字につき英数字は1バイト、全角文字と半角カタカナ文字は2バイトであらわしますが、補助漢字などでは3バイト使います。

Unicode
ユニコード

全世界の文字コードをひとつに統一してしまえということで、各国のありとあらゆる文字を1つのコード体系であらわそうとした文字コード。当初は1文字を2バイトであらわす予定でしたが、それでは文字数が足りないということで3バイト、4バイトとどんどん拡張されています。1993年にISOで標準化されています。

たとえばASCIIで「HELLO」という文字列を表現しようとすると、必要なデータ量は5バイトです（バイト単位で文字を扱うため）。各バイトには次のような数値が入っています。

ASCIIのコード体系ではHに72、Eに69、Lが76でOが79と、それぞれあてられているのですね

ほーほー

このように出題されています
過去問題練習と解説

問1
(AD-H18-A-57)

複数バイトからなる文字コードで，漢字も表現できるものはどれか。

ア ASCII　　　イ EBCDIC
ウ EUC　　　　エ JIS X 0201

解説

　EUCは、Extended Unix Codeの略であり、拡張UNIXコードともいいます。EUCは、UNIXでの英数字・漢字を取り扱います。

問2
(IP-H25-S-78)

世界の主要な言語で使われている文字を一つの文字コード体系で取り扱うための規格はどれか。

ア ASCII　　　　　　　イ EUC
ウ SJIS (シフトJIS)　　エ Unicode

解説

　Unicodeは、多国籍文字を扱うために、日本語や中国語などの形の似た文字に同一コードを割り当てて2バイトで1文字を表現します。

問3
(IP-H30-S-75)

A〜Zの26種類の文字を表現する文字コードに最小限必要なビット数は幾つか。

ア 4　　　　　イ 5　　　　　ウ 6　　　　　エ 7

解説

　選択肢ア〜エの各4ビット数で表現できる最大の文字種類は、下表のとおりです。

	選択肢ア	選択肢イ	選択肢ウ	選択肢エ
ビット数	4	5	6	7
表現可能な文字数	2の4乗＝16 (●)	2の5乗＝32 (★)	2の6乗＝64	2の7乗＝128

　上表より、A〜Zの26種類の文字を表現するには、16 (●) では足りず、32 (★) が必要です。

正解 ▶ 問1：ウ　問2：エ　問3：イ

画像など、マルチメディアデータの表現方法

画像や音声はデジタルデータへ変換することで、数値であらわせるようにして扱います。

　アナログ時計は針が境目なく連続して回っていきますが、デジタル時計はカチャリカチャリと秒単位や分単位で数値の書き換えが行われます。このように、連続して変化する情報のことをアナログ情報と呼び、ある範囲を規定の桁数で区切って数値化したものをデジタル情報と呼びます。

　したがってこの例で言えば、デジタル時計とは「1分という範囲を60で区切って数値表現したもの」だからデジタル時計なのです。決して「コンピュータっぽい文字だからデジタル時計」ではないんですね。

　写真や音声、動画など、自然界にある情報はいずれも連続した区切りのないアナログ情報です。このような情報をコンピュータで扱うためには、情報に区切りを持たせ、数値で表現できるように「デジタルデータへの変換」作業を行う必要があります。

　たとえば静止画であれば、点描画のような細かい点の集合と見なした上で、各点の色情報を数値化すればデジタルデータに変換できます。音声なら、微少な時間単位に波形を区切って、その単位ごとの音程を数値化するなどしてデジタル化します。

画像データは点の情報を集めたもの

コンピュータの扱う、代表的な画像データのあらわし方はビットマップ方式です。これは、画像を細かいドットの集まりで表現します。

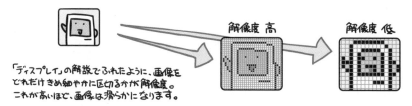

「ディスプレイ」の解説でふれたように、画像をどれだけきめ細かに区切るかが解像度。これが高いほど、画像は滑らかになります。

たとえば640×480ドットの画像データだった場合。その画像を構成するドットの数は307,200個です。

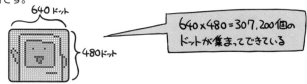

640×480=307,200個の
ドットが集まってできている

ドットの集まりを絵にするためには、「そのドットは何色か」という情報が必要になります。そんなわけで、ドットひとつひとつに色情報というデータがぶら下がります。

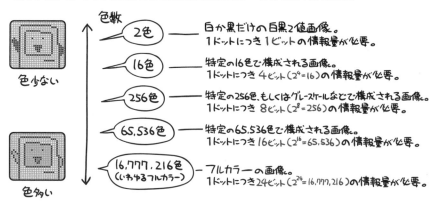

色数

色少ない

色多い

2色 ── 白か黒だけの白黒2値画像。
1ドットにつき1ビットの情報量が必要。

16色 ── 特定の16色で構成される画像。
1ドットにつき4ビット(2^4=16)の情報量が必要。

256色 ── 特定の256色、もしくはグレースケールなどで構成される画像。
1ドットにつき8ビット(2^8=256)の情報量が必要。

65,536色 ── 特定の65,536色で構成される画像。
1ドットにつき16ビット(2^{16}=65,536)の情報量が必要。

16,777,216色
(いわゆるフルカラー) ── フルカラーの画像。
1ドットにつき24ビット(2^{24}=16,777,216)の情報量が必要。

画像をあらわすために必要なデータサイズは、1ドットの色情報を保持するために必要なビット数と、画像全体のドット数とをかけ算することで求められます。

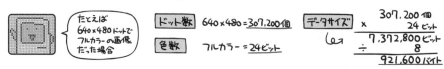

たとえば640×480ドットでフルカラーの画像だった場合

ドット数 640×480=307,200個
色数 フルカラー=24ビット

データサイズ ×
307,200個
24ビット
7,372,800ビット
÷
8
921,600バイト

81

続いては音声データ。アナログの波形データを、デジタル化して数値表現する代表格は PCM (Pulse Code Modulation) 方式です。節の最初でも述べたように、音声を微小な時間単位に区切り、その単位ごとの音程を数値化することで表現します。

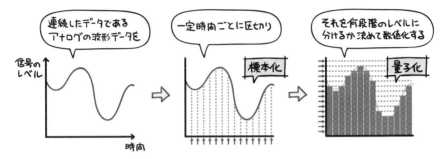

標本化 (サンプリング)

アナログデータを一定の時間単位で区切り、その時間ごとの信号レベルを標本として抽出する処理が標本化 (サンプリング) です。

まずは時間軸を「無段階の連続したアナログデータ」から、「区切りのあるデジタルデータ」にしてやるわけです。

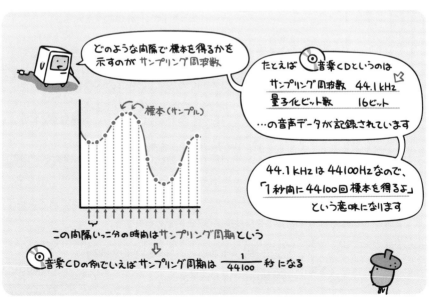

量子化

　信号レベルを何段階で表現するか定め、サンプリングしたデータをその段階数に当てはめて整数値に置き換える処理が量子化です。

　今度は縦軸の信号レベルを「無段階の連続したアナログデータ」から、「区切りのあるデジタルデータ」にしてやるわけですね。

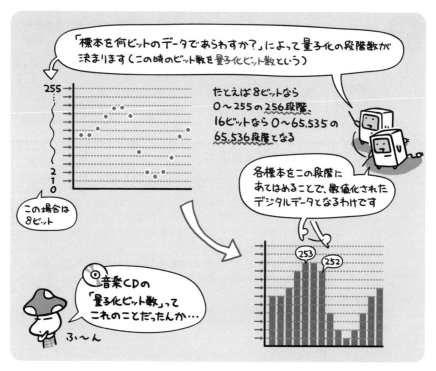

　最後に、上記で得た数値を2進数に直す符号化が待ってたりしますが、それはまあ置いといて、以上が音声データをデジタルであらわすおおまかな流れとなります。

　サンプリング周期は短く、量子化ビット数は多く…とすることで、より原音に近いデジタルデータを作ることができますが、その分データ量も大きくなります。

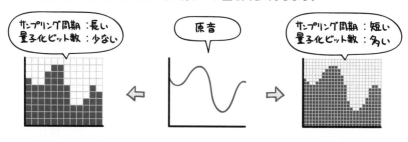

問 1

(AD-H11-S-80)

スキャナを使ってカラー写真のデジタル化を行う。このスキャナは解像度が600dpiで24ビットカラーの画像を取り込むことができる。データ圧縮を全く行わないとき，20cm×30cmのカラー写真1枚を保存するためのディスク容量は，およそ何Mバイトか。ここで，1インチは2.5cmとし，1M=10の6乗とする。

ア　10　　　　　イ　20　　　　　ウ　100　　　　　エ　200

解説

問題の条件にしたがって、以下のように計算します。

(1)　カラー写真のドット数

1インチは2.5cmとされているので、20cm×30cmをインチに直すと8インチ×12インチになります。600dpiのdpiは、dot per inchの略なので、600dpi は1インチに600ドットあることを示します。したがって、このカラー写真の短辺のドット数は、8インチ×600＝4,800ドット、長辺のドット数は、12インチ×600＝7,200ドットになります。

(2)　1ドット当たりに必要なバイト数

24ビットカラーは、「1ドットに対して、24ビットの情報が必要」という意味であり、24ビットは24÷8＝3バイトです。したがって、1ドット当たりに必要なバイト数は、3バイトになります。

(3)　カラー写真のバイト数

(1)より、カラー写真の総ドット数は、4,800ドット×7,200ドットになります。また、(2)より1ドット当たりに必要なバイト数は、3バイトになるので、カラー写真の総バイト数は、
4,800×7,200×3＝103,680,000バイトです。
1M=10の6乗とされているので、103,680,000バイト＝103.68Mバイトになります。

103.68に最も近い数値は、選択肢ウの100です。

問 2

(AD-H11-A-33)

200dpiのプリンタを使って画像を加工せずに9×6 (cm) の大きさで印刷したい。このとき，デジタルカメラの解像度を幾つにして撮影すべきか。ここで，1インチ＝2.5cmとする。

ア　360×240　　　イ　720×480　　　ウ　960×640　　　エ　1,020×680

解説

問題の条件にしたがって、以下のように計算します。

(1) cmからインチへの換算

本問では、1インチ=2.5cmとしているので、
9cm ÷ 2.5cm = 3.6インチ　　　6cm ÷ 2.5cm = 2.4インチ　になります。

(2) インチからドットへの換算
200dpiのdpiは、dot per inchの略なので、200dpi は1インチに200ドットあることを示します。
3.6インチ×200ドット/インチ = 720ドット
2.4インチ×200ドット/インチ = 480ドット　　　になります。

したがって、720ドット×480ドットの解像度が必要になります。

問3
(IP-R03-66)

RGBの各色の階調を，それぞれ3桁の2進数で表す場合，混色によって表すことができる色は何通りか。

ア　8　　　　イ　24　　　　ウ　256　　　　エ　512

解説

3桁の2進数で表せる最大の色数は、2×2×2=8です。R(Red)G(Green)B(Blue)のそれぞれを使って表せる混色の数は、8×8×8=512です。

問4
(IP-H22-S-73)

PCの画面表示の設定で，解像度を1,280×960ピクセルの全画面表示から1,024×768ピクセルの全画面表示に変更したとき，ディスプレイの表示状態はどのように変化するか。

ア　MPEG動画の再生速度が速くなる。
イ　画面に表示される文字が大きくなる。
ウ　縮小しないと表示できなかったJPEG画像が縮小なしで表示できるようになる。
エ　ディスプレイの表示色数が少なくなる。

解説

1ピクセルと1ドットは同じ意味です。解像度を1,280×960ピクセルの全画面表示から1,024×768ピクセルの全画面表示に変更すると、右図のようになり、画面自体の大きさは変わらないので、変更後の1ピクセルは、変更前の1ピクセルよりも大粒になります。したがって、画面に表示される文字が大きくなります。

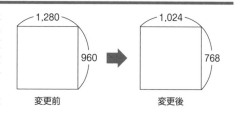

変更前　　　　　　変更後

アナログデータの センシングと制御技術

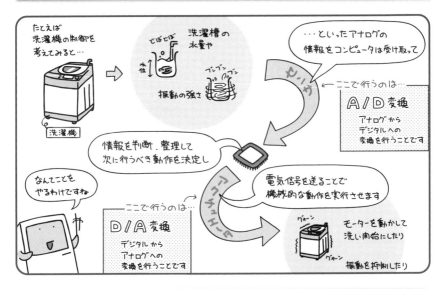

コンピュータは、センサによってアナログ情報を計測し、アクチュエータにより電気信号を物理動作へと変換します。

　今どきは身近な家電製品をはじめ、駅の改札機、ATM、ビルのエレベータ、工場の工作機械など、あらゆる機器にコンピュータが組込まれています。

　このコンピュータの役割は「機器を制御する」ことです。制御とは、目的に適した動作が実現できるように、機器をコントロールすることです。

　自然界を取り巻く様々な情報(温度、圧力、流量、変位、光度など)は、区切りのない連続したアナログ情報で出来ています。コンピュータは、これらのアナログ情報を各種センサから電気信号として受け取ると、適宜必要な処理・判断を行って次の動作を決定し、アクチュエータへと伝えます。このアクチュエータ(モーターや電磁バルブなど)が、受け取った電気信号を物理動作へと変換することにより、機器はコンピュータ制御下で動作を行うわけです。

　このような、センサやアクチュエータを用いた組込み技術は、近年盛り上がりを見せているIoT (Internet of Things P.262) デバイスの開発においても欠かせません。

センサとアクチュエータ

前ページでも述べたように、機器の制御は次の三者がセットとなって実現されています。

A/D 変換　　　　　D/A 変換

センサ　　　　　　　コンピュータ　　　　　　アクチュエータ
（計測）　　　　　（情報処理）　　　　　　（物理動作）

　事象を計測するための装置がセンサです。熱や光をはじめとする自然界の様々な情報を量として捉え、電気信号に変換します。

温度センサ
温度を計測します

照度センサ
明るさを計測します

湿度センサ
湿度を計測します

加速度センサ
速度の変化率（加速度）を検出します

方位センサ
地球の磁北（北の方角）を検出します

ジャイロセンサ（角速度センサ）　角速度
単位時間あたりの回転角を検出します
機器の回転・傾き・振動などの制御に用います

GPSセンサ
地球上における位置や高度を検出します

事象ごとに様々なセンサがあるのです
これは一例

　電気信号を物理的な動作に変換する装置がアクチュエータです。モーターや電磁石などを利用して、入力信号を直線運動や回転運動などの機械エネルギーに変換します。機器を実際に動かす駆動装置にあたります。

モーターなんかは電気を流すと回転するわけです
←モーター

その力で羽根を回すとファンになります
ブォーン

こんな感じの棒を用意してみました
歯車（内側にネジ切り）
↑
ネジ切りされた棒

モーターの回転運動を加えると…
ここが回ると
こっちも回って
その向きによって前後いずれかに棒が動く直線運動になる

こういった機構を様々組み合わせることで、ロボットのアームやファン、ポンプなど、色んなアクチュエータが作られるわけです

機器を制御するにあたり、現在よく使われている制御方式が、次に示すシーケンス制御とフィードバック制御です。それぞれ用途に応じて使い分けたり、両者を組み合わせたりすることによって、目的に適う動作を実現させます。

シーケンス制御

あらかじめ定められた順序や条件に従って、制御の各段階を逐次進めていく制御方式です。

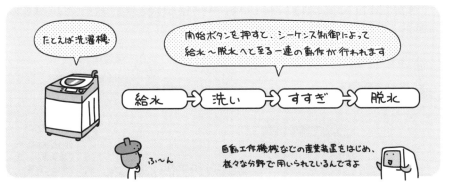

フィードバック制御

現在の状態を定期的に測定し、目標値とのズレを入力側に戻して反映させることで、出力結果を目標値と一致させようとする制御方式です。

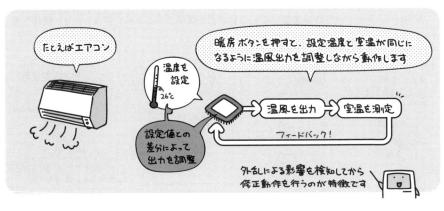

・・・・・・・・・・・・・・・・・・・・・・・・・・・・・・・・・・・・

問1
(IP-R04-97)

水田の水位を計測することによって，水田の水門を自動的に開閉するIoTシステムがある。図中のa，bに入れる字句の適切な組合せはどれか。

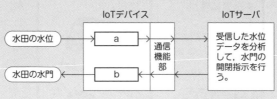

	a	b
ア	アクチュエータ	IoTゲートウェイ
イ	アクチュエータ	センサ
ウ	センサ	IoTゲートウェイ
エ	センサ	アクチュエータ

解説

　問題文の1文目は、「水田の水位を計測することによって（後略）」としており、「水田の水位」から空欄aに向かって、データや信号の送信方向を示す矢印線が引かれています。したがって、空欄aには、水田の水位を計測するためのデータや信号の受信する「センサ」（温度・光・方位などの自然界の様々な情報を量として捉え、電気信号に変換する素子）が入ります。

　また、問題文の1文目は、「（前略）水田の水門を自動的に開閉する（後略）」としており、図中の（受信した水位データを分析して，水門の開閉指示を行う）IoTサーバから、空欄bに向かって、データや信号の送信方向を示す矢印線が引かれています。したがって、空欄bには、水門の開閉指示データを受け取り、水田の水門を開閉する「アクチュエータ」（電気信号を物理的な動作に変換する装置）が入ります。

問2
(IP-R03-72)

IoTデバイスとIoTサーバで構成され，IoTデバイスが計測した外気温をIoTサーバへ送り，IoTサーバからの指示で窓を開閉するシステムがある。このシステムのIoTデバイスに搭載されて，窓を開閉する役割をもつものはどれか。

ア　アクチュエータ　　　　　　　　　イ　エッジコンピューティング
ウ　キャリアアグリゲーション　　　　エ　センサ

解説

　問題文の2文目は、「このシステムのIoTデバイスに搭載されて，窓を開閉する役割をもつものはどれか」と問うており、「アクチュエータ」（電気信号を物理的な動作に変換する装置）が、それに該当します。

正解▶問1：エ　問2：ア

ファイルと
ディレクトリ

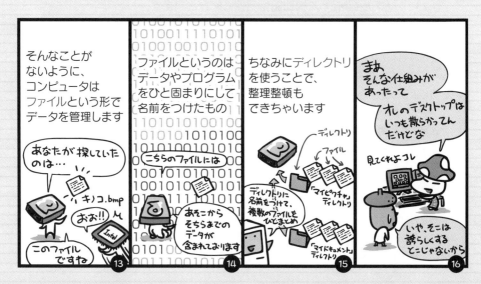

ファイルとは文書のこと

アプリケーションソフトで作った文書（データ）は、
ファイルとして補助記憶装置に記録されます。

　ファイルはデータをひとつの固まりとして記録するために使う入れ物…というか単位です。なにか特別な「ファイル」という媒体があるわけじゃなくて(昔はあったんですが)、「何番地から何番地までのデータは、○○という名前のファイルですから、読み込む時はその単位で区切るようよろしく」と名目上分けているだけでなのです。

　ファイルには、文字や画像といった実データの他に、多くの場合アプリケーションソフト独自の編集情報(文字の大きさや印刷のために必要な情報などなど)も記録されています。このようなファイルは独自フォーマットのファイル形式といって、そのファイルを作成したアプリケーションソフト以外では読み込めません。

　一方、共通フォーマットとされるファイル形式もあります。多種多様な環境でデータのやり取りを行いたい場合は、それらのファイル形式でデータを記録します。

　ちなみにアプリケーションソフト自体も、普段はどこかにしまわれていないと、いざ使いたいとなった時に呼び出せません。なので実はそれらも、プログラムというファイル形式で補助記憶装置にしまわれているのです。

データの種類と代表的なファイル形式

共通フォーマットとして広く利用されているファイル形式には下記があります。

表の中に「圧縮」だとか「不可逆」だ「可逆」だとわけのわからん言葉が出てきていますが、圧縮とはデータのサイズをぎゅっと小さく縮めることで、不可逆というのはその時にいくつか情報が欠けちゃってもとに戻せなくなること。可逆はその反対です。なんでそーなるのって理屈部分は次ページで詳しくふれていきます。

テキスト形式

文字コードと、改行やタブなど一部の制御文字のみで作られるファイル形式です。文字を扱うアプリケーションソフトであれば、まず間違いなく読み書きすることができます。

CSV形式

基本的にはテキスト形式なのですが、個々のデータである文字や数字をカンマ(,)で区切り、行と行を改行で区切ることで、表形式のデータを保存することに特化したファイル形式です。

PDF

画像が埋め込まれた書類を、コンピュータの機種やOSの種類に依らず、元の通りに再現して表示することができる電子文書のファイル形式です。文書配布時における標準的なフォーマットとなっています。

画像用のファイル形式

ビットマップ BMP	画像を圧縮せずにそのまま保存するファイル形式です。画質は一切劣化しませんが、ファイルサイズは大きくなります。
ジェーペグ JPEG	写真を保存するのに向いている画像圧縮形式です。圧縮率が高く、フルカラーの画像を扱えるため、デジタルカメラで写真を記録する用途などでも使われています。不可逆圧縮を行うため、圧縮のレベルに応じて画質が劣化します。
ジフ GIF	イラストやアイコンなどの保存に適した画像圧縮形式です。可逆圧縮であるため画質の劣化はありませんが、扱える色数が256色までという制限を持ちます。
ピング PNG	当初はGIFの代替として登場しましたが、フルカラーを扱える上に可逆圧縮であるため画質の劣化もないという、ある意味万能な画像圧縮形式です。ただし単純な圧縮率ではJPEGの方が勝ります。

音声用のファイル形式

エムピースリー MP3	音声を圧縮して保存するファイル形式です。人に聞こえない範囲の信号を削り落とすことでデータ量を削減するなど、不可逆の圧縮を行います。音楽CDレベルの音質を表現できるとされていることから、インターネット上の音楽配信や携帯音楽プレーヤーなどで用いられています。
ミディ MIDI	音声そのものではなく、デジタル楽器の演奏データを保存することのできるファイル形式です。MIDIデータを使うことで、デジタル楽器を演奏させることができます。

動画用のファイル形式

エムペグ MPEG	動画を圧縮して保存するファイル形式で、不可逆圧縮を行います。ビデオCDに使われるMPEG-1、DVDに使われるMPEG-2、インターネット配信や携帯電話で使われるMPEG-4などがあります。

画像や音声、動画などのマルチメディアデータは、そのまま保存すると膨大なデータ量になってしまいます。

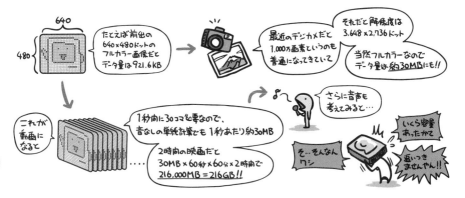

そのため、なんらかの圧縮技術を用いて、データサイズを小さくして保存するのが普通なのです。

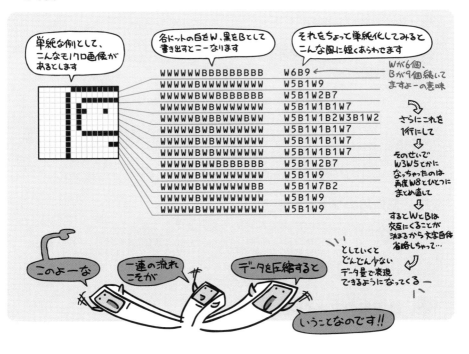

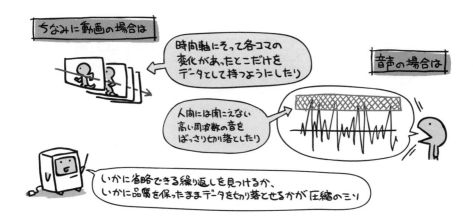

そうして圧縮されたファイルを開く時は、逆方向の伸張という展開作業を行って、元のデータを復元します。

元々のデータを間引く形で圧縮したものは、伸張後も厳密な意味の「元と同じ」データにはなり得ません。このような圧縮方法を不可逆圧縮と呼びます。

問 1
(IP-H23-S-73)

表のセルA1 〜 C2に値が入力されている。表の値をCSV形式で出力した結果はどれか。ここで，レコード間の区切りは改行コード "c_R" を使用するものとする。

	A	B	C
1	月	1月	2月
2	売上高	500	600

ア　月，1月，2月 c_R 売上高，500，600 c_R

イ　月，売上高 c_R 1月，500 c_R 2月，600 c_R

ウ　月 / 1月 / 2月 c_R 売上高 / 500 / 600 c_R

エ　月 / 売上高 c_R 1月 / 500 c_R 2月 / 600 c_R

解説

　CSV(Comma Separated Values)は、名前のとおり、データをカンマで区切る形式です。したがって正解は、選択肢アかイのどちらかに絞られます。CSVの出力は、A1→B1→C1、A2→B2→C2、A3→B3→C3のように同一行の左から右に進み、1行が終わると次の行の左端に移動して同一行の左から右に進む順序を繰り返します。さらに行が変わるごとに改行コードを付けます。

　表計算ソフトのExcelはCSV形式の保存ができますので、わかりにくい場合は動かしてみるとよいでしょう。

問 2
(IP-H21-S-78)

マルチメディアのファイル形式であるMP3はどれか。

ア　G4ファクシミリ通信データのためのファイル圧縮形式

イ　音声データのためのファイル圧縮形式

ウ　カラー画像データのためのファイル圧縮形式

エ　デジタル動画データのためのファイル圧縮形式

解説

ア　当選択肢に該当するものに、MMR (Modified Modified Read) があります。

イ　MP3は、MPEG-1 Audio Layer-3の略であり、iPod等のMP3プレイヤで聞くことができます。

ウ　当選択肢に該当するものに、JPEG (Joint Photographic Experts Group) があります。

エ　当選択肢に該当するものに、MPEG (Moving Picture Experts Group) があります。

問 3
(AD-H17-S-59)

PDF (Portable Document Format) の特徴として，適切なものはどれか。

ア 印刷イメージを正しく表現できる "ページ記述言語" であるが，ファイルを圧縮して保存することができない。

イ 使用ソフトウェアに関係なく文書を流通させることができるが，書式を受け渡すことができない。

ウ タグを含んだテキストファイルで，タグを用いた検索が効果的に行える。

エ ワープロソフトなどで作成した文書の体裁を保持でき，異なるプラットフォームでも表示ができる。

解説

　PDFを表示するソフトウェア (PDF Reader) は、Windows7・XP、MAC OS、LinuxなどのOSごとに開発されているので、異なるプラットフォームでも表示できます。

問 4
(IP-H25-S-79)

映像データや音声データの圧縮方式はどれか。

ア BMP　　　イ GIF　　　ウ JPEG　　　エ MPEG

解説

ア　BMPは、画像を圧縮せずそのまま保存します。
イ・ウ　GIFとJPEGは、画像の圧縮方式の1つです。
エ　MPEGは、映像や音声を含む動画データの圧縮方式の1つです。

問 5
(IP-H30-A-86)

イラストなどに使われている，最大表示色が256色である静止画圧縮のファイル形式はどれか。

ア GIF　　　イ JPEG　　　ウ MIDI　　　エ MPEG

解説

ア〜エ　GIF・JPEG・MIDI・MPEGの説明は、すべて93ページにあります。

文書をしまう場所が
ディレクトリ

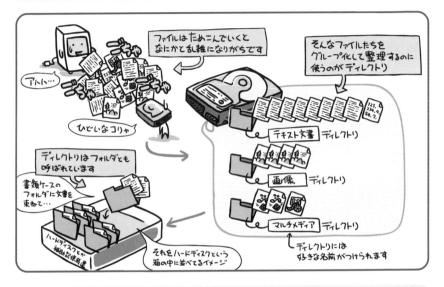

**ディレクトリは、ファイルをグループ化して整理するもの。
補助記憶装置の中は、ディレクトリで管理されています。**

　ファイルが文書ならば、ディレクトリというのはそれを束ねるための 📁 フォルダの役割
を果たします。というか、ディレクトリのことをフォルダともいいますしね。フォルダといえ
ば書類をまとめて整理するための文房具なわけで、名は体をあらわすの通りなのです。

　ハードディスクなど補助記憶装置はたくさんのファイルを保存しておくことができます。
言うなれば大きな箱のようなものです。しかし、大きな箱に書類をドンドカ入れてっちゃっ
たら、後で「あれはどこだ」と探すのが大変になってしまうように、ハードディスクの中も乱
雑に散らかって「あのファイルはどこだ」ということになってしまいます。

　それを防いでくれるのがディレクトリ。箱の中に書類をただポンと放り込むのではなく、
用途別でフォルダにまとめておくなどすることで、「あれはどこだ?」と迷わなくて済むよう
になるのです。

ルートディレクトリとサブディレクトリ

ディレクトリには、ファイルだけじゃなくて、他のディレクトリも入れることができます。そうすることで、補助記憶装置全体に階層構造(ツリー構造)を持たせて管理することができるのです。

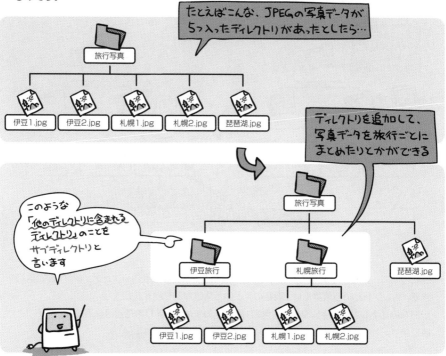

階層構造の一番上位に位置するディレクトリはルートディレクトリと呼びます。

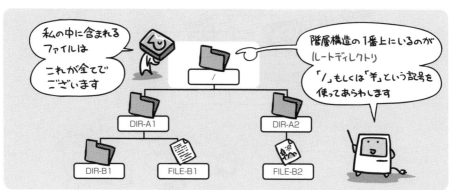

カレントディレクトリ

ディレクトリを開いて確認できる範囲は、そのディレクトリに含むファイルとサブディレクトリの一覧です。サブディレクトリの中に何があるかは、さらにそのディレクトリを開いてみなければわかりません。

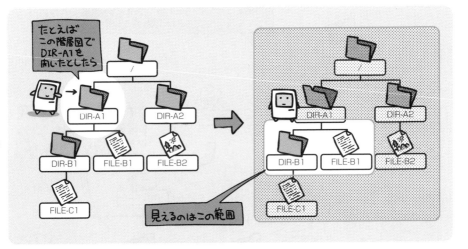

この時に、自分が今開いて作業しているディレクトリのことをカレントディレクトリと言います。カレントという言葉には「現在の」という意味があります。

ちなみにカレントディレクトリを含む1階層上のディレクトリのことは、親ディレクトリと呼びます。

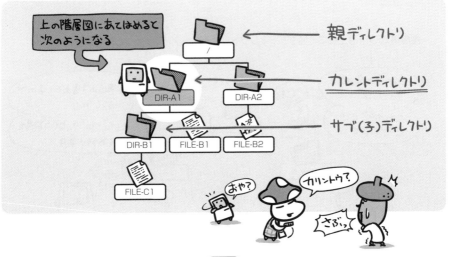

問 1

(IP-R01-A-83)

ファイルの階層構造に関する次の記述中のa, bに入れる字句の適切な組合せはどれか。

階層型ファイルシステムにおいて, 最上位の階層のディレクトリを ⬚ a ⬚ ディレクトリという。ファイルの指定方法として, カレントディレクトリを基点として目的のファイルまでのすべてのパスを記述する方法と, ルートディレクトリを基点として目的のファイルまでの全てのパスを記述する方法がある。ルートディレクトリを基点としたファイルの指定方法を ⬚ b ⬚ パス指定という。

	a	b
ア	カレント	絶対
イ	カレント	相対
ウ	ルート	絶対
エ	ルート	相対

解説

ルートディレクトリは99ページの下、絶対パスは103ページに説明がありますので、そちらを参照してください。

問 2

(IP-H23-A-74)

階層型ディレクトリ構造のファイルシステムに関する用語と説明a ～ dの組合せとして, 適切なものはどれか。

a 階層の最上位にあるディレクトリを意味する。

b 階層の最上位のディレクトリを基点として, 目的のファイルやディレクトリまで, 全ての経路をディレクトリ構造に従って示す。

c 現在作業を行っているディレクトリを意味する。

d 現在作業を行っているディレクトリを基点として, 目的のファイルやディレクトリまで, 全ての経路をディレクトリ構造に従って示す。

	カレントディレクトリ	絶対パス	ルートディレクトリ
ア	a	b	c
イ	a	d	c
ウ	c	b	a
エ	c	d	a

解説

カレントディレクトリの「カレント」は「現在の」、ルートディレクトリの「ルート」は「根っこ」＝「最上位」、絶対パスは、「ルートから」と覚えます。

正解▶問1:ウ 問2:ウ

ファイルの場所を
示す方法

 ファイルは、ファイルへのパスを用いてその場所を指し示します

　今はずいぶんと事情も変わりましたが、昔はファイルにつける名前なんかも「日本語だと4文字までしか使っちゃだめよ」なんて制約があったりしたものでした。だから、なんでもかんでも同じディレクトリに入れておこうとすると、すぐにファイル名が重複しそうになるのです。ディレクトリさえ違っていれば同じ名前をつけても問題ないので、余計に細々とディレクトリで仕分けするのが常でした。

　というのが前置き。

　つまりファイルにつけた名前だけじゃ、それがどのファイルを指し示しているかという特定は無理なのです。どこのディレクトリに入っているファイルで、そのディレクトリはどこにあるか、ちゃんとわかるように指示しなくてはいけません。

　この「ファイルまでの場所を指し示す経路」のことをパスと言います。

　パスには、ルートディレクトリからの経路を書き記す絶対パスと、カレントディレクトリからの経路を書き記す相対パスという2種類の書きあらわし方があります。

絶対パスの表記方法

パスを表記するにあたっては、次の約束事に従います。

① ルートディレクトリは「/」または「￥」であらわす。

② ディレクトリと次の階層との間は「/」または「￥」で区切る。

③ カレントディレクトリは「.」であらわす。 ⎫ 絶対パス表記の場合

④ 親ディレクトリは「..」であらわす。 ⎭ この2つはまず関係ありません

　絶対パスで表記する場合は、ルートディレクトリからはじまって、目的のファイルに至るまでの経路を書き記さなければなりません。

　それでは上記の約束事に従って、ルートディレクトリからの経路を絶対パスとして書き出してみましょう。

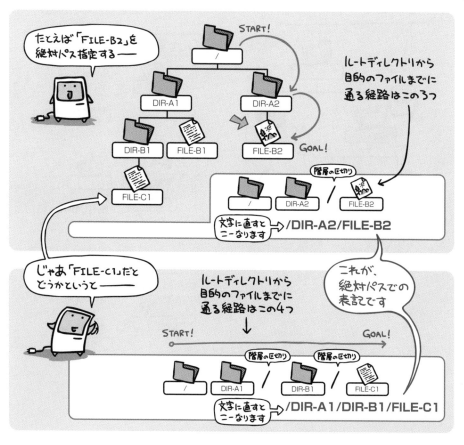

たとえば「FILE-B2」を絶対パス指定する──

START!

ルートディレクトリから目的のファイルまでに通る経路はこの3つ

GOAL!

階層の区切り

文字に直すとこうなります → /DIR-A2/FILE-B2

じゃあ「FILE-C1」だとどうかというと──

ルートディレクトリから目的のファイルまでに通る経路はこの4つ

これが、絶対パスでの表記です

START! GOAL!

階層の区切り　階層の区切り

文字に直すとこうなります → /DIR-A1/DIR-B1/FILE-C1

相対パスにおいても、パスを表記するにあたっては、同じ約束事に従います。

① ルートディレクトリは「/」または「¥」であらわす。 ← 相対パスの場合 これは関係ありません

② ディレクトリと次の階層との間は「/」または「¥」で区切る。

③ カレントディレクトリは「.」であらわす。

④ 親ディレクトリは「..」であらわす。

相対パスで表記する場合は、「自分が今どのディレクトリにいるか」が基準となります。そのため目的のファイルに至るまでの経路は、自分がいる位置からの道順を書き記します。

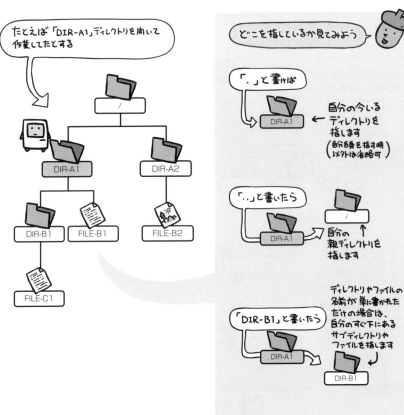

それでは前述の約束事に従って、次に示すファイルまでの経路を相対パスで書き出してみましょう。

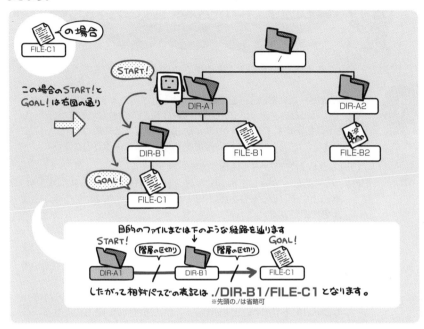

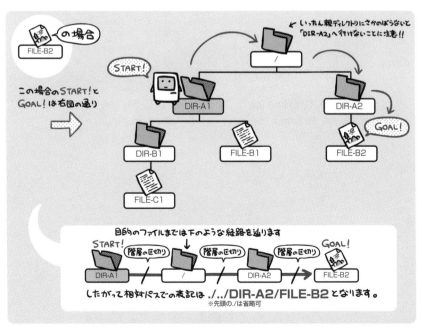

問1

(IP-H26-A-75)

あるWebサーバにおいて，五つのディレクトリが図のような階層構造になっている。このとき，ディレクトリBに格納されているHTML文書からディレクトリEに格納されているファイルimg.jpgを指定するものはどれか。ここで，ディレクトリ及びファイルの指定は，次の方法によるものとする。

〔ディレクトリ及びファイルの指定方法〕

(1) ファイルは，"ディレクトリ名/…/ディレクトリ名/ファイル名"のように，経路上のディレクトリを順に"/"で区切って並べた後に"/"とファイル名を指定する。

(2) カレントディレクトリは"."で表す。

(3) 1階層上のディレクトリは".."で表す。

(4) 始まりが"/"のときは，左端にルートディレクトリが省略されているものとする。

(5) 始まりが"/"，"."，".."のいずれでもないときは，左端にカレントディレクトリ配下であることを示す"./"が省略されているものとする。

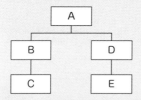

ア　../A/D/E/img.jpg 　　　　イ　../D/E/img.jpg
ウ　./A/D/E/img.jpg 　　　　エ　./D/E/img.jpg

解 説

　問題文の最初に「ディレクトリBに格納されているHTML文書からディレクトリEに格納されている
ファイルimg.jpgを指定する」とされていますので、HTML文書が格納されているディレクトリBがカ
レントディレクトリです。また、img.jpgはディレクトリEに格納されているので、HTML文書は下図
のようなルートを経て、img.jpgを読み取ります。

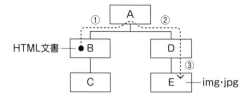

　問題文中の〔ディレクトリ及びファイルの指定方法〕にしたがって、上図の①～③をたどっていくと、
下記になります。

①：カレントディレクトリである「ディレクトリB」から見て、「ディレクトリA」は1階層上のディレク
　　トリなので、「..」になります。
②：ディレクトリAから見て、「ディレクトリD」は1階層下のディレクトリなので、〔ディレクトリ及びファ
　　イルの指定方法〕(1)に従って、「../D」になります。
③：ディレクトリDから見て、「ディレクトリE」は1階層下のディレクトリなので、〔ディレクトリ及びファ
　　イルの指定方法〕(1)に従って、「../D/E」になります。また、img.jpgはディレクトリEの中にあ
　　るので、「../D/E/img.jpg」になります。

上記より、「../D/E/img.jpg」を指定すればよいので、選択肢イが正解です。

正解 ▶ 問1：イ

補助記憶装置の
主役といっても
過言ではないのが
ハードディスク

こんな部品

① 1

なんでハードディスク
なんて名前
なんだろうね？

ハードに使うから
かなあ

いや

カン
カン

硬いからじゃね？

② 2

‥‥‥‥‥

いくらなんでも
硬いからって安直な

キャッキャ

それはナイよ

ウフフ
ハハ

まーナイわなー
ナイナイ

③ 3

いや、
キノコ大正解

あるのかよ！！

④ 4

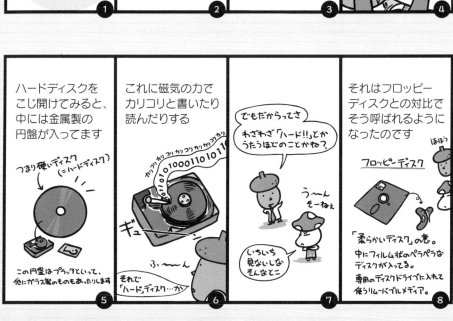

ハードディスクを
こじ開けてみると、
中には金属製の
円盤が入ってます

つまり硬いディスク
（＝ハードディスク）

この円盤はプラッタといって、
他にガラス製のものもあったりします

⑤ 5

これに磁気の力で
カリコリと書いたり
読んだりする

カリコリカリコリ カリコリ カリカリ カリカリ
0101010001101011

ギュ

ふ～～ん

それで
「ハードディスク…か」

⑥ 6

でもだからってさ

わざわざ「ハード!!」とか
うたうほどのことかね？

う～ん
そーねぇ

いちいち
見ないしな
そんなとこ

⑦ 7

それはフロッピー
ディスクとの対比で
そう呼ばれるように
なったのです

ほほう

フロッピーディスク

「柔らかいディスク」の意。
中にフィルム状のペラペラな
ディスクが入ってる。
専用のディスクドライブに入れて
使うリムーバブルメディア。

⑧ 8

ちなみにこの
ハードディスク、
だてに硬い円盤を
使ってない

アナタ、実に
おカタイんだ

生まれながらの
性分ですから

ふっ

この円盤は強度と
平滑性をいかして、
すんごい高速で
回転してるのです

シュイーーーン

そういえば

衝撃に
弱いとか
聞いたことが
あるような…

ウガーーン

その通り

すごく精密なので、
衝撃には気をつけ
なきゃいけません

ボクに
ふれちゃダメだ!!

ピッ

せんさい
なんだ!!

どれぐらい精密
かというと…

キーーーン

む?

9 10 11 12

ハードディスクの
精密さをあらわすの
によく使われるのが
このたとえ話

シュイーーーン

キーーーン

中の円盤と
読み取りヘッドとの
隙間は10nmとか
しかありません

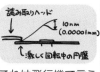

読み取りヘッド

10nm
(0.00001mm)

激しく回転中の円盤

これは飛行機で言う
と…

地表スレスレ数mmのところを
飛んでいるのと同じ

だから当然
ちょっとした衝撃
でも…

どかーーん

うわぁ

ひぃー

なにぬかし
とんねん!

ぱちーん

ぱしこーん

Intel

そ…それじゃあ
おいそれとツッコミも
入れらんないねぇ

どうする
んだろ?

そこは
心配
いらんだろ

13 14 15 16

ハードディスクの構造と記録方法

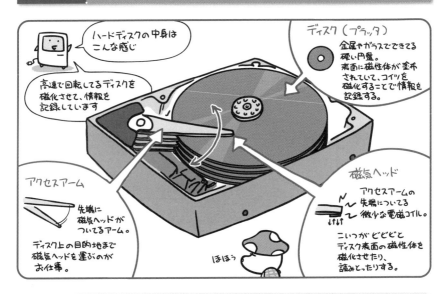

 ハードディスク（磁気ディスク装置）は、高速回転しているディスクに磁気ヘッドを使って情報を読み書きします。

　ハードディスクは、大容量で安価、しかも比較的高速という特徴を持つことから、ほぼすべてのパソコンに搭載されるほどの代表的な補助記憶装置です。

　内部には容量に応じてプラッタと呼ばれる金属製のディスクが1枚以上入っていて、その表面に磁性体が塗布もしくは蒸着されています。この磁性体を磁気ヘッドで磁化させることによってデータの読み書きを行うのです。

　磁気ヘッドはアクセスアームと呼ばれる部品の先端に取付けられています。このアームは、「あそこに書け」「あそこを読め」という指令を受けると目的位置の同心円上へと磁気ヘッドを運びます。そうすると、プラッタはぐるぐる回っているので、やがて目的位置が磁気ヘッドの真下へとやってくるわけです。そこでビビビと磁化したりする。これが、ハードディスクの基本的な読み書き手順となります。

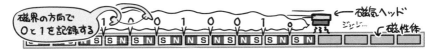

セクタとトラック

　ハードディスクを最初に使う時は、フォーマット(初期化)という作業を行う必要があります。この作業を行うことで、プラッタの上にデータを記録するための領域が作成されます。

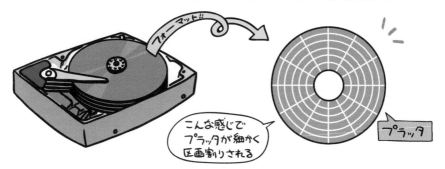

フォーマット!!

こんな感じで
プラッタが細かく
区画割りされる

プラッタ

　作成された領域の、扇状に分かれた最小範囲をセクタ、そのセクタを複数集めたぐるりと1周分の領域をトラックと呼びます。

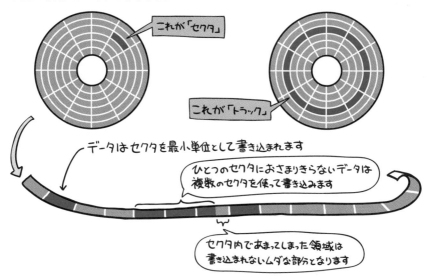

これが「セクタ」

これが「トラック」

データはセクタを最小単位として書き込まれます

ひとつのセクタにおさまりきらないデータは
複数のセクタを使って書き込みます

セクタ内であまってしまった領域は
書き込まれないムダな部分となります

　同心円状のトラックを複数まとめると、シリンダという単位になります。

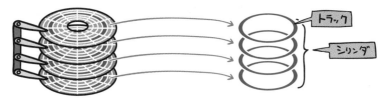

トラック

シリンダ

ファイルはクラスタ単位で記録する

　ハードディスクが扱う最小単位はセクタですが、基本ソフトウェアであるOSがファイルを読み書きする時には、複数のセクタを1ブロックと見なしたクラスタという単位を用いるのが一般的です。

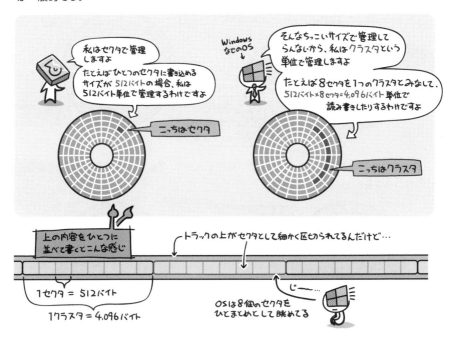

　OSはクラスタ単位でファイルを読み書きするために、クラスタ内であまった部分については、使用されないムダな領域となってしまいます。

データへのアクセスにかかる時間

　「データへアクセスする」というのは、実際にデータを書き込んだり、書き込み済みのデータを読み込んだりする作業のこと。ハードディスクはこれらの作業を、次の3ステップで行います。

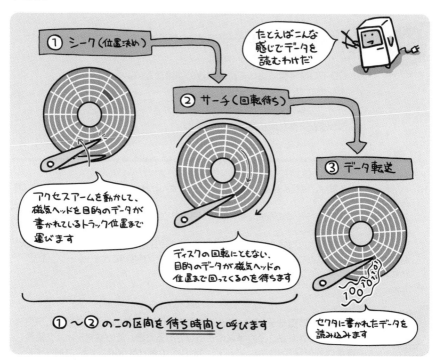

① シーク（位置決め）

たとえばこんな感じでデータを読むわけだ

② サーチ（回転待ち）

③ データ転送

アクセスアームを動かして、磁気ヘッドを目的のデータが書かれているトラック位置まで運びます

ディスクの回転にともない、目的のデータが磁気ヘッドの位置まで回ってくるのを待ちます

①～②のこの区間を待ち時間と呼びます

セクタに書かれたデータを読み込みます

　したがって、データへのアクセスにかかる時間というのは、これら3ステップそれぞれの時間を合計して求めることができます。

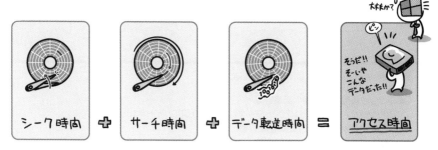

シーク時間 ＋ サーチ時間 ＋ データ転送時間 ＝ アクセス時間

大丈夫か？

え？

そうだ!!そーいやこんなデータだった!!

過去問題練習と解説
このように出題されています

・・

問 1

(IP-H24-S-63)

PCの補助記憶装置であるハードディスク装置の説明として，適切なものはどれか。

ア　CD-ROM装置に比べて読み書きの速度は遅い。

イ　主記憶装置としても利用される。

ウ　データの保持に電力供給が必要である。

エ　ランダムアクセスが可能である。

解説

ア　ハードディスク装置は、CD-ROM装置に比べて、速く読み書きできます。

イ　ハードディスク装置は、主記憶装置としては利用されません。ハードディスク装置は、補助記憶装置です。

ウ　ハードディスク装置は、データの保持に電力供給が必要ありません。不揮発性の記憶媒体であるといえます。

エ　ハードディスク装置は、ランダムアクセスが可能です。ランダムアクセスとは、任意の場所をいきなり読み書きできることです。最初から順々にしか読み書きできないことを「シーケンシャルアクセス」といいます。

問 2

(AD-H20-S-03)

記録面が2面の磁気ディスク装置において，1面当たりのトラック数が1,500で，各トラックのセクタ数が表のとおりであるとき，この磁気ディスク装置の容量は約何Mバイトか。ここで，1セクタの長さは500バイト，1Mバイト$=10^6$バイトとする。

トラック番号	セクタ数
0 ～ 699	300
700 ～ 1499	250

ア　205
イ　410
ウ　413
エ　826

解説

問題の条件にしたがって、以下の計算をします。

(1) トラック番号0 ～ 699の記憶容量
　　300セクタ×500バイト×700トラック＝105,000,000バイト＝105Mバイト

(2) トラック番号700 ～ 1499の記憶容量
　　250セクタ×500バイト×800トラック＝100,000,000バイト＝100Mバイト

(3) 1面の記憶容量
105M＋100M＝205Mバイト
(4) 磁気ディスク装置の記憶容量
205Mバイト×2面＝410Mバイト

問3 (AD-H19-S-01)

磁気ディスク装置において，磁気ヘッドをある位置から目的の位置に移動させるのに要する時間を何と呼ぶか。

ア　アクセス時間　　　イ　サーチ時間
ウ　シーク時間　　　　エ　データ転送時間

解説

ア　アクセス時間は，シーク時間＋サーチ時間＋データ転送時間の合計時間です。
イ　サーチ時間は，ディスクの回転に伴い目的のデータがあるセクタに磁気ヘッドが移動するのを待つ時間であり，回転待ち時間ともいいます。
ウ　シーク時間は，位置決め時間ともいいます。
エ　データ転送時間は，セクタにデータを書いたり，読んだりする時間です。

問4 (AD-H20-S-01)

磁気ディスク装置の仕様のうち，サーチ時間に直接影響を及ぼすものはどれか。

ア　シリンダ数　　　　イ　単位時間当たりのディスク回転数
ウ　データ転送速度　　エ　ヘッドの位置決め速度

解説

　サーチ時間は，ディスクの回転に伴い目的のデータがあるセクタに磁気ヘッドが移動するのを待つ時間です。したがって，単位時間当たりのディスク回転数が高ければ高いほど，サーチ時間が短くなります。

正解 ▶ 問1：エ　問2：イ　問3：ウ　問4：イ

フラグメンテーション

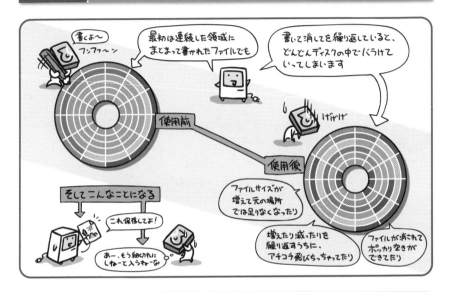

- 書くよ〜 フンフフ〜ン
- 最初は連続した領域にまとまって書かれたファイルでも
- 書いて消してを繰り返していると、どんどんディスクの中でバラけていってしまいます
- 使用前
- げげげ
- 使用後
- ファイルサイズが増えて元の場所では足りなくなったり
- そしてこんなことになる
- これ保存してよ！
- あー、もう細切れにしねーと入んねーな
- 増えたり減ったりを繰り返すうちに、アチコチ飛びちっちゃってたり
- ファイルが消されてポッカリ空きができたり

 ハードディスクに書き込みや消去を繰り返していくと、
連続した空き領域が減り、ファイルが断片化していきます。

　ハードディスクの空きが十分にあれば、ファイルは通常、連続した領域に固まって記録されます。こうすることで、データを読み書きする際に必要となるシーク時間（目的のトラックまで磁気ヘッドを動かすのにかかる時間）やサーチ時間（目的のデータが磁気ヘッド位置にくるまでの回転待ち時間）が最小限で済むからです。

　しかしファイルの書き込みと消去を繰り返していくと、プラッタ上の空き領域はどんどん分散化していきます。その状態でさらに新しく書き込みを行うと、時には「連続した領域は確保できないから、途中からはあっちの離れた場所へ書くようにするね」なんてことも起こるようになってきます。

　こうなると、ファイルをひとつ読み書きするだけでも、あちこちのトラックへ磁気ヘッドを移動させなきゃいけません。当然その度に、回転待ちの時間もかさみます。つまりハードディスクのアクセス速度は遅くなってしまうのです。

　このような、「ファイルがあちこちに分かれて断片化してしまう」状態のことをフラグメンテーション（断片化）と呼びます。

デフラグで再整理

前ページでも書いたように、フラグメンテーションを起こすと何が困るかというと、「ファイルをひとつ読み出したいだけなのに、あっちこっちにシークさせられてやたら時間がかかって腹が立つ」…ということが困りものなわけです。

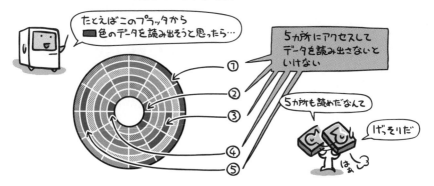

これは書く時もやっぱり同じで、「ファイルをひとつ書き込みたいだけなのに、あっちこっちの領域に分けて書き込みさせられるから時間がかかって腹が立つ」ということになる。

このようなフラグメンテーションを解消するために行う作業をデフラグメンテーション (デフラグ) と呼びます。デフラグは、断片化したファイルのデータを連続した領域に並べ直して、フラグメンテーションを解消します。

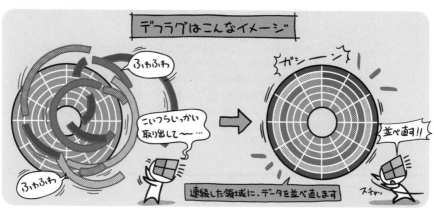

- -

問1

(IP-H23-S-80)

PCのハードディスクにデータの追加や削除を繰り返していると，データが連続した領域に保存されなくなることがある。改善策を講じない場合，どのような現象が起こり得るか。

ア　ウイルスが検出されなくなる。

イ　データが正しく書き込めなくなる。

ウ　データが正しく読み取れなくなる。

エ　保存したデータの読取りが遅くなる。

解説

　問題文は、ハードディスクの「フラグメンテーション」を説明しています。フラグメンテーションが発生すると、保存されたデータはハードディスク内にバラバラに飛び散っていますので、データの読取りが遅くなります。

問2

(AD-H17-A-08)

ファイルのフラグメンテーション発生時の状況と対策に関する記述のうち，適切なものはどれか。

ア　同時にアクセスするファイル数が多くなり，磁気ディスクのシーク動作に時間がかかるようになってファイルのアクセス効率が低下している。対策として，同時にアクセスするファイルを磁気ディスク内で近接させて配置する。

イ　ファイル削除時に，対象ファイルを一時的に保存しておくごみ箱が満杯になり，新たなファイルの作成や削除のたびに，ごみ箱内の古いファイルを物理的に消去したので，アクセス効率が低下している。対策として，ごみ箱内のファイルをまとめて消去する。

ウ　ファイル作成時に，一つの連続領域でなく，小さく分断された領域が割り当てられたので，ファイルのアクセス効率が低下している。対策として，ファイルや空きを連続した領域に割り当て直す。

エ　ファイルのデータ領域は十分であるが，ファイルの管理領域が不足した状態になり，ファイル作成時にこの管理領域確保のために時間を要するようになっている。対策として，複数ファイルを一つにまとめるか，管理領域を拡大する。

解説

　選択肢ウのようにします。

正解▶問1：エ　問2：ウ

RAIDは
ハードディスクの合体技

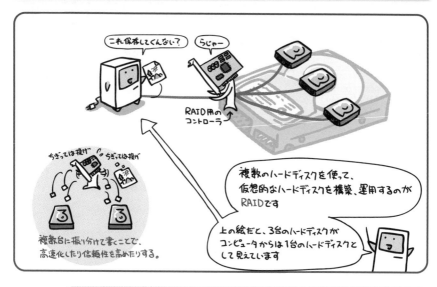

 RAIDは複数のハードディスクを組み合わせることで、
ハードディスクの速度や信頼性を向上させます。

　複数のハードディスクを論理的にひとつにまとめて（つまり仮想的なひとつのハードディスクにして）運用する技術をディスクアレイと呼びますが、RAIDはその代表的な実装手段のひとつです。

　その主な用途はハードディスクの高速化や信頼性向上など。RAIDはRAID0からRAID6までの7種類に分かれていて、求める速度と信頼性に応じて各種類を組み合わせて使えるようにもなっています。

　ちなみに、RAIDの種類の中で一般的に使われているのは、高速化を実現するRAID0と、信頼性を高めるRAID1、そしてRAID5です。それらの特徴については次ページを見てください。

4

ハードディスク

RAID0 （ストライピング）

RAID0では、ひとつのデータを2台以上のディスクに分散させて書き込みます。

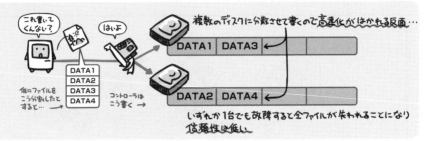

 ### RAID1 （ミラーリング）

RAID1では、2台以上のディスクに対して常に同じデータを書き込みます。

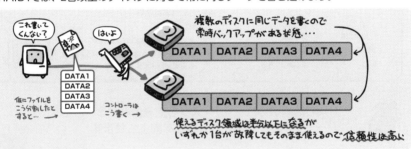

 ### RAID5

RAID5では、3台以上のディスクを使って、データと同時にパリティと呼ばれる誤り訂正符号も分散させて書き込みます。

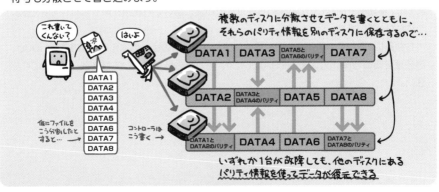

このように出題されています
過去問題練習と解説

問 1
(IP-H30-S-94)

サーバに2台のHDDを接続しているとき，HDDの故障がどちらか片方だけであれば運用が続けられるようにしたい。使用する構成として，適切なものはどれか。

ア　ストライピング
イ　データマイニング
ウ　テザリング
エ　ミラーリング

解説

アとエ　ストライピング・ミラーリングの説明は、120ページを参照してください。　イ　データマイニングとは、データウェアハウスから有用な相関関係や顕著な傾向を発見すること、もしくはその手法です。　ウ　テザリングとは、無線通信機能を持つスマートフォンなどの携帯端末がルータの役割を担当し、ゲーム機やパソコンなどの他機器との通信を中継することです。

問 2
(IP-R06-69)

障害に備えるために，4台のHDDを使い，1台分の容量をパリティ情報の記録に使用するRAID5を構成する。1台のHDDの容量が1Tバイトのとき，実効データ容量はおよそ何バイトか。

ア　2T　　　　　イ　3T　　　　　ウ　4T　　　　　エ　5T

解説

　問題文は、「4台のHDDを使い，1台分の容量をパリティ情報の記録に使用する」としていますので、パリティ情報以外のデータ容量は、（4台－1台）＝3台分です。したがって、実効データ容量は、3台×1T ＝ 3Tバイトです。

問 3
(IP-R05-63)

容量が500GバイトのHDDを2台使用して，RAID0，RAID1を構成したとき，実際に利用可能な記憶容量の組合せとして，適切なものはどれか。

	RAID0	RAID1
ア	1Tバイト	1Tバイト
イ	1Tバイト	500Gバイト
ウ	500Gバイト	1Tバイト
エ	500Gバイト	500Gバイト

解説

　RAID0（ストライピング）は、一つのデータを2台以上の磁気ディスクに分散して書き込む方式です。データを分散して磁気ディスクに書き込むので、2台以上の磁気ディスクの合計の記憶容量は、RAID0を採用していない状態での、各磁気ディスクの合計の記憶容量と同じです。本問のように、500GバイトのHDDを2台使用して、RAID0を構成した場合では、500G×2台＝1,000G＝1Tバイトの記憶容量を持ちます。

　RAID1（ミラーリング）は、一つのデータを複製して、同じデータを2台以上の磁気ディスクに書き込む方式です。同じデータを各磁気ディスクに書き込むので、2台以上の磁気ディスクの合計の記憶容量は、1台の磁気ディスクの記憶容量と同じです。本問のように、500GバイトのHDDを2台使用して、RAID1を構成した場合では、500G×1台＝500Gバイトの記憶容量を持ちます。

正解▶問1：エ　問2：イ　問3：イ

前にも書きましたが、
コンピュータは
ソフトウェアなし
では働けません

1

たとえばアナタは、
コンピュータで
なにがしたい
ですか?

う〜ん
レポート
作ったりかなぁ

オレ
ゲーム!!

2

なるほど、それだと
ワープロソフトや
ゲームソフトが
必要になるわけです

レポート書くなら
ワープロソフト

ゲームやるなら
ゲームソフト

3

ところで、
コンピュータって
5大装置が連携して
動くわけですけど

じゃじゃん

4

ワープロやゲームが
あればこれらの
装置が使えるかと
いうと…

いやいやいや
ムリムリ〜ノ
そんなん
知らんて

ウチらそれが
使える前提で
おりますからね!

5

いっさい
なんの面倒も
見てくれなかったり

え?

6

つまり他の誰かが

マウス動かしたら
矢印も動くよーに

キーを叩けば
文字が送られる
よーに

画面に色々
表示できる
よーに

7

…なんてことをして、
5大装置と
ワープロやゲーム等
ソフトウェアとの
仲立ちをしてやらん
といかんのです

え〜〜…と

8

その役目を
担いますのが
我らが「OS」さん

天が呼ぶ　地が呼ぶ
人が呼ぶ…

仲立ちせよと オレを呼ぶ

ひゅるるるる～

9

OSは、
ハードウェアと
ソフトウェアたちの
仲立ち役として…

はい、どっちも
どっちも――

はい
まったまった――

はいっ!!
スタートぉぉぉ!!

10

入力を解釈しては
ソフトウェアに
届け…

はい! 「A」押されました
「A」きたよ「A」!!

はい、
クリックキタ

11

出力は噛み砕いて
ハードウェアを
制御してと大活躍

はい! コレ
保存ね保存!

画面
コレ!
はいコレ!

12

このように、
コンピュータを
コンピュータとして
使えるように
するのがOSの役目

♪

13

一方、「コンピュータ
でなにをするか」を
実現するのが、
「アプリケーション」
と呼ばれる
ソフトウェアです

14

?

?

フムフム
そーいうこと

わかったぞ
ブッブッ

ブッブッ

15

つまりゴレンジャーで
言うとこの

江川権八
総司令官が
OS、ってとこか

ミドー　アカレンジャー　モモー
オレンジャー　アオレンジャー

古すぎて
わかんねーよ

つーか
はなれろ
そこから

16

OSの役割

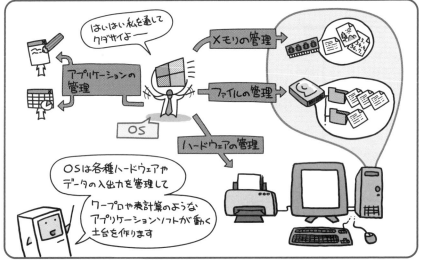

**OSとはオペレーティングシステム（Operating System)の略。
コンピュータの基本動作を実現する「基本ソフトウェア」です。**

　コンピュータは様々なハードウェアが連携して動きます。メモリは編集中のデータを保持していますし、ハードディスクには作成したファイルが保存されています。キーボードを叩けば文字が入力されて、マウスを動かせば画面内の矢印（マウスポインタ）が動いて…と。

　ところで誰がそれを制御してくれるのでしょうか。

　そう、「ワープロソフトを使って文章を作りたい」「表計算ソフトを使って集計を行いたい」という前に、そもそも誰かがコンピュータをコンピュータとして使えるようにする必要があるのです。

　その役割を担うのがOS。コンピュータの基本的な機能を提供するソフトウェアで、基本ソフトウェアとも呼ばれます。

　OSは、コンピュータ内部のハードウェアや様々な周辺機器を管理する他、メモリ管理、ファイル管理、そしてワープロソフトなどのアプリケーションに「今アナタが動作して良いですよ」と実行機会を与えるタスク管理などを行います。

OSは間をつないで対話する

OS上で動くアプリケーションソフトは、「今このコンピュータにはどれだけメモリが積まれているか」とか「どんな補助記憶装置が用意されているか」というようなことを一切意識せずに処理を行うことができます。

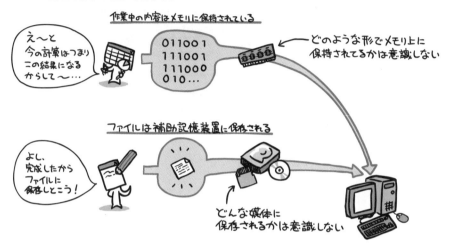

それはなぜかというと、OSが間に立って、必要なリクエストをすべて仲介してくれるから。

このように、ハードウェアの違いや入出力をすべてブラックボックス化して、そのOS上の基本サービスとして提供するのが、基本ソフトウェアたるOSの役割です。

代表的なOS

OSとして有名なのはMicrosoft社のWindowsですが、その他にも様々な種類が存在します。

ウィンドウズ **Windows**	現在もっとも広く使われている、Microsoft社製のOSです。GUI（グラフィックユーザインタフェース）といって、マウスなどのポインティングデバイスを使って画面を操作することで、コンピュータに命令を伝えます。
マック オーエス **Mac OS**	グラフィックデザインなど、クリエイティブ方面でよく利用されているApple社製のOSです。GUIを実装したOSの先駆けとしても知られています。
エムエス ドス **MS-DOS**	Windowsの普及以前に広く使われていたMicrosoft社製のOSです。CUI(キャラクタユーザインタフェース)といって、キーボードを使って文字ベースのコマンドを入力することで、コンピュータに命令を伝えます。
ユニックス **UNIX**	サーバなどに使われることの多いOSです。大勢のユーザが同時に利用できるよう考えられています。
リナックス **Linux**	UNIX互換のOSです。オープンソース（プログラムの元となるソースコードが公開されている）のソフトウェアで、無償で利用することができます。

• •

問 **1**

(IP-H25-A-70)

OSに関する記述のうち，適切なものはどれか。

ア 1台のPCに複数のOSをインストールしておき，起動時にOSを選択できる。

イ OSはPCを起動させるためのアプリケーションプログラムであり，PCの起動後は，OSは機能を停止する。

ウ OSはグラフィカルなインタフェースをもつ必要があり，全ての操作は，そのインタフェースで行う。

エ OSは，ハードディスクドライブだけから起動することになっている。

解説

ア 当選択肢は、マルチブートローダ（もしくはマルチブート、2つのOSに限定すればデュアルブート）に関する記述です。 イ OSは、基本ソフトウェアとも呼ばれ、ハードウェアや様々な周辺機器の管理などを行います。 ウ OSは、必ずしもグラフィカルなインタフェースをもつ必要がありません。キャラクタユーザインタフェースを持つMS-DOSのようなOSもあります。
エ OSは、DVD-ROMやUSBメモリなどからも起動できます。

問 **2**

(AD-H20-S-07)

UNIXのプログラム実行環境はどれか。

ア シングルユーザ，シングルタスクである。

イ シングルユーザ，マルチタスクである。

ウ マルチユーザ，シングルタスクである。

エ マルチユーザ，マルチタスクである。

解説

UNIXは、マルチユーザ（複数の利用者）が、マルチタスク（複数のタスク）を同時に実行できます。現在稼動している他のサーバOSのほとんども、マルチユーザ・マルチタスクの実行環境を持っています。

問 **3**

(IP-R04-63)

スマートフォンやタブレットなどの携帯端末に用いられている,OSS（Open Source Software）であるOSはどれか。

ア Android　　　イ iOS　　　ウ Safari　　　エ Windows

解説

選択肢の中で、OSS（オープンソースソフトウェア：プログラムの元となるソースコードが公開されているソフトウェア）に該当するのは、Google社が開発したスマートフォンなどの携帯端末用OSであるAndroid（アンドロイド）です。

正解 ▶ 問1：ア　問2：エ　問3：ア

アプリケーションとは なんぞや

> アプリケーションソフトは、OS上で様々な機能を実現する
> ソフトウェアのことで、「応用ソフトウェア」とも呼ばれます。

コンピュータをどのような業務に使うか。それぞれに適した機能を提供して、コンピュータの応用範囲を広げてくれるのが、アプリケーションソフトと言われる応用ソフトウェアたちです。

OSは基本ソフトウェアとしてコンピュータを「操作することはできる」状態にしてくれますが、それだけでは業務の手助けをするには足りません。文書を作るためには文書の作成を手助けしてくれる応用ソフトウェア（ワープロソフト）が必要ですし、表の計算をするには表計算を手助けしてくれる応用ソフトウェア（表計算ソフト）が必要です。

これらのように、様々な業務で共通して使うことのできる応用ソフトウェアのことを共通応用ソフトウェアと呼びます。一方、企業内で使われていることの多い、自社の特定業務に特化させた専用アプリケーションのことを個別応用ソフトウェアと呼びます。

代表的なアプリケーション

代表的なアプリケーションには次のような種類があります。いずれも様々な業務で使うことのできる共通応用ソフトウェアです。

ワープロソフト	様々な文書を作成するためのソフトウェアです。単に文章を書き記すだけではなく、図や表、写真など、多種多様なデータを文書上に混在させて貼り込むことができます。 Microsoft社のWordやジャストシステム社の一太郎などが有名です。
表計算ソフト	表形式のデータを集計・編集するためのソフトウェアです。表内の数値データを自動的に計算させたり、そのデータをグラフ化したりする機能を有しています。 Microsoft社のExcelなどが有名です。
プレゼンテーションソフト	講演や技術発表などのプレゼンテーション用資料を作るためのソフトウェアです。文字や図のほか、様々なマルチメディア素材を組み合わせることで、印象的なスライドを作成することができます。 Microsoft社のPowerPointやApple社のKeynoteなどが有名です。
Webブラウザ	インターネットのWebページを閲覧するためのソフトウェアで、単にブラウザとも呼ばれます。 Apple社のSafariやGoogle社のChromeなどが有名です。
メールソフト	電子メールの作成と送受信を行うためのソフトウェアで、メーラーとも呼ばれます。 Microsoft社のOutlookなどが有名です。

問 1

(IP-H21-A-80)

マルチメディアを扱うオーサリングソフトの説明として，適切なものはどれか。

ア 文字や図形，静止画像，動画像，音声など複数の素材を組み合わせて編集し，コンテンツを作成する。

イ 文字や図形，静止画像，動画像，音声などの情報検索をネットワークで簡単に行う。

ウ 文字や図形，静止画像，動画像，音声などのファイルの種類や機能を示すために小さな図柄で画面に表示する。

エ 文字や図形，静止画像，動画像，音声などを公開するときに著作権の登録をする

解説

　オーサリングソフトは、文字・画像・音声・動画といったデータを編集してマルチメディアコンテンツを作成するソフトウェアのことです。プログラムを書かなくてもコンテンツが作れる場合がほとんどですが、必要に応じて小さなプログラムを書く場合もあります。例えば、Webオーサリングソフトの1つにAdobe Dreamweaverがあります。

問 2

(IP-H21-S-60)

次のような特徴をもつソフトウェアを何と呼ぶか。

ブラウザなどのアプリケーションソフトウェアに組み込むことによって，アプリケーションソフトウェアの機能を拡張する。個別にバージョンアップが可能で，不要になればアプリケーションソフトウェアに影響を与えることなく削除できる。

ア スクリプト　　イ パッチ　　ウ プラグイン　　エ マクロ

解説

ア スクリプトは、JavaScriptやperlなどの比較的簡単なプログラムもしくはプログラム言語のことです。一般的なプログラムとスクリプトを区別する明確な定義はありません。

イ パッチは、完成したプログラムの全部もしくは一部を修正するための差分のプログラムです。例えば、セキュリティパッチは、完成したプログラムにセキュリティ上の問題が見つかり、それを改善しなければならない場合に配布されるプログラムです。

ウ プラグインは、ソフトウェアに機能を追加するための小さなプログラムです。Adobe Photoshopなどで使われます。

エ マクロは、表計算ソフトやワープロなどで繰り返し行う動作を定型化・自動化するための仕組みです。プログラムに近いものですので、マクロ言語と呼ばれる場合もあります。

問 3

(AD-H20-A-08)

OSにおけるシェルの役割に関する記述として，適切なものはどれか。

ア　アプリケーションでメニューからコマンドを選択したり，設定画面で項目などを選択したりするといったマウス操作を，キーボードの操作で代行する。

イ　複数の利用者が共有資源を同時にアクセスする場合に，セキュリティ管理や排他制御を効率的に行う。

ウ　よく使用するファイルやディレクトリへの参照情報を保持し，利用者が実際のパスを知らなくても利用できるようにする。

エ　利用者が入力したコマンドを解釈し，対応する機能を実行するようにOSに指示する。

解説

ア　ショートカットキーを使った操作の説明です。

イ　当選択肢の共有資源が、データベースであるならば、DBMS (DataBase Management System) の説明になります。

ウ　ファイルシステムへのパス設定、もしくはアイコンの一機能の説明のようです。

エ　シェルはOS を操作する場合のユーザインターフェース部分であり、利用者はシェルに対してコマンドを入力し、シェルが表示する画面を見て実行結果を判断します。

ソフトウェアの分類

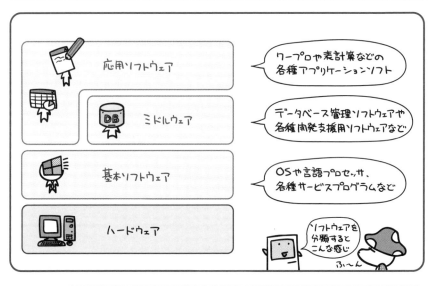

ソフトウェアは、「基本ソフトウェア」「ミドルウェア」
「応用ソフトウェア」の3つに分類することができます。

　これまでに何度も出ているように、ハードウェアを管理するOSのようなソフトウェアを基本ソフトウェアと呼びます。他にも、プログラミング言語を解釈してソフトウェアを作成する言語プロセッサや、バックグラウンドで動作する色んなサービスプログラムなんかもこの一種。

　基本ソフトウェアの上では、応用ソフトウェアと呼ばれるワープロや表計算などの様々なアプリケーションソフトが動作します。

　…と、ここまでは前節、前々節で述べた通り。

　そして実はもうひとつ、ミドルウェアと呼ばれるソフトウェアが、基本ソフトウェアと応用ソフトウェアの間に介在することがあります。これは、ある特定の用途に特化して、基本ソフトウェアと応用ソフトウェアとの間の橋渡しをするためのソフトです。たとえばデータベースを利用する応用ソフトウェアのために、データベース管理と入出力機能を提供したりするソフトウェアがこれにあたります。

ソフトウェアによる自動化（RPA）

人手不足の解消などを目的として、業務改革を進めるために活用されつつあるのがRPAです。RPAとは、以下の英文の略語です。

Robo（ロボ）とあるものの、これは物理的な産業用ロボットなどを指すものではありません。コンピュータの中に閉じたソフトウェア的なロボットを指します。

機械化以前の各工場では、工員さんたちが手作業で様々な作業を行っていました。それらは産業用ロボットの登場によって自動化が進み、生産性を飛躍的に向上させました。同様の効果を、ソフトウェアの世界にもたらすためのテクノロジーがRPAなわけです。

需要の高まりを反映してか、近年はWindows 11やMac OSなどのOSでも、RPA機能を実現するソフトウェアが標準で搭載されています。

問 1

(AD-H13-A-25)

ミドルウェアに関する記述として，最も適切なものはどれか。

ア 基本ソフトウェアとアプリケーションソフトウェアの中間で動作し，統一的なインタフェースや便利なコンピュータ利用機能をアプリケーションに提供する。

イ 再配布や変更，使用の自由が認められたソフトウェアで，一般的に無料である。

ウ 対話型処理システムにおいて，端末から入力されたコマンドを解釈し，それに応じたプログラムを実行する。

エ プログラムのソースコード又は中間コードを，逐次解釈しながら実行する。

解説

ア ミドルウェアは，「基本ソフトウェアとアプリケーションソフトウェアのミドル（中間）にある」と覚えればよいでしょう。

イ オープンソースソフトウェアとフリーウェアの特徴を混ぜた説明になっています。

ウ UNIXで使われるシェルの説明と思われます。

エ インタプリタの説明です。

問 2

(IP-R03-11)

RPA（Robotic Process Automation）の特徴として，最も適切なものはどれか。

ア 新しく設計した部品を少ロットで試作するなど，工場での非定型的な作業に適している。

イ 同じ設計の部品を大量に製造するなど，工場での定型的な作業に適している。

ウ システムエラー発生時に，状況に応じて実行する処理を選択するなど，PCで実施する非定型的な作業に適している。

エ 受注データの入力や更新など，PCで実施する定型的な作業に適している。

解説

RPAは，133ページにある、メールで受信した営業日報をCSVファイルに変換して、アップロードする説明のように、人がソフトウェアを動かす場合の定型的な操作を、人に代わって自動実行することを示す用語です。

問 3 (IP-R05-05)

企業でのRPAの活用方法として，最も適切なものはどれか。

ア　M&Aといった経営層が行う重要な戦略の採択

イ　個人の嗜好に合わせたサービスの提供

ウ　潜在顧客層に関する大量の行動データからの規則性抽出

エ　定型的な事務処理の効率化

解説

RPAのキーワードは、133ページに説明してあるとおり、以下の2点です。

①：ロボット（ソフトウェア）による自動化

②：人間が行う定型的な手作業のソフトウェア処理への置き換え

わかりにくい人は、マイクロソフト社のPower Automate for Desktop（Windows版 無料）を使ってみるとよいでしょう。

問 4 (IP-R06-16)

RPAが適用できる業務として，最も適切なものはどれか。

ア　ゲームソフトのベンダーが，ゲームソフトのプログラムを自動で改善する業務

イ　従業員の交通費精算で，交通機関利用区間情報と領収書データから精算伝票を作成する業務

ウ　食品加工工場で，産業用ロボットを用いて冷凍食品を自動で製造する業務

エ　通信販売業で，膨大な顧客の購買データから顧客の購買行動に関する新たな法則を見つける業務

解説

RPAは、133ページにある、メールで受信した営業日報をCSVファイルに変換して、アップロードする説明のように、人がソフトウェアを動かす場合の定型的な操作を、人に代わって自動実行することを示す用語です。

正解 ▶ 問1：ア　問2：エ　問3：エ　問4：イ

1. 表計算ソフト…といえば、こんな画面のアプリケーション

2. これはひょっとして **ブロック崩し!?** ちがいます

3. バッカだなー つぎはあれだろ? 表をきれいに書けるソフトだよ ん、て。

4. 「ご名答」と言いたいところですが、残念ながらそれだと50点 だってさ えー

5. 表計算ソフトを使うと、確かに表を綺麗に書くことができます ほら

6. でも注目して欲しいのは、実はこっちの文字の方 表計算 ん? けーさん?

7. たとえばこんな表があったとすると…

品名	個数	合計
コロッケ	2	100
サラダ	1	100
みそ汁	1	120
	総計	320

なにコレ そーざい?

8. ん? あ、これは昨日のワタシの晩ご飯です やすっ! わびしー飯だな 給料日前か?

Panel 9

ほっといてください
…というか、
ココの数字を
ちょっと変えてみて

品名	個数	合計
コロッケ	②	100
サラダ	1	100
みそ汁	1	120
総計		320

はーい

Panel 10

ピッ！

品名	個数	合
コロッケ	③	

・・・っと

はーい
変えましたー

Panel 11

じゃじゃーん

品名	個数	合計
コロッケ	3	150
サラダ	1	100
みそ汁	1	120
総計		370

ん？　なに？

Panel 12

「なに?」じゃなくて
よく見てください、
ココとココの数字
変わってるでしょ？

品名	個数	合計
コロッケ	3	150
サラダ	1	100
みそ汁	1	120
総計		370

あ
ホントだ!!

Panel 13

こんな感じで
表形式のデータを
ビシバシ計算して
くれるのがコイツの
強みなわけ

ウホン

総計は
370円
ですね

へ〜　なるほどな

Panel 14

数字を扱う
事務仕事をはじめ、
業務では欠かせない
ソフトなのです

つまりコイツは
あれだ!!

Panel 15

よう計算
しよるから

表計算…
って言うんだわ

Panel 16

ピュオォォォォ。

うまい!!
うまいオレ

イェス!!

プスクスクス

オォォォォォ

Chapter 6-1 表は行・列・セルで できている

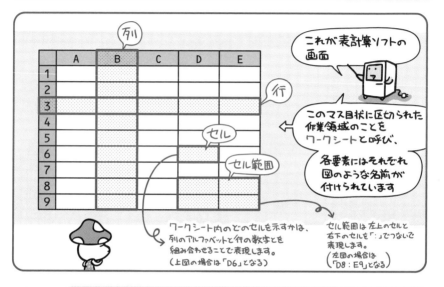

列

	A	B	C	D	E
1					
2					
3					
4					
5					
6					
7					
8					
9					

これが表計算ソフトの画面

このマス目状に区切られた作業領域のことをワークシートと呼び、

各要素にはそれぞれ図のような名前が付けられています

行

セル

セル範囲

ワークシート内のどのセルを示すかは、列のアルファベットと行の数字とを組み合わせることで表現します。（上図の場合は「D6」となる）

セル範囲は 左上のセルと右下のセルを「:」でつないで表現します。左図の場合は「D8:E9」となる

表計算ソフトは、行と列で細かく区切られた ワークシートを使って色んな計算を行います。

業務で扱うアプリケーションの中でも、数値の扱いに長けた表計算ソフトはかなり活用度の高いソフトウェアです。このソフトでは、ワークシート上の細かく区切られたマス目（セル）にデータを入力して、計算や集計を行います。

ワークシート上にあるたくさんのセルの中から「ここ」と場所を指し示すには、セルアドレス（セル番地）という表記を用います。これは列位置を示すアルファベットと行位置を示す数字とを組み合わせたもので、たとえば左上端のセルなら「A1」、左から3列目で上から5行目のセルなら「C5」というようにあらわします。

他にもセル範囲といって、複数のセルをまとめて範囲指定する表記方法があります。たとえば複数のデータを参照してその平均を取ったり、合計を計算したりする場合などに使える表記方法で、「範囲内の左上端のセル番地：範囲内の右下端のセル番地」という書き方をします。「A1:D2」と書くと、ワークシートの左上端からワークシートの4列目&2行目のセルまで、つまり8個分のセルをまとめて範囲指定したことになるわけです。

他のセルを参照する

ワークシート上のデータを活用する手段として、セルの参照は欠かすことのできない機能です。表計算ソフトでは、セルの中に他のセルアドレスを入力して、その内容を引用することができます。

式を入れて自動計算

それでは表計算のキモともいうべき計算機能を使って、先ほどの表を「もっとそれっぽい」
表に書きかえてみましょう。

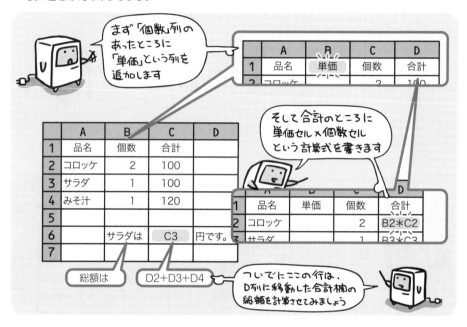

この状態で単価をそれぞれに入力していくと…。

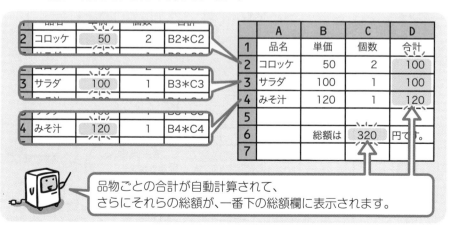

品物の単価や個数を変更すると、それぞれの計算結果も自動的に更新されます。これを
再計算機能といいます。

表計算で用いる演算子

　前ページのように、表計算ソフトではセルの中に計算式を書いておくことで、ソフトウェアに自動計算させることができます。

　計算式は、次のような演算子を使って書くことができます。あ、演算子というのは、「+」とか「−」のような計算に使う記号のことです。

計算の内容		演算子	計算式の例
足し算（加算）	✚	+	6+2=8
引き算（減算）	▬	−	6−2=4
掛け算（乗算）	✖	*	6*2=12
割り算（除算）	➗	/	6/2=3
○のX乗（べき乗）	2ˣ	^	6^2=36

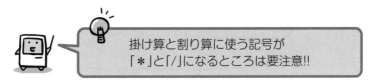

掛け算と割り算に使う記号が
「*」と「/」になるところは要注意!!

表計算ソフトでは、セルに入力した計算式を複写して使うことができます。

え? そんなのは当たり前じゃないか?　いえいえ、たとえば次の表を見てください。

	A	B	C	D
1	品名	単価	個数	合計
2	コロッケ	50	3	B2*C2
3	サラダ	100	1	
4	みそ汁	120	1	
5				
6		総額は	D2+D3+D4	です。
7				

たとえば D2 に入力した計算式を

その下の D3、D4 でも複写して使いたいと思ったとします

通常私たちが抱く「複写（コピー）」のイメージでは次のようになります。

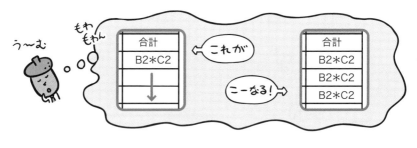

しかしこれでは…

全品目にコロッケの合計が表示されてしまって役に立ちません

あ‼

1	品名	単価	個数	合計
2	コロッケ	50	3	150
3	サラダ	100	1	150
4	みそ汁	120	1	150

そのため、表計算ソフトの複写機能は、複写する方向に応じて、自動的にセルアドレスを調節するようになっています。

ちゃんと各品目の合計を算出できる式として、複写することができました‼

こーなる！

	合計
	B2*C2
	B3*C3
	B4*C4

行が変化する方向に複写したので、行を示す数字が自動的に増えていく

	品名	単価	個数	合
2	コロッケ	50	3	150
3	サラダ	100	1	100
4	みそ汁	120	1	120

問 1

(AD-H06-32)

表計算ソフトにおいて，各セルに次のような計算式が設定してあるとき，セルA1に数値2を入力すると，セルB3に表示される数値はどれか。この表計算ソフトでは，あるセルに値が入力されたときは，他のセルの再計算が直ちに行われるものとする。

	A	B
1		A1
2	A1+1	A2+B1
3	A2+1	A3+B2

ア 3　　イ 4　　ウ 5　　エ 9

解説

　セルA1に2を入力すると、セルB1は、A1なので、2になります。セルA2は、A1+1なので、2+1=3になります。セルB2は、A2+B1なので、3+2=5になります。セルA3は、A2+1なので、3+1=4になります。セルB2は、A3+B2なので、4+5=9になります。

問 2

(IP-R06-58)

文書作成ソフトや表計算ソフトなどにおいて，一連の操作手順をあらかじめ定義しておき，実行する機能はどれか。

ア　オートコンプリート　　　　イ　ソースコード
ウ　プラグアンドプレイ　　　　エ　マクロ

解説

ア　ユーザが入力したキーボードの履歴を使って、途中まで入力したときに、その次に入力しそうな候補を自動的に補完し表示してくれる機能です。
イ　404ページを参照してください。
ウ　56ページを参照してください。
エ　295ページのマクロウイルスは、本選択肢のマクロを使ったウイルスです。

相対参照と絶対参照

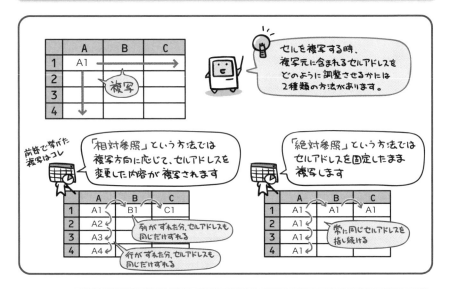

表計算の複写には、セルアドレスを自動調整する
「相対参照」と、固定のまま複写する「絶対参照」とがあります。

　表計算ソフトの複写は、複写元のデータに含まれるセルアドレスを、自動的に調整した上で貼り付けてくれるようになっています。これにより、計算式などが複写先でも有効に活用できるんですよーというのは前節でもふれた通り。

　これは相対参照といって、複写元を基準に、「どれだけ移動したか」という情報を、元データ内のセルアドレスへ反映させた上で貼り付ける複写方法です。実に便利な機能です。

　しかしこれだと、「各行の合計を算出する」とか、「列ごとの平均を算出する」みたいな使い方の時は助かるのですが、「ある固定の値を参照して、それをもとに計算を行う」ような式の場合は困ることになります。たとえば全体の合計をもとに、各行で算出した数値の割合を計算するとか…って、文字で書いてもわかりづらいですね。なので具体例については、後のページに譲りますが、とにかくそんなケースがあるのです。

　そういう時は、絶対参照という複写方法を用います。これは、複写元からの移動距離に関係なく、元データ内のセルアドレスを固定させたまま貼り付ける複写方法です。

相対参照は行・列ともに変化する

相対参照では、セルの内容を複写するというよりも、指し示す先との相対位置関係を複写するイメージが近いと言えます。

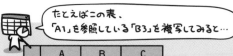

たとえばこの表、
「A1」を参照している「B3」を複写してみると…

	A	B	C
1	10	11	12
2	20	21	22
3	30	A1	
4	40		

右へ

	A	B	C
1	10	11	12
2	20	21	22
3	30	A1	B1
4	40		

下へ

右下へ

	A	B	C
1	10	11	12
2	20	21	22
3	30	A1	
4	40	A2	

	A	B	C
1	10	11	12
2	20	21	22
3	30	A1	
4	40		B2

セルの内容というよりも、参照先を示す
この矢印こそが複写される対象なのだ
ということがわかります

このように、常に参照先との位置関係を保ちつつ複写されるところが、相対参照の特徴です。

行ごとに合計を算出するような、
同じ位置関係が繰り返される計算式の
複写に適しています

	A	B	C	D
1	品名	単価	個数	合計
2	コロッケ	50	2	B2*C2
3	サラダ	100	複写	B3*C3
4	みそ汁	120	1	B4*C4

こーいうのね

へー

6

表計算ソフト

145

絶対参照は行・列を任意で固定する

　セルアドレスを固定したまま複写を行う絶対参照という方法では、セルアドレスの記述に「$」マークを用います。列名や行番号の前に「$」をつけることで、その要素を固定させたまま複写を行うことができるのです。

　ちょっとわかりづらいので、絶対参照では実際にどのような複写が行われるかを詳しく見ていきましょう。

たとえば「$A1」と書かれたセルを、右隣と真下のセルに複写してみたらどうなるか

	A	B	C
1	10	11	12
2	20	21	22
3	30	$A1	
4	40		

右へ ▶

	A	B	C
1	10	11	12
2	20	21	22
3	30	$A1	$A1
4	40		

下へ ▼

	A	B	C
1	10	11	12
2	20	21	22
3	30	$A1	
4	40	$A2	

「$」マークが列名の前（→$A）につけられているので、列方向の複写をしても、列は「A」に固定されたまま変化しません。

それでは「A$1」と書かれたセルを、右隣と真下のセルに複写してみたらどうなるか

	A	B	C
1	10	11	12
2	20	21	22
3	30	A$1	
4	40		

右へ ▶

	A	B	C
1	10	11	12
2	20	21	22
3	30	A$1	B$1
4	40		

下へ ▼

	A	B	C
1	10	11	12
2	20	21	22
3	30	A$1	
4	40	A$1	

「$」マークが行番号の前（→$1）につけられているので、行方向の複写をしても、行は「1」に固定されたまま変化しません。

じゃあ「$A$1」と書いた時は？

	A	B	C
1	10	11	12
2	20	21	22
3	30	$A$1 → $A$1	
4	40	$A$1	$A$1

行・列ともに固定されるので、どこに複写しても内容は変わりません。

それでは実際の使用例を見てみましょう。

	A	B	C	D	E
1	品名	単価	個数	合計	割合
2	コロッケ	50	2	B2*C2	D2/C6
3	サラダ	100	1	B3*C3	
4	みそ汁	120	1	B4*C4	
5					
6		総額は	D2+D3+D4	円です。	

たとえばこのような表があって、品物ごとに「全体の中で締める割合」を表示させたいとします。
つまり品物ごとに、
（D列の値）÷セルC6を計算して表示したい。

しかし単純に複写すると…

	E
	割合
2	D2/C6
3	↓ 複写
4	

こーなる

	E
	割合
2	D2/C6
3	D3/C7
4	D4/C8

/C6
/C7
/C8

こ…ここの数字が変わるのは困るなぁ

そこで、変わっちゃ困る要素の前に「$」マークをつけてやる。

| 2 | B2*C2 | D2/C$6 |

よし！ならばコレで！

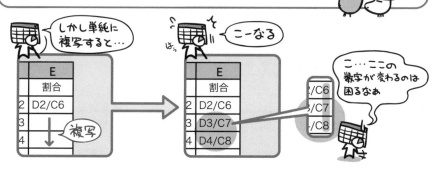

	A	B	C	D	E
1	品名	単価	個数	合計	割合
2	コロッケ	50	2	B2*C2	D2/C$6
3	サラダ	100	1	B3*C3	D3/C$6
4	みそ汁	120	1	B4*C4	D4/C$6
		総額は	D2+D3+D4	円です。	

総額を示す行を絶対参照にすることで、複写しても計算式がくるわなくなりました

めでたしめでたし

問 **1**
(IP-H29-S-91)

表計算ソフトを用いて，天気に応じた売行きを予測する。表は，予測する日の天気(晴れ，曇り，雨)の確率，商品ごとの天気別の売上予測額を記入したワークシートである。セル E4 に商品Aの当日の売上予測額を計算する式を入力し，それをセル E5 ～ E6 に複写して使う。このとき，セル E4 に入力する適切な式はどれか。ここで，各商品の当日の売上予測額は，天気の確率と天気別の売上予測額の積を求めた後，合算した値とする。

	A	B	C	D	E
1	天気	晴れ	曇り	雨	
2	天気の確率	0.5	0.3	0.2	
3	商品名	晴れの日の売上予測額	曇りの日の売上予測額	雨の日の売上予測額	当日の売上予測額
4	商品A	300,000	100,000	80,000	
5	商品B	250,000	280,000	300,000	
6	商品C	100,000	250,000	350,000	

ア　B2*B4+C2*C4+D2*D4

イ　B$2*B4+C$2*C4+D$2*D4

ウ　$B2*B$4+$C2*C$4+$D2*D$4

エ　$B$2*$B$4+$C$2*$C$4+$D$2*$D$4

解 説

①：セルE3の「当日の売上予測額」は、問題の最終文にあるとおり、「★天気の確率と天気別の売上予測額の積を求めた後，合算した値」です。

②：①の★の下線部を式にすると、(晴れの日の売上予測額×晴れの確率) + (曇りの日の売上予測額×曇りの確率) + (雨の日の売上予測額×雨の確率) となります。

③：②の式を、表計算ソフトの計算式に置き換えて、セルE4に当てはめれば、●B2*B4+C2*C4+D2*D4　となります。

④：問題の3文目は、「セル E4 に商品Aの当日の売上予測額を計算する式を入力し，それをセル E5 ～ E6 に複写して使う」とされています。もし、セルE4にある③の●の下線部を、そのままE5に複写すると、セルアドレスが行方向に座標調整され、「B3*B5+C3*C5+D3*D5」がセルE5に格納されます。しかし、これは正しくありません。セルE5には「B2*B5+C2*C5+D2*D5」が入るべきです。

⑤：④の不具合を解消するために、●の下線部のB2の2、C2の2、D2の2は、それぞれ行方向への座標調整を行わない絶対座標である「$2」にします。したがって、●の下線部は「B$2*B4+C$2*C4+D$2*D4」になります。

正解 ▶ 問1：イ

 「関数」を使うと、複雑な計算式をセルに記述することなく
計算結果だけを受け取ることができます。

関数で、集計したり平均とったり自由自在

Chapter
6-3

表計算ソフトは様々な計算ができる。それはいいのですが、だからといって毎回複雑な計算式をセルに入力せよと言われたらげんなりしてしまいますよね。

そこで関数の出番となるわけです。

関数というのは複雑な計算式をひとまとめにして簡単に呼び出せるようにしたもので、次のように表記します。

関数名（計算の元となる数値）

呼び出したい関数の名前→　　　　　　　←セルやセル範囲なんかを指定する

括弧の中には計算の元となる数値を指定します。するとそれを受けた関数が、所定の計算を行った後で答えを返してくれるのです。

この時、括弧の中に指定する数値のことを引数。返される計算結果のことを戻り値と呼びます。たとえば合計を求める関数は「合計（セル範囲）」というように記述しますが、この場合はセル範囲が引数で、それらを合計した値が戻り値となります。

6

表計算ソフト

 「関数」を使うと、複雑な計算式をセルに記述することなく
計算結果だけを受け取ることができます。

合計や平均の求め方

それでは実際に関数を使って、セルの合計や平均値を求めてみましょう。

合計を計算する

合計を計算させるには、次の合計関数を使います。

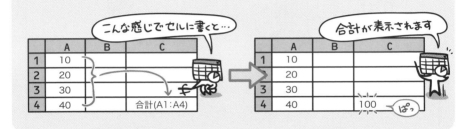

合計 (セ ル 範 囲) 使用例→ 合計(A1：A4)

平均を計算する

平均を求めるには、次の平均関数を使います。

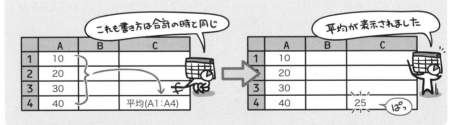

平均 (セ ル 範 囲) 使用例→ 平均(A1：A4)

　普通だと「A1+A2+A3+…」と書いていかなきゃダメなところが、関数を使うことですっきりした記述におさまっているのがわかります。計算対象が増えれば増えるほど、複雑な式になればなるほど、関数を使うことのメリットは大きくなります。

有名どころの関数たち

前ページで扱った合計や平均といった関数の他にも、表計算では様々な関数が用意されています。その中でも代表的なものを次の表にまとめます。

こんなあたりが代表的でございます

関数	使用例	説明
合計	合計 (A1：A5)	引数として指定されたセル範囲の合計を求めます。
平均	平均 (A1：A5)	引数として指定されたセル範囲の平均値を求めます。
最大	最大 (A1：A5)	引数として指定されたセル範囲の中から、もっとも大きな値を求めます。
最小	最小 (A1：A5)	引数として指定されたセル範囲の中から、もっとも小さな値を求めます。
個数	個数 (A1：A5)	引数として指定されたセル範囲の中で、空白じゃないセルの個数を求めます。
標準偏差	標準偏差 (A1：A5)	引数として指定されたセル範囲の標準偏差を求めます。
剰余	剰余 (A1,A5)	1番目の引数であるA1を、2番目の引数であるA5で割った時のあまりを求めます。
平方根	平方根 (A1)	引数として指定された数値の平方根を求めます。
絶対値	絶対値 (A1)	引数として指定された数値の絶対値を求めます。
整数部	整数部 (A1)	引数として指定された数値の整数部を求めます。たとえばセルA1の内容が1.2であった場合は1を返します。
論理積	論理積 (式1, 式2, …)	引数として指定された2つ以上の式が、すべて成立する場合に「真」、そうでない場合に「偽」を返します。※論理積について詳しくはP.179を参照してください。
論理和	論理和 (式1, 式2, …)	引数として指定された2つ以上の式のうち、いずれかひとつでも成立する場合に「真」、そうでない場合に「偽」を返します。※論理和について詳しくはP.178を参照してください。

6
表計算ソフト

便利っ、すよ

「真」とか「偽」とかなにぶっこいてんだこいつ

その辺は次節で詳しくやるみたいよ？
今は流しちゃってOKだって

問 1

(IP-R01-A-76)

ある商品の月別の販売数を基に売上に関する計算を行う。セルB1に商品の単価が，セルB3～B7に各月の商品の販売数が入力されている。セルC3に計算式 "B$1*合計(B3：B3)／個数(B3：B3)" を入力して，セルC4～C7に複写したとき，セルC5に表示される値は幾らか。

	A	B	C
1	単価	1,000	
2	月	販売数	計算結果
3	4月	10	
4	5月	8	
5	6月	0	
6	7月	4	
7	8月	5	

ア　6　　　イ　6,000　　　ウ　9,000　　　エ　18,000

解説

(1) 問題文は，「セルC3に計算式 "B$1*合計(B3：B3)／個数(B3：B3)" を入力して，セルC4～C7に複写したとき」としています。"B$1*合計(B3：B3)／個数(B3：B3)" のうち，「B$1」の「B」は相対参照されますが，セルC3をセルC4～C7に複写する場合、下方向 (＝行方向) に複写されるので，「B」は変わらず「B」のままです。また「$1」は絶対参照され，「$1」のままです。したがって，セルC4～C7には「B$1」が格納されます。また、「B$3」も同様に，セルC3がセルC4～C7に複写されても「B$3」のままです。しかし、「B3」は下方向に相対参照され，「B4」・「B5」・「B6」・「B7」が、それぞれセルC4～C7に複写されます。そこで、下表が出来ます。

	A	B	C
1	単価	1,000	
2	月	販売数	計算結果
3	4月	10	B$1*合計(B$3：B3)／個数(B$3：B3)
4	5月	8	B$1*合計(B$3：B4)／個数(B$3：B4)
5	6月	0	B$1*合計(B$3：B5)／個数(B$3：B5)
6	7月	4	B$1*合計(B$3：B6)／個数(B$3：B6)
7	8月	5	B$1*合計(B$3：B7)／個数(B$3：B7)

(2) 上表の「B$1」・「合計 (セル範囲)」・「個数 (セル範囲)」を具体的な数値に置き換え、計算すると、下表になります。

	A	B	C
1	単価	1,000	
2	月	販売数	計算結果
3	4 月	10	1,000＊10／1 ＝ 10,000
4	5 月	8	1,000＊18／2 ＝ 9,000
5	6 月	0	1,000＊18／3 ＝ 6,000 ★
6	7 月	4	1,000＊22／4 ＝ 5,500
7	8 月	5	1,000＊27／5 ＝ 5,400

左表の★より、セルC5は「6,000」になります。

問 2
(IP-R02-A-71)

表計算ソフトを用いて，ワークシートに示す各商品の月別売上額データを用いた計算を行う。セルE2に式"条件付個数 (B2:D2, >15000)"を入力した後，セルE3とE4に複写したとき，セルE4に表示される値はどれか。

	A	B	C	D	E
1	商品名	1月売上額	2月売上額	3月売上額	条件付個数
2	商品A	10,000	15,000	20,000	
3	商品B	5,000	10,000	5,000	
4	商品C	10,000	20,000	30,000	

ア 0　　　イ 1　　　ウ 2　　　エ 3

解 説

　ITパスポートの問題冊子の巻末にある「表計算ソフトの機能と用語」6. 関数「条件付個数(セル範囲，検索条件の記述)」の解説欄は、「セル範囲に含まれるセルのうち，検索条件の記述で指定された条件を満たすセルの個数を返す」となっています。したがって、E2に「条件付個数 (B2:D2, >15000)」を入力すると、セルB2、C2、D2の中で、15000よりも大きい値は、D2の20,000だけなので、E2には「1」が表示されます。

　セルE2の「条件付個数 (B2:D2, >15000)」を、セルE3とE4に複写すると、相対参照がなされ、セルE4には「条件付個数 (B4:D4, >15000)」が入ります。セルB4、C4、D4の中で、15000よりも大きい値は、C4の20,000とD4の30,000ですので、E4には「2」が表示されます。

正解 ▶ 問1：イ　問2：ウ

Chapter 6-4 「もし○○なら」と条件分岐するIF関数

ワタクシ、今期の売上は目標金額を大幅に上回りました

おおスバラシイ評価Aだ!!

ボクは目標のはるか下だな、まあ勝負は時の運だから…

いや焦れよ!お前は評価D!

目標より上か？

No

Yes

評価A

評価D

特定の条件によって値を振り分けたい…というのはデータを処理してるとよくあることです

IF関数を使うと、「もし目標値より上なら評価A」というような条件分岐をセルの中で行うことができます

IF(条件, 条件が真の場合, 条件が偽の場合)
YES / NO

「IF関数」は、条件によってセルの内容を変えることができるちょっと特殊な条件分岐用の関数です。

　データを表にまとめていると、上記イラストにある「この目標値に達してない場合は評価欄をDにしたい」というようなことがままあります。学生さんでいえば、「テストの点が40点に満たない場合は赤点とする」みたいな例の方が身近でしょうか。

　そこでIF関数。

　これは条件分岐を記述するための関数で、「もし○○だった場合はＸＸとする」という条件式を、セルの中に入れ込むことができる便利なやつなのです。

　IF関数は3つの引数を持ちます。ひとつめは条件式。「もし○○だったら」の○○にあたる部分ですね。残りの2つはIF関数の戻り値になるデータです。IF関数は、条件が一致した場合（真だった場合）には2番目の引数を戻り値として返し、条件が一致しなかった場合（偽だった場合）には3番目の引数を戻り値として返します。

　ようするに、「条件式を判定して、真だったら2番目、偽だったら3番目の引数を戻り値として返してね」というのがIF関数の動きというわけです。

6

表計算ソフト

IF関数は、条件判定とその結果によって振り分ける処理を、次のように記述します。

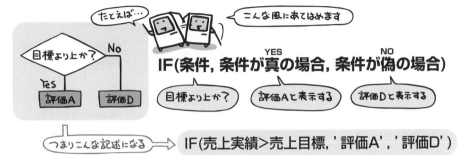

つまりこんな記述になる ⟹ IF(売上実績>売上目標, '評価A', '評価D')

実際にIF関数を使って評定表を作ってみるとこんな感じで…

	A	B	C	D
1	名前	売上目標[千円]	売上実績[千円]	評価
2	田中一郎	25,000	30,000	IF(C2>B2, 'A', 'D')
3	山本二郎	30,000	28,000	IF(C3>B3, 'A', 'D')
4	佐藤三郎	6,000	7,000	IF(C4>B4, 'A', 'D')
5	ウチのシロ	1	0	IF(C5>B5, 'A', 'D')

こーなります。

	A	B	C	D
1	名前	売上目標[千円]	売上実績[千円]	評価
2	田中一郎	25,000	30,000	A
3	山本二郎	30,000	28,000	D
4	佐藤三郎	6,000	7,000	A
5	ウチのシロ	1	0	D

引数の「条件が真の場合」「条件が偽の場合」には、文字の他に数式やセルアドレスなどを書くこともできます。これを利用することで、「条件によって計算方法を変える」というような幅広い使い方ができます。

6

表計算ソフト

IF関数にIF関数を入れてみる

IF関数は、さらにIF関数を入れ子状態にして、複雑な条件を処理させることができます。

えっと、わかりづらいですか？ 入れ子状態というのはIF関数の中に、さらにIF関数を書いちゃうことを言います。次のような感じです。

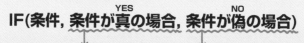

IF(条件, ^{YES}条件が真の場合, ^{NO}条件が偽の場合)

真の場合の処理として　　同じく偽の場合の処理として
ここにIF関数を書いたり　　ここにIF関数を書いたりする

これを使って、先ほどの評定表に「S評価」というのを足してみましょう。売上目標よりも20%以上実績をあげた人には「S」という評価をつけることにします。

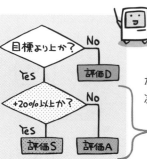

図にするとこんな感じの条件分岐となります

今回の評定表で追加されることになるのは、「+20%以上か?」と問い合わせてる以降の部分。これをIF関数で書くと次のようにあらわせます。

IF(売上実績>=(売上目標＊1.2), 'S', 'A')

じゃあコイツを、前回「条件が真の場合」のところに書いてた値と入れ替えてやる。

コレ

IF(売上実績>売上目標, 'A', 'D')

これで、上図の条件分岐をIF関数で書きあらわすことができました。

IF(売上実績>売上目標, IF(売上実績>=(売上目標＊1.2), 'S', 'A'), 'D')

それではこのIF関数を使った評定表を作ってみましょう。こんな感じ。

	A	B	C	D
1	名前	売上目標[千円]	売上実績[千円]	評価
2	田中一郎	25,000	30,000	IF(C2>B2, IF(C2>=(B2*1.2), 'S', 'A'), 'D')
3	山本二郎	30,000	28,000	IF(C3>B3, IF(C3>=(B3*1.2), 'S', 'A'), 'D')
4	佐藤三郎	6,000	7,000	IF(C4>B4, IF(C4>=(B4*1.2), 'S', 'A'), 'D')
5	ウチのシロ	1	0	IF(C5>B5, IF(C5>=(B5*1.2), 'S', 'A'), 'D')

で、IF関数の結果はこーなります。

	A	B	C	D
1	名前	売上目標[千円]	売上実績[千円]	評価
2	田中一郎	25,000	30,000	S
3	山本二郎	30,000	28,000	D
4	佐藤三郎	6,000	7,000	A
5	ウチのシロ	1	0	D

ぱっ

さて、結果として「評価S」になったのは田中一郎さん1人だけだったわけですが、この時セルD2はどのようにしてこの結果に辿り着いたのでしょうか。

せっかくなので、1ステップずつその変化を見ていくことにしましょう。

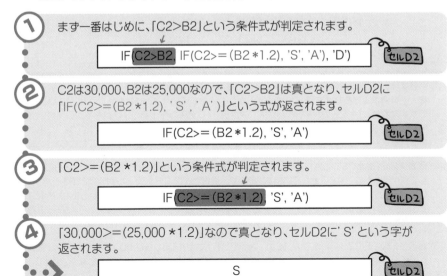

① まず一番はじめに、「C2>B2」という条件式が判定されます。

IF C2>B2, IF(C2>=(B2*1.2), 'S', 'A'), 'D')　セルD2

② C2は30,000、B2は25,000なので、「C2>B2」は真となり、セルD2に「IF(C2>=(B2*1.2), 'S', 'A')」という式が返されます。

IF(C2>=(B2*1.2), 'S', 'A')　セルD2

③ 「C2>=(B2*1.2)」という条件式が判定されます。

IF C2>=(B2*1.2), 'S', 'A')　セルD2

④ 「30,000>=(25,000*1.2)」なので真となり、セルD2に' S 'という字が返されます。

S　セルD2

157

問 **1**

(IP-H30-S-60)

支店ごとの月別の売上データを評価する。各月の各支店の"評価"欄に，該当支店の売上額がA～C支店の該当月の売上額の平均値を下回る場合に文字"×"を，平均値以上であれば文字"○"を表示したい。セルC3に入力する式として，適切なものはどれか。ここで，セルC3に入力した式は，セルD3，セルE3，セルC5～E5，セルC7～E7に複写して利用するものとする。

	A	B	C	D	E
1	月	項目	A支店	B支店	C支店
2	7月	売上額	1,500	1,000	3,000
3		評価			
4	8月	売上額	1,200	1,000	1,000
5		評価			
6	9月	売上額	1,700	1,500	1,300
7		評価			

単位 百万円

ア IF($C2 < 平均(C2：E2), '○', '×')
イ IF($C2 < 平均(C2：E2), '×', '○')
ウ IF(C2 < 平均($C2：$E2), '○', '×')
エ IF(C2 < 平均($C2：$E2), '×', '○')

解説

(1) 問題文は、「該当支店の売上額がA～C支店の該当月の売上額の平均値を下回る場合に文字"×"を，平均値以上であれば文字"○"を表示したい」とされています。これをセルC3だけに限定して解釈すれば、「A支店の7月の売上額が，7月のA～C支店の売上額の平均値を下回る場合に文字"×"を，平均値以上であれば文字"○"を表示したい」となり、セルC3には、「IF(C2 < 平均(C2：E2), '×', '○')」が入りそうです。したがって、正解の候補は、選択肢イとエに絞られます。

(2) 問題文は、「セルC3に入力した式は，セルD3，セルE3，セルC5～E5，セルC7～E7に複写して利用するものとする」としています。そこで、選択肢イの「IF($C2 < 平均(C2：E2), '×', '○')」を、セルC3からセルD3に複写すると、「$C」は絶対参照され、そのまま変わらず、また「C」と「E」は相対参照され、それぞれ「D」と「F」になり、セルD3には「IF($C2 < 平均(D2：F2), '×', '○')」が格納されます。これでは、本問の要求に合致しないので、選択肢イは不正解です。

(3) 選択肢エの「IF(C2 < 平均($C2：$E2), '×', '○')」を、セルC3からセルD3に複写すると、「$C」と「$E」は絶対参照され、そのまま変わらず、また「C」は相対参照され、「D」になり、セルD3

には「IF(D2 ＜ 平均($C2：$E2), '×', '○')」が格納されます。これが、本問の要求に合致しているので、選択肢エが正解です。

問 2
(IP-R05-75)

表計算ソフトを用いて，二つの科目X，Yの点数を評価して合否を判定する。それぞれの点数はワークシートのセルA2，B2に入力する。合格判定条件(1)又は(2)に該当するときはセルC2に "合格"，それ以外のときは "不合格"を表示する。セルC2に入力する式はどれか。

〔合格判定条件〕

(1) 科目Xと科目Yの合計が120点以上である。
(2) 科目X又は科目Yのうち，少なくとも一つが100点である。

	A	B	C
1	科目X	科目Y	合否
2	50	80	合格

ア IF(論理積((A2+B2) ≧ 120, A2 = 100, B2 = 100), '合格', '不合格')
イ IF(論理積((A2+B2) ≧ 120, A2 = 100, B2 = 100), '不合格', '合格')
ウ IF(論理和((A2+B2) ≧ 120, A2 = 100, B2 = 100), '合格', '不合格')
エ IF(論理和((A2+B2) ≧ 120, A2 = 100, B2 = 100), '不合格', '合格')

解説

選択肢ア〜エを、わかりやすく書き換えると下記のようになります。

ア もし (科目Xと科目Yの点数合計が120点以上である、かつ、科目Xの点数は100点である、かつ、科目Yの点数は100点である) ならば、合格、そうでなければ、不合格

イ もし (科目Xと科目Yの点数合計が120点以上である、かつ、科目Xの点数は100点である、かつ、科目Yの点数は100点である) ならば、不合格、そうでなければ、合格

ウ もし (科目Xと科目Yの点数合計が120点以上である、または、科目Xの点数は100点である、または、科目Yの点数は100点である) ならば、合格、そうでなければ、不合格

エ もし (科目Xと科目Yの点数合計が120点以上である、または、科目Xの点数は100点である、または、科目Yの点数は100点である) ならば、不合格、そうでなければ、合格

本問に合致しているのは、選択肢ウです。

データベース

企業が業務活動を
重ねていくと…

1

そこには
様々なデータが
生まれてきます

2

そしてこれがまた、
各々独立してるよう
でつながってたりと
ややこしい

3

なにが
ややこしいって?

4

別々に情報があると
更新も別々になって
内容の不整合が
甚だしいのです

5

そこで出てくるのが
データベース

6

データベースとは
その名のとおり
「データの基地」とも
言える存在で…

7

複数の
システムやユーザが
扱うデータを
一元的に管理します

8

9

あ、「一元的」というのは、なにかが中心となって全体が統一されることです

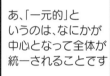

エッヘン

DB

10

よーするにデータの読み書きはコイツが管理するから安心ねってこと

○○ってデータを全部ちょーだい

はい

DB

このデータ保存しといて

はい

DB

11

このデータベース、色んな種類があります

関係型データベース

データを表で管理します

階層型データベース

データを階層で管理します

ネットワーク型データベース

データを網状に管理します

12

中でも主流はデータを複数の表で管理する関係型データベース

じゃーーーん

DB

「関係データベース」や「RDB（リレーショナルデータベース）」という呼称が一般的です

13

あれ？でもちょっと待って？

DB

「表」ってことなら表計算の出番じゃないの？

14

いえいえ、両者の目的と役割は似ているようでかなり別物なんです

データベース

DB

データをためこむことが主目的

表計算

表を作ることが主目的

でもデータベースも表なんでしょ？

ワカンネ

わかる？

15

うーん、ではこんな図ではどうでしょうか？

データベースがデータを提供する

DB

表計算ソフトが整形して表示する

住所録

こーして表ができあがる

16

あーーなるほど!!

オレが出したアイデア使ってお前が知ったかぶりしてるよーなもんか

なにサラリとデタラメうたってんだオイ？

Chapter 7-1 ## DBMSと 関係データベース

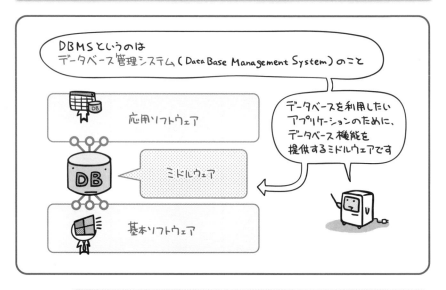

DBMSというのは
データベース管理システム (Data Base Management System) のこと

応用ソフトウェア

ミドルウェア

基本ソフトウェア

データベースを利用したい
アプリケーションのために、
データベース機能を
提供するミドルウェアです

「データベース管理システム (DBMS)」は、データベースの
定義や操作、制御などの機能を持つミドルウェアです。

　データベースは、アプリケーションのデータを保存・蓄積するためのひとつの手段です。大量のデータを蓄積しておいて、そこから必要な情報を抜き出したり、更新したりということが柔軟に行えるため、多くのデータを扱うアプリケーションでは欠かすことができません。特に、複数の利用者が大量のデータを共同利用する用途で強みを発揮します。

　そうしたデータベース機能を、アプリケーションから簡単に扱えるようにしたのが「データベース管理システム」というミドルウェア。普段アプリケーションは、ファイルの読み書きについてはOS任せで細かいところまで関知しません。あれのデータベース版みたいなもの…と思えば良いでしょう。

　データベースにはいくつか種類があります。代表的なのは次の3つ。中でも関係型と呼ばれるデータベースが現在の主流です。

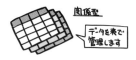

関係型
データを表で
管理します

階層型
データを階層で
管理します

ネットワーク型
データを網状に
管理します

関係データベースは表の形でデータを管理するデータベースです。

データベースには、データ1件が1つの行として記録されるイメージで、追加も削除も基本的に行単位で行います。この行が複数集まることで表の形が出来上がります。

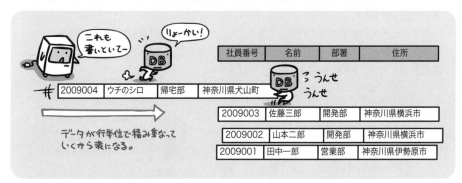

表、行、列には別の呼び名もありますので、ひと通りおさえておきましょう。

表（テーブル）	複数のデータを収容する場所のことです。
行（レコード、組、タプル）	1件分のデータをあらわします。
列（フィールド、属性）	データを構成する各項目をあらわします。

ちなみに、なんで「関係」データベースなのかというと、データの内容次第で複数の表を関係付けして扱うことができるから。

この「関係」のことをリレーションシップと言います。なので、関係データベースは、リレーショナルデータベース（RDB：Relational Database）とも呼ばれます。

⑦ データベース

表を分ける「正規化」という考え方

関係データベースでは、蓄積されているデータに矛盾や重複が発生しないように、表を最適化するのがお約束です。

具体的には、「ああ、この表は同じ内容をアチコチに書いちゃってるから更新の仕方によっては古い情報と新しい情報が混在しちゃったりするかもなー」という時に、そうならないよう表を分割したりするのです。

これを正規化と呼びます。

たとえば下の表を見てください。この社員表には、社員番号や名前の他に、所属部署が書いてありますよね。

さて、社内の組織変更なんかはよくあることです。仮に「開発部」が「法人開発部」という名前に変わったとしましょう。そうすると、この「開発部」と書いてある行は、すべて「法人開発部」という名前に書き換えないといけません。

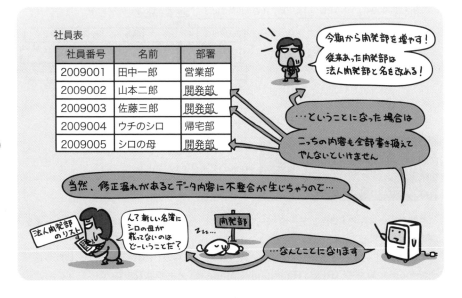

社員表

社員番号	名前	部署
2009001	田中一郎	営業部
2009002	山本二郎	開発部
2009003	佐藤三郎	開発部
2009004	ウチのシロ	帰宅部
2009005	シロの母	開発部

そこで、表をこんな感じに分けてやる。

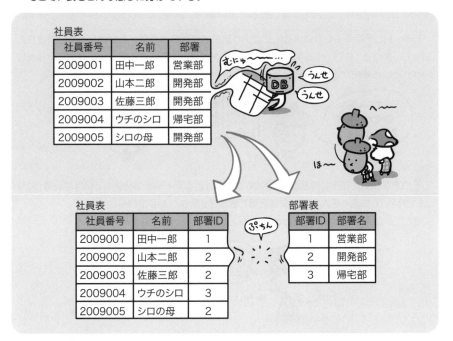

　部署の名前を書いていた列には、部署IDだけを記録するように変更しています。

　これなら、部署名が変更されても部署表を書き換えれば良いだけとなり、データに矛盾が生じる恐れはありません。

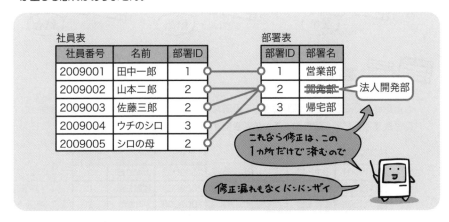

　このように、正規化しておくことが、データの矛盾や重複を未然に防ぐことへとつながるのです。

関係演算とビュー表

「データに矛盾が生じないように」という理由はわかりますが、表がどんどん分割されていってしまうと「はて、こんな細切れになった表がひとつあっても使い物にならないじゃないか」という疑問が出てきます。

そうですね。ここまでの話というのは、いわば「どうデータを溜め込んでいけば効率的か」という話。でも溜め込んだデータは活用できなきゃ意味がありません。

そこで、関係演算が出てくるわけですよ。

関係演算というのは、表の中から特定の行や列を取り出したり、表と表をくっつけて新しい表を作り出したりする演算のこと。「選択」「射影」「結合」などがあります。

 **選択**

選択は、行を取り出す演算です。この演算を使うことで、表の中から特定の条件に合致する行だけを取り出すことができます。

社員番号	名前	部署ID
2009001	田中一郎	1
2009002	山本二郎	2
2009003	佐藤三郎	2
2009004	ウチのシロ	3
2009005	シロの母	2

社員番号	名前	部署ID
2009002	山本二郎	2
2009003	佐藤三郎	2
2009005	シロの母	2

特定の部署の行だけを
抜き出してみましたよの図

 **射影**

射影は、列を取り出す演算です。この演算を使うことで、表の中から特定の条件に合致する列だけを取り出すことができます。

特定の列だけを抜き出してみましたよの図

 **結合**

結合は、表と表とをくっつける演算です。表の中にある共通の列を介して2つの表をつなぎあわせます。

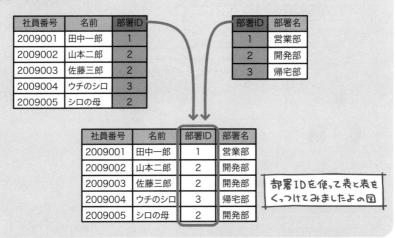

部署IDを使って表と表をくっつけてみましたよの図

…というわけでありまして、関係演算を用いると、溜め込んだデータを使って様々な表を生み出すことができちゃうのです。

このような、仮想的に作る一時的な表のことをビュー表といいます。

表の集合演算

表を作る方法には、他にも集合演算があります。代表的な集合演算は「和」「積」「差」「直積」です。後に出てくるベン図（P.177）と合わせて読みながら、各演算の特徴を見ていきましょう。

こちらの表Aと表Bを例に、各演算を行うとどのような表ができるのか見ていきます

和

和は、2つの表にある行すべてを足す演算です。2つの表で重複しているものは、1つにまとめられます。

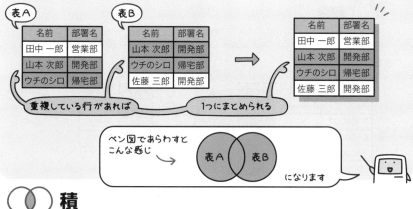

重複している行があれば　1つにまとめられる

ベン図であらわすとこんな感じ →　になります

積

積は、2つの表にある行のうち、同じ行のみ取り出す演算です。

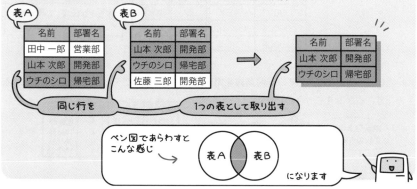

同じ行を　1つの表として取り出す

ベン図であらわすとこんな感じ →　になります

⬤⬤ 差

差は、2つの表にある行の差を取り出す演算です。片方の表を基準とし、もう一方の表に重複する行があれば、それを取り除きます。

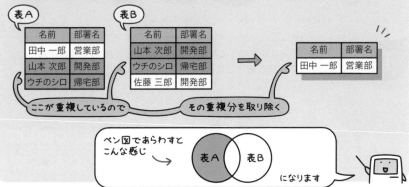

⊗ 直積

直積は、2つの表の行すべての組み合わせを取り出す演算です。

これは他と共通の例だとわかりづらいので、ここだけ別の表を用いて演算結果をあらわします。

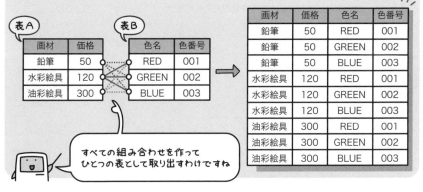

「和」「積」「差」の3つの集合演算は、演算対象となる2つの表の列情報が一致している必要があります。「直積」については全要素の組み合わせを取り出すことになるので、そのような縛りはありません。

7
データベース

問 1
(IP-R06-60)

関係データベースを構成する要素の関係を表す図において，図中のa～cに入れる字句の適切な組合せはどれか。

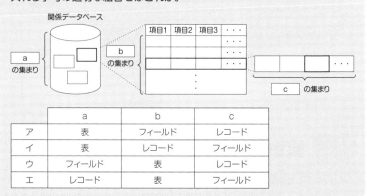

	a	b	c
ア	表	フィールド	レコード
イ	表	レコード	フィールド
ウ	フィールド	表	レコード
エ	レコード	表	フィールド

解説

図中のa～cの用語説明は、163ページを参照してください。"フィールド"の集まりが、"レコード"であり、"レコード"の集まりが"表"です。

問 2
(IP-R04-98)

関係データベースで管理している"従業員"表から，氏名の列だけを取り出す操作を何というか。

従業員

従業員番号	氏名	所属コード
H001	試験花子	G02
H002	情報太郎	G01
H003	高度次郎	G03
H004	午前桜子	G03
H005	午後三郎	G02

ア　結合
イ　射影
ウ　選択
エ　和

解説

結合、射影、選択の説明は、166～167ページを参照してください。和は、すべてを足す演算です。168ページも参照してください。

一つの表で管理されていた受注データを，受注に関する情報と商品に関する情報に分割して，正規化を行った上で関係データベースの表で管理する。正規化を行った結果の表の組合せとして，最も適切なものはどれか。ここで，同一商品で単価が異なるときは商品番号も異なるものとする。また，発注者名には同姓同名はいないものとする。

受注データ

受注番号	発注者名	商品番号	商品名	個数	単価
T0001	試験花子	M0001	商品1	5	3,000
T0002	情報太郎	M0002	商品2	3	4,000
T0003	高度秋子	M0001	商品1	2	3,000

ア

受注番号	発注者名

商品番号	商品名	個数	単価

イ

受注番号	発注者名	商品番号

商品番号	商品名	個数	単価

ウ

受注番号	発注者名	商品番号	個数	単価

商品番号	商品名

エ

受注番号	発注者名	商品番号	個数

商品番号	商品名	単価

解説

ア・イ　個数は、商品番号だけでは決定できません。個数は、受注番号と商品番号の両方によって決定されます。

ウ　単価は、商品番号のみで決定されるため、選択肢ウの上の表から取り除き、下の表に入れます。

エ　消去法により、本選択肢が正解です。

主キーと外部キー

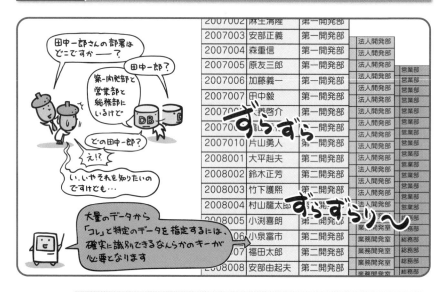

2007002	麻生清隆	第一開発部		
2007003	安部正義	第一開発部	法人開発部	
2007004	森重信	第一開発部	法人開発部	
2007005	原友三郎	第一開発部	法人開発部	営業部
2007006	加藤義一	第一開発部	法人開発部	営業部
2007007	田中毅	第一開発部	法人開発部	営業部
2007008	義啓介	第一開発部		営業部
2007009	開発部		法人開発部	営業部
2007010	片山勇人	開発部	法人開発部	営業部
2008001	大平赳夫	第二開発部	法人開発部	営業部
2008002	鈴木正芳	第二開発部		営業部
2008003	竹下護熙	第二開発部		営業部
2008004	村山龍太郎	第二開発部		営業部
2008005	小渕喜朗	第二開発部		
06	小泉富市		業務開発室	総務部
07	福田太郎		業務開発室	総務部
2008008	安部由起夫	第二開発部	業務開発室	総務部

**行を特定したり、表と表に関係を持たせたりするためには
主キーや外部キーという「鍵となる情報」が必要です。**

データベースを扱う場合、そこには行を特定するためのキーが必要になります。たとえば「第一開発部の田中一郎さんが異動になったから部署情報更新しなきゃ」という時は、「第一開発部の田中一郎さん」を示す行がどれか特定できないと内容を書き換えられないですよね。

そのため、データベースの表には、その中の行ひとつひとつを識別できるように、キーとなる情報が必ず含まれています。これを主キーと呼びます。身近なところにある主キー的な例といえば、社員番号や学生番号などがまさにそれ。

え? 個人を識別するなら名前をそのまま使えばいいじゃないか?

いえいえ、あれは可能性が低いとはいえ同姓同名の存在が否定できないので、主キーには使えないのですよ。

それだけではなく、表と表とを関係付けする時にもこの主キーが活躍します。その場合は「よその主キーを参照してますよー」という意味で外部キーという呼び名が出てくるのですが…これについて詳しくはまた後で。

主キーは行を特定する鍵のこと

前ページでもふれたように、表の中で各行を識別するために使う列のことを主キーと呼びます。ようするに主キーというのは、ID番号みたいなのが入った列のこと…と思えば、だいたいの場合正解です。

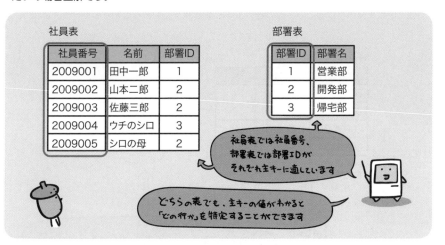

社員表

社員番号	名前	部署ID
2009001	田中一郎	1
2009002	山本二郎	2
2009003	佐藤三郎	2
2009004	ウチのシロ	3
2009005	シロの母	2

部署表

部署ID	部署名
1	営業部
2	開発部
3	帰宅部

社員表では社員番号、部署表では部署IDがそれぞれ主キーに適しています

どちらの表でも、主キーの値がわかると「どの行か」を特定することができます

たとえばお店で「○○って製品置いてますか?」と聞いた時に、「詳しい型番などわかりますでしょうか」と返されることがありますよね。製品の型番というのは一意であることが保証された主キーなので、それがわかると話が早いわけです。

型番がわかれば

こちらの端末でサクッとお調べできるんですが…

主キーとできる条件は、「表の中で内容が重複しないこと」と「内容が空ではないこと」の2点。中身が空だと指定しようがないのでダメなのです。

ちなみに、ひとつの列では一意にならないけど、複数の列を組み合わせれば一意になるぞという場合があります。このような複数列を組み合わせて主キーとしたものを複合キーと呼びます。

ボクは6年生

3組だよ

出席番号は16番さ!

これが複合キー →

こっちはどれもダメだけど…

こっちなら主キーにできる

6年3組 出席番号16番!

外部キーは表と表とをつなぐ鍵のこと

　関係データベースは、表と表とを関係付けできるところに特色があります。でも、「なにを基準に」関係を持たせるのでしょうか。

　ここでも主キーが出てきます。

　表と表とを関係付けるため、他の表の主キーを参照する列のことを外部キーと呼びます。

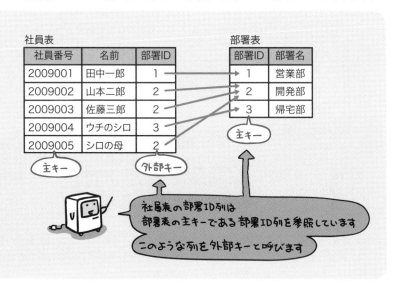

　外部キーによって両者が関係付けされていることで…

　　　　　　　　　　　　　　　　…というやり取りができるわけです。

このように出題されています
過去問題練習と解説

問 **1**

(IP-R03-95)

商品

商品コード	商品名	単価 (円)
0001	商品A	2,000
0002	商品B	4,000
0003	商品C	7,000
0004	商品D	10,000

関係データベースで管理された"商品"表、"売上"表から売上日が5月中で、かつ、商品ごとの合計額が20,000円以上になっている商品だけを全て挙げたものはどれか。

売上

売上番号	商品コード	個数	売上日	配達日
Z00001	0004	3	4/30	5/2
Z00002	0001	3	4/30	5/3
Z00005	0003	3	5/15	5/17
Z00006	0001	5	5/15	5/18
Z00003	0002	3	5/5	5/18
Z00004	0001	4	5/10	5/20
Z00007	0002	3	5/30	6/2
Z00008	0003	1	6/8	6/10

ア　商品A，商品B，商品C

イ　商品A，商品B，商品C，商品D

ウ　商品B，商品C

エ　商品C

解説

「売上」表の外部キーである「商品コード」と、それが参照する「商品」表の主キーである「商品コード」の対応関係を線で結びつけると下図になります（商品ごとに線色を変えています）。

売上

売上番号	商品コード	個数	売上日	配達日
Z00001	0004	3	4/30	5/2
Z00002	0001	3	4/30	5/3
Z00005	0003	3	5/15	5/17
Z00006	0001	5	5/15	5/18
Z00003	0002	3	5/5	5/18
Z00004	0001	4	5/10	5/20
Z00007	0002	3	5/30	6/2
Z00008	0003	1	6/8	6/10

商品

商品コード	商品名	単価 (円)
0001	商品A	2,000
0002	商品B	4,000
0003	商品C	7,000
0004	商品D	10,000

上図より、商品A～Dの5月中の売上金額合計は、下記のとおりです。

商品A…(Z0006の5個 + Z0004の4個) × 2,000円 = 18,000円
商品B…(Z0003の3個 + Z0007の3個) × 4,000円 = 24,000円
商品C…(Z0005の3個) × 7,000円 = 21,000円
商品D…(なし) × 10,000円 = 0円

　上記より、売上日が5月中で、かつ、商品ごとの合計額が20,000円以上になっている商品は、商品Bと商品Cです。

論理演算で
データを抜き出す

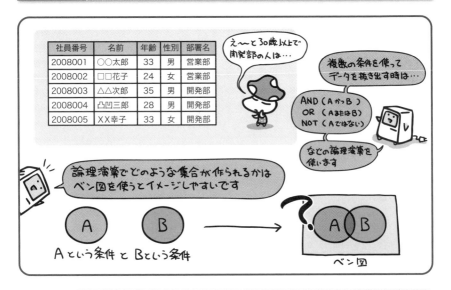

論理演算を使うと、「AかつB」「AまたはB」というように
複数の条件を組み合わせて使うことができます。

　データベースというのは、まず「大量のデータを溜め込む」ことに長けています。そして、その中から必要な列だけを抽出した上で表同士を結合させたりと、「欲しい表を欲しい形にして取り出す」ことにも長けています。ビュー表なんかがそうですよね。

　でも、溜め込んだデータを活用するという意味では、それだけじゃまだ不十分。

　欲しい形の表から、求めるデータを的確に抽出できてこそデータベース。それも単純な条件じゃなくて、「○年度入社で営業部に在籍しているもののリスト」とか、「開発部所属で、役職主任以上、年齢30歳以上の者リスト」とか、そういう複数の条件を使ってデータを絞り込めてこそ、活用範囲が一気に広がるのです。

　そのために使うのが論理演算。中でも代表的なのが、「論理和(OR)」「論理積(AND)」「否定(NOT)」の3つです。

　ちなみにこの論理演算というのは、データベース以外に、Webの検索とか、プログラミング時の条件指定などでも使いますので、よーく理解しておきましょう。

ベン図は集合をあらわす図なのです

「ベン図」とか言われても、昔学校で習ったかもしれんけど覚えてない…という人のために、まずはベン図を軽くおさらいしておきましょう。

ベン図というのは集合（グループ）同士の関係を、図として視覚的にあらわしたものです。ん? 難しい? たとえば下記の会社員軍団を見てください。

「スーツを着ている人」と「ネクタイをしめている人」でグループ分けしてみると次のようになります。

これをベン図であらわしてみましょう。円で囲った条件ごとにグループが形成されていて、複数の条件に合致するところは円と円が重なり合っているのがわかります。

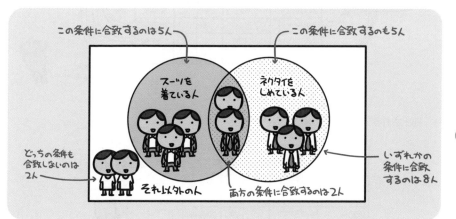

このようにして、集合同士の関係をあらわすのがベン図。論理演算を使うと、この図の中から任意のグループを取り出すことができるのです。

論理和（OR）は「○○または××」の場合

論理演算の論理和（OR）では、2つある条件の、いずれかが合致するものを真とみなします。先の例でいえば下記の範囲が該当することになります。

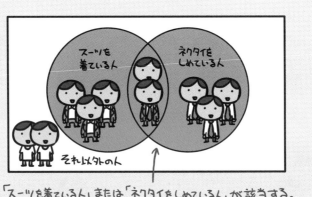

「スーツを着ているん」または「ネクタイをしめているん」が該当する。

たとえば次の表で、「年齢30歳以上」「開発部所属」という条件の論理和（OR）を求めたとすると…。

「30歳以上」なのはこの3つ

「開発部所属」なのはこの3つ

社員番号	名前	年齢	性別	部署名
2008001	○○太郎	33	男	営業部
2008002	□□花子	24	女	営業部
2008003	△△次郎	35	男	開発部
2008004	凸凹三郎	28	男	開発部
2008005	××幸子	33	女	開発部

どちらかが合致してればいいんだから…

抽出されるデータはこのようになります。

社員番号	名前	年齢	性別	部署名
2008001	○○太郎	33	男	営業部
2008003	△△次郎	35	男	開発部
2008004	凸凹三郎	28	男	開発部
2008005	××幸子	33	女	開発部

30歳以上の人と開発部の人は、どっちも無条件に残るんだ！

論理積（AND）は「○○かつ××」の場合

論理演算の論理積（AND）では、2つある条件の、両方が合致するものを真とみなします。先の例でいえば下記の範囲が該当することになります。

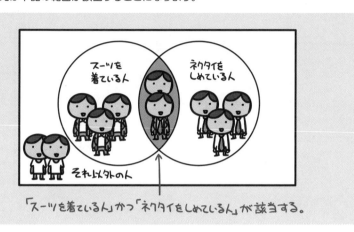

「スーツを着ているん」かつ「ネクタイをしめているん」が該当する。

たとえば次の表で、「年齢30歳以上」「開発部所属」という条件の論理積（AND）を求めたとすると…。

「30歳以上」なのはこの3つ

「開発部所属」なのはこの3つ

両方満たさなきゃいけないんだから…

社員番号	名前	年齢	性別	部署名
2008001	○○太郎	33	男	営業部
2008002	□□花子	24	女	営業部
2008003	△△次郎	35	男	開発部
2008004	凸凹三郎	28	男	開発部
2008005	××幸子	33	女	開発部

抽出されるデータはこのようになります。

社員番号	名前	年齢	性別	部署名
2008003	△△次郎	35	男	開発部
2008005	××幸子	33	女	開発部

30歳以上で開発部の人だけが残るわけだ！

否定 (NOT)は「○○ではない」の場合

論理演算の否定 (NOT) では、ある条件の「合致しない」ものを真とみなします。たとえば「スーツを着ている人」を条件とすると、下記の範囲が該当することになります。

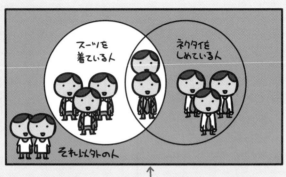

「スーツを着ている」ではない範囲が該当する。

たとえば次の表で、「年齢30歳以上」という条件の否定 (NOT) を求めたとすると…。

「30歳以上」なのはこの3つ

社員番号	名前	年齢	性別	部署名
2008001	○○太郎	33	男	営業部
2008002	□□花子	24	女	営業部
2008003	△△次郎	35	男	開発部
2008004	凸凹三郎	28	男	開発部
2008005	××幸子	33	女	開発部

否定は「そうじゃないもの」を選ばないといけないから…

抽出されるデータはこのようになります。

社員番号	名前	年齢	性別	部署名
2008002	□□花子	24	女	営業部
2008004	凸凹三郎	28	男	開発部

30歳未満の人たちが残るんだ！

このように出題されています
過去問題練習と解説

問1
(IP-H29-A-98)

次のベン図の網掛けした部分の検索条件はどれか。

ア （not A) and (B and C)
イ （not A) and (B or C)
ウ （not A) or (B and C)
エ （not A) or (B or C)

解説

問2
(IP-R02-A-73)

関係データベースにおいて、表Aと表Bの積集合演算を実行した結果はどれか。

表A

品名	価格
ガム	100
せんべい	250
チョコレート	150

表B

品名	価格
せんべい	250
チョコレート	150
どら焼き	100

ア

品名	価格
ガム	100
せんべい	250
チョコレート	150
どら焼き	100

イ

品名	価格
ガム	100
せんべい	500
チョコレート	300
どら焼き	100

ウ

品名	価格
せんべい	500
チョコレート	300

エ

品名	価格
せんべい	250
チョコレート	150

解説

　表の積集合演算 (P.168) とは、表Aと表Bから論理積を求めることです (P.179)。表Aと表Bの両方に共通してあるデータは、「せんべい　250」と「チョコレート　150」です。

正解 ▶問1：イ　問2：エ

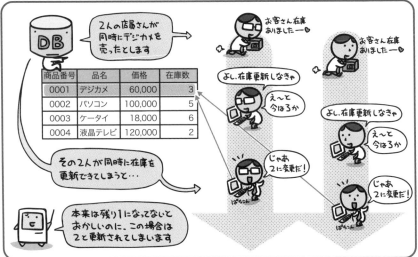

 データベースを複数の人が同時に変更できてしまうと、
内容に不整合が生じる恐れがあります。

　データベースは複数の人で共有して使うことのできる便利なものですが、それだけに、利用者が誰も彼も好き勝手にデータを操作できてしまうと、ロクでもない事態に陥りがちだったりします。

　たとえばイラストにあるような、複数の人が同じデータを同時に読み書きしてしまいましたという場合。

　本来は、在庫がひとつ減って3から2になり、後の人はその在庫数をさらにひとつ減らして1とする…という流れにならなくてはいけません。でも、ほぼ同時に読み書きしてしまったがために、どっちの店員さんにも「今の在庫数は3」と見えてしまいます。結局、後から書いた店員さんのデータには前の店員さんの変更が反映されておらず、在庫数の値はおかしなことになったまま…。

　他にも、「ちょうど更新作業中のデータが、別の人によって削除された」なんてことも起こりえます。とにかく誰も彼もが好き勝手に操作している限り、データの不整合を引き起こす要因は枚挙にいとまがないのです。

　そうした問題からデータベースを守るのが排他制御と呼ばれる機能です。

7
データベース

排他制御とはロックする技

　排他制御は、処理中のデータをロックして、他の人が読み書きできないようにしてしまいます。それによって、データに不整合が生じる恐れをなくすのです。

　ロックする方法には、次の2種類があります。

 ## 共有ロック

> 各ユーザはデータを読むことはできますが、書くことはできません。

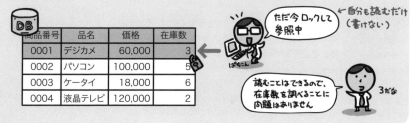

 ## 専有ロック

> 他のユーザはデータを読むことも、書くこともできません。

商品番号	品名	価格	在庫数
0001	デジカメ	60,000	3
0002	パソコン	100,000	5
0003	ケータイ	18,000	6
0004	液晶テレビ	120,000	2

このように出題されています
過去問題練習と解説

問 1
(IP-H27-S-77)

DBMSにおいて，データへの同時アクセスによる矛盾の発生を防止し，データの一貫性を保つための機能はどれか。

ア　正規化　　　イ　デッドロック　　　ウ　排他制御　　　エ　リストア

解説

- ア　正規化は、164ページを参照してください。
- イ　デッドロックは、2つのデータを排他的に使用する2つのアクセスがあるときに発生することがある「処理が進まなくなる現象」のことです。
- ウ　排他制御は、182ページを参照してください。
- エ　データベースにおけるリストアは、定期的に保存してあるバックアップから、データをデータベースに復元することです。

問 2
(IP-R02-A-72)

2台のPCから一つのファイルを並行して更新した。ファイル中のデータnに対する処理が①～④の順に行われたとき，データnは最後にどの値になるか。ここで，データnの初期値は10であった。

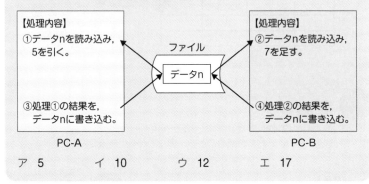

【処理内容】
①データnを読み込み、5を引く。

③処理①の結果を、データnに書き込む。

PC-A

ファイル
データn

【処理内容】
②データnを読み込み、7を足す。

④処理②の結果を、データnに書き込む。

PC-B

ア　5　　　　　イ　10　　　　　ウ　12　　　　　エ　17

解説

　データnの初期値は10です。①：データn「10」を読み込み、5を引くと「5」になります。②：データnを読み込むと、その値は「10」です。①で行った処理結果の「5」は、PC-A内に保持されており、ファイル内のデータnとは無関係です。したがって、データ「10」を読み込み、7を足すと「17」になります。③：処理①の結果「5」をデータnに書き込むと、データnは「5」になります。④：処理②の結果「17」をデータnに書き込むと、データnは「17」になります。

正解 ▶ 問1：ウ　問2：エ

トランザクション管理と障害回復

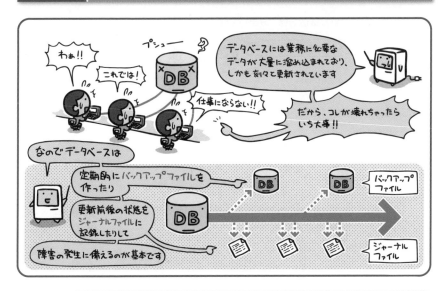

データベースの障害回復には
「バックアップファイル」や「ジャーナルファイル」を使います。

　機械が壊れても代替品を買ってくれば済みますが、壊れたデータには代替品なんてありません。それは困りますよね。データベースは中に納められたデータにこそ価値があるのに。

　そんなわけで、データベースは障害の発生に備えて定期的にバックアップを取ることが基本です。1日に1回など頻度を決めて、その時点のデータベース内容を丸ごと別のファイルにコピーして保管するのです。

　これなら万が一障害が発生しても、データは守られているから安心安心? いや、まだそうは言えません。だって、バックアップを取ってから、次のバックアップを取るまでの間に更新された内容は保護されていないのですから。

　そこで、バックアップ後の更新は、ジャーナルと呼ばれるログファイルに、更新前の状態(更新前ジャーナル)と更新後の状態(更新後ジャーナル)を逐一記録して、データベースの更新履歴を管理するようにしています。

　実際に障害が発生した場合は、これらのファイルを使って、ロールバックやロールフォワードなどの障害回復処理を行い、元の状態に復旧します。

トランザクションとは処理のかたまり

データベースでは、一連の処理をひとまとめにしたものをトランザクションと呼びます。データベースは、このトランザクション単位で更新処理を管理します。

たとえば口座間の銀行振込を見てみましょう。

仮にAさんがBさんに1,000円振り込むとした場合、処理の流れは次のようになります。

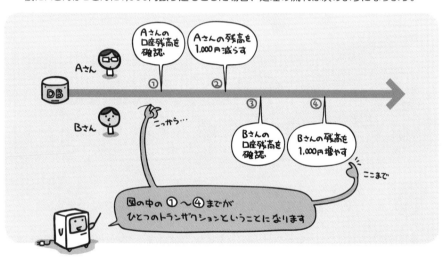

この中で、たとえばどこかの処理がずっこけちゃって、「Aさんの口座は減額されてるのに、Bさんの口座はお金が増えてない」なんてことになると困りますよね。場合によっては「訴えてやる!」なんて言われて、大変なことになりかねません。

つまり、「一連の流れの中で、どこか1箇所でもエラーが発生したら、全体を取り消しにしないといけない」という処理のかたまりを、トランザクションとして管理しているわけです。これによって、更新に失敗した場合でも、データベース内の整合性が保たれるようになっています。

コミットはトランザクションを確定させる

　トランザクション単位で更新処理を管理するということは、「トランザクション内の更新すべてを反映する」か、「トランザクション内の更新すべてを取り消す」かの、どちらしかないことを意味します。

　そのため、個別の更新処理は、「トランザクションがすべて無事に完了しましたよ！」となるまではデータベースに反映されていません。いってみれば保留状態にあるわけです。

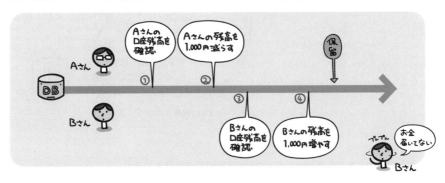

　トランザクションは、一連の処理が問題なく完了できた時、最後にその更新を確定することで、データベースに更新内容を反映させます。この確定処理をコミットと呼びます。

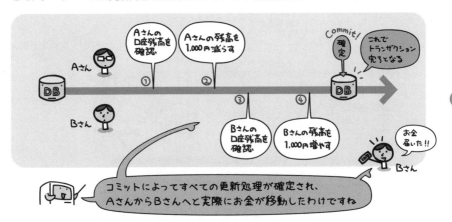

ロールバックはトランザクションを巻き戻す

　一方、トランザクション処理中になんらかの障害が発生して更新に失敗した場合は、繰返し述べている通り、それまでに行った処理をすべてなかったことにしないとデータに不整合が生じます。

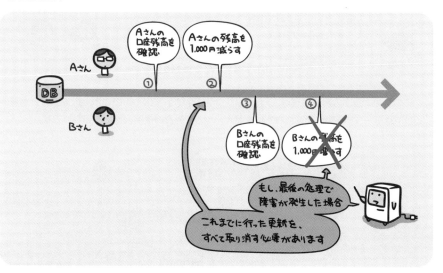

　そこでこのような場合には、データベース更新前の状態を更新前ジャーナルから取得して、データベースをトランザクション開始直前の状態にまで戻します。
　この処理をロールバックと呼びます。

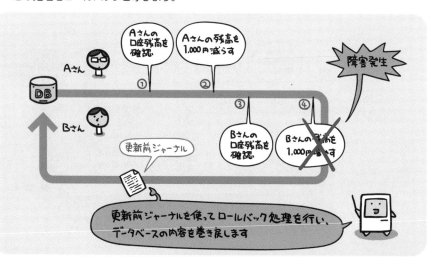

ロールフォワードはデータベースを復旧させる

ディスク障害などでデータベースが故障してしまった場合は、定期的に保存してあるバックアップファイルからデータを復元します。

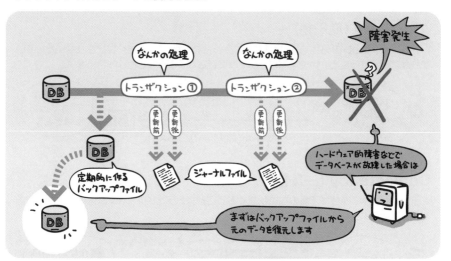

けれどもそれだけだと、バックアップ後に加えられた変更分は失われたままです。そこで、データベースに行った更新情報を、バックアップ以降の更新後ジャーナルから取得して、データベースを障害発生直前の状態にまで復旧させます。

バックアップファイルによる復元から、ここに至るまでの一連の処理をロールフォワードと呼びます。

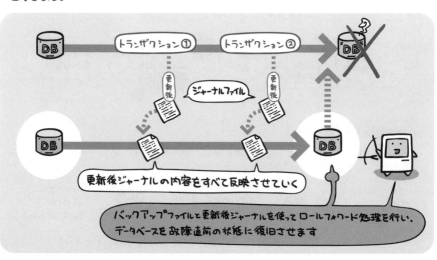

トランザクションに求められるACID特性

データベース管理システム（DBMS）では、トランザクション処理に対して次の4つの特性が必須とされます。それぞれの頭文字をとって、ACID特性と呼ばれます。

Atomicity（原子性）

トランザクションの処理結果は、「すべて実行されるか」「まったく実行されないか」のいずれかで終了すること。中途半端に一部だけ実行されるようなことは許容しない。

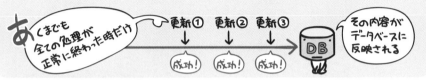

Consistency（一貫性）

データベースの内容が矛盾のない状態であること。トランザクションの処理結果が、矛盾を生じさせるようなことになってはいけない。

Isolation（隔離性）

複数のトランザクションを同時に実行した場合と、順番に実行した場合の処理結果が一致すること。ようするに「排他処理きちんとやって相互に影響させないよーにね」ってこと。

Durability（耐久性）

正常に終了したトランザクションの更新結果は、障害が発生してもデータベースから消失しないこと。つまりなんらかの復旧手段が保証されてないといけない。

問1
(IP-R06-74)

トランザクション処理に関する記述のうち，適切なものはどれか。

ア　コミットとは，トランザクションが正常に処理されなかったときに，データベースをトランザクション開始前の状態に戻すことである。

イ　排他制御とは，トランザクションが正常に処理されたときに，データベースの内容を確定させることである。

ウ　ロールバックとは，複数のトランザクションが同時に同一データを更新しようとしたときに，データの矛盾が起きないようにすることである。

エ　ログとは，データベースの更新履歴を記録したファイルのことである。

解説

ア　コミットとは、トランザクションが正常に処理されたときに、データベースの内容を確定させることです。

イ　排他制御とは、複数のトランザクションが同時に同一データを更新しようとしたときに、データの矛盾が起きないようにする技術の一つです。

ウ　ロールバックとは、トランザクションが正常に処理されなかったときに、データベースをトランザクション開始前の状態に戻すことです。

エ　ログは、185〜189ページのジャーナルの別名です。ジャーナル（ログ）の説明は、185ページを参照してください。

問2
(IP-R03-62)

金融システムの口座振替では，振替元の口座からの出金処理と振替先の口座への入金処理について，両方の処理が実行されるか，両方とも実行されないかのどちらかであることを保証することによってデータベースの整合性を保っている。データベースに対するこのような一連の処理をトランザクションとして扱い，矛盾なく処理が完了したときに，データベースの更新内容を確定することを何というか。

ア　コミット　　イ　スキーマ　　ウ　ロールフォワード　　エ　ロック

解説

　データベースに対する一連の処理をトランザクションとして扱い、矛盾なく処理が完了したときに、データベースの更新内容を確定することを「コミット」といいます。これに対し、トランザクション処理中になんらかの障害が発生し、処理内容に矛盾が生じた場合に、トランザクション処理開始直前の状態に戻すことを「ロールバック」といいます。

正解▶問1：エ　問2：ア

ネットワーク

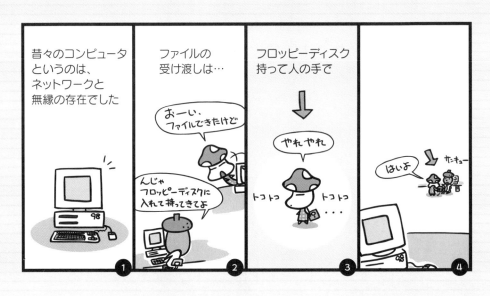

9
そこで
あらわれたのが
ネットワーク

これでつながれと

ほう、つながれと

10
コンピュータ同士が
つながれていく
ことにより

カチ

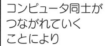

11
今まで人の手を
介していたあれこれ
が…

データの
移動や

機材の
共有

そのための
順番待ちも

12
全部コンピュータが
自前でやれて
めでたしめでたし

印刷待ちは
こんだけねー

あいよ

いくよ

13
今じゃ無線有線を
問わず、世界中が
ビュンビュンやり
とりできる時代に
なりました

おー

14
そんなわけで、
もはや企業活動に
ネットワークは
欠かせないと言って
も過言じゃない

ビジネスは
スピード!!

キリッ

15
はい、ファイルだよー

おう、コイツはいい
ビットマップだ

んて

はぁ

16
昔はもっと
チンタラできる
時間が、合間
合間でいっぱい
あったはずなのに!!

いいい…

おろろ～ん

LANとWAN

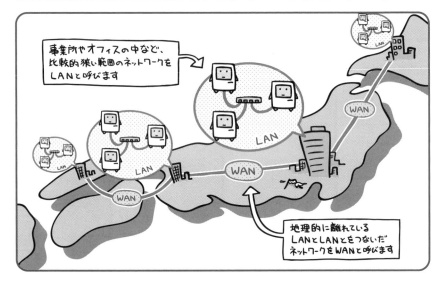

事業所やオフィスの中など、比較的狭い範囲のネットワークをLANと呼びます

地理的に離れている LANとLANとをつないだ ネットワークをWANと呼びます

事業所など局地的な狭い範囲のネットワークをLAN、
LAN同士をつなぐ広域ネットワークをWANと呼びます。

コンピュータのネットワークを語る上で欠かすことの出来ない用語が、LANとWANです。

LANはLocal Area Network（ローカル・エリア・ネットワーク）の略。最近では自宅に複数のパソコンがあるという家庭も多いですが、そのような家庭で構築する宅内ネットワークもLANになります。

一方、企業などで「東京本社と大阪支社をつなぐ」ような、遠く離れたLAN同士を接続するネットワークがWAN。これはWide Area Network（ワイド・エリア・ネットワーク）の略で、広い意味ではインターネットも、このWANの一種だと言えます。

コンピュータの扱うデジタルデータは、こうしたLANやWANというネットワークを介すことで、距離を意識せずにやり取りすることができます。その利便性から、今ではオフィスや家庭といった枠に関係なく、標準的なインフラとして広く利用されています。

データを運ぶ通信路の方式とWAN通信技術

コンピュータがデータをやりとりするためには、互いを結ぶ通信路が必要です。

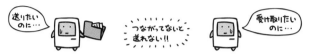

もっともシンプルな形は、互いを直接1本の回線で結んでしまうこと。これを専用回線方式と言います。

しかしこれでは1対1の通信しか行えません。やはりネットワークというからには、より多くのコンピュータで自由にやりとりできるようにしたいものです。

このように、交換機(にあたるもの)が回線の選択を行って、必要に応じた通信路が確立される方式を交換方式と言います。交換方式には、大きく分けて次の2種類があります。

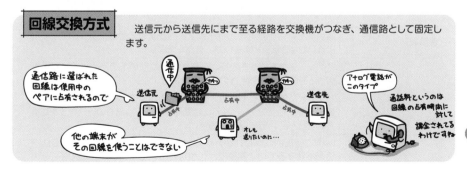

回線交換方式

送信元から送信先にまで至る経路を交換機がつなぎ、通信路として固定します。

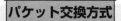

パケット交換方式

パケット（小包の意）という単位に分割された通信データを、交換機が適切な回線へと送り出すことで通信路を形成します。

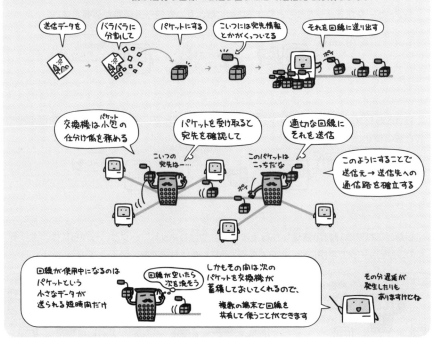

　WANの構築で拠点間を接続する場合などを除いて、現在のコンピュータネットワークで用いられるのは基本的にすべてパケット交換方式です。

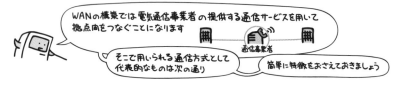

専用線	拠点間を専用回線で結ぶサービス。回線速度と距離によって費用が決まる。セキュリティは高いが、非常に高額。
フレームリレー方式	パケット交換方式をもとに、伝送中の誤り制御を簡略化して高速化を図ったもの。データ転送の単位は可変長のフレームを用いる。
ATM交換方式 （セルリレー方式）	パケット交換方式をもとに、データ転送の単位を可変長ではなく固定長のセル（53バイト）とすることで高速化を図ったもの。パケット交換方式と比べて、伝送遅延は小さい。
広域イーサネット	LANで一般的に使われているイーサネット（P.198）技術を用いて拠点間を接続するもの。高速で、しかも一般的に使用している機器をそのまま使えるためコスト面でのメリットも大きい。WAN構築における近年の主流サービス。

LANの接続形態 (トポロジー)

LANを構築する時に、各コンピュータをどのようにつなぐか。その接続形態のことをトポロジーと呼びます。

次の3つが代表的なトポロジーです。

✳ スター型

ハブを中心として、放射状に各コンピュータを接続する形態です。

イーサネットの100BASE-TXや1000BASE-Tという規格などで使われています。

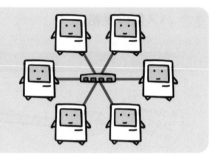

⊥ バス型

1本の基幹となるケーブルに、各コンピュータを接続する形態です。

イーサネットの10BASE-2や10BASE-5という規格などで使われています。

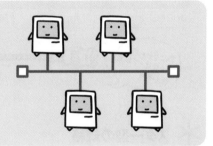

⚙ リング型

リング状に各コンピュータを接続する形態です。

トークンリングという規格などで使われています。

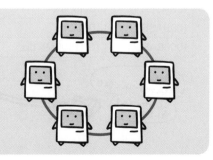

現在のLANはイーサネットがスタンダード

　LANの規格として、現在もっとも普及しているのがイーサネット（Ethernet）です。IEEE（米国電気電子技術者協会）によって標準化されており、接続形態や伝送速度ごとに、次のような規格に分かれています。

　伝送速度に使われているbps（bits per second）という単位は、1秒間に送ることのできるデータ量（ビット数）をあらわしています。

バス型の規格

規格名称	伝送速度	伝送距離	伝送媒体
10BASE5	10Mbps	最大500m	同軸ケーブル（Thick coax）

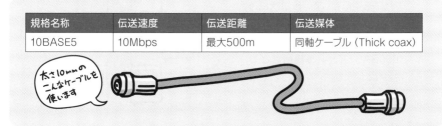

太さ10mmのこんなケーブルを使います

規格名称	伝送速度	伝送距離	伝送媒体
10BASE2	10Mbps	最大185m	同軸ケーブル（Thin coax）

太さ5mmのこんなケーブルを使います

スター型の規格

規格名称	伝送速度	伝送距離	伝送媒体
10BASE-T	10Mbps	最大100m	ツイストペアケーブル
100BASE-TX	100Mbps	最大100m	ツイストペアケーブル
1000BASE-T	1G（1000M）bps	最大100m	ツイストペアケーブル

電話線のモジュラーケーブルに似たこんなケーブルを使います

イーサネットはCSMA/CD方式でネットワークを監視する

イーサネットは、アクセス制御方式としてCSMA/CD（Carrier Sense Multiple Access/Collision Detection）方式を採用しています。

CSMA/CD方式では、ネットワーク上の通信状況を監視して、他に送信を行っている者がいない場合に限ってデータの送信を開始します。

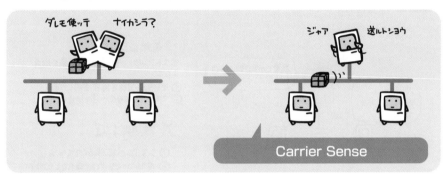

それでも同時に送信してしまい、通信パケットの衝突（コリジョン）が発生した場合は、各々ランダムに求めた時間分待機してから、再度送信を行います。

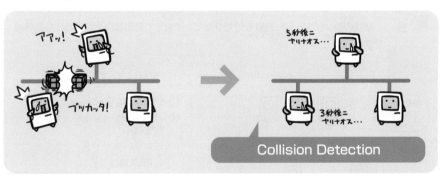

このように通信を行うことで、1本のケーブルを複数のコンピュータで共有することができるのです。

クライアントとサーバ

ネットワークにより、複数のコンピュータが組み合わさって働く処理の形態にはいくつか種類があります。中でも代表的なのが次の2つです。

集中処理

ホストコンピュータが集中的に処理をして、他のコンピュータはそれにぶら下がる構成です。

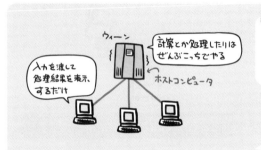

ウィーン

計算とか処理したりはぜんぶこっちでやる

入力を渡して処理結果を表示、するだけ

ホストコンピュータ

○ 長所はココ！
ホストコンピュータに集中して対策を施すことで…
① データの一貫性を維持・管理しやすい
② セキュリティの確保や運用管理がカンタン

✗ 短所はココ！
① システムの拡張がタイヘン
② ホストコンピュータが壊れると全体が止まっちゃう

分散処理

複数のコンピュータに負荷を分散させて、それぞれで処理を行うようにした構成です。

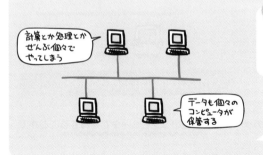

計算とか処理とかぜんぶ個々でやってしまう

データも個々のコンピュータが保管する

○ 長所はココ！
① システムの拡張がカンタン
② 一部のコンピュータが壊れても全体には影響しない

✗ 短所はココ！
① データの一貫性を維持・管理しづらい
② セキュリティの確保や運用管理がタイヘン

昔は小型のコンピュータがあまりに非力だったので、大型のコンピュータが処理を担当する「集中処理」が主流でした

大・勝・利

しかしコンピュータの性能があがってきたことにより…

やっぱコイツらにも仕事させないともったいなくね？

う〜ん、でも分散処理だとデータを一元管理できないという問題が…

というわけで、分散処理ではあるんですが、集中処理のいいところも取り込んだようなシステム形態が出てきました。それが、クライアントサーバシステムです。

クライアントサーバシステム

集中的に管理した方が良い資源（プリンタやハードディスク領域など）やサービス（メールやデータベースなど）を提供するサーバと、必要に応じてリクエストを投げるクライアントという、2種類のコンピュータで処理を行う構成で、現在の主流となっています。

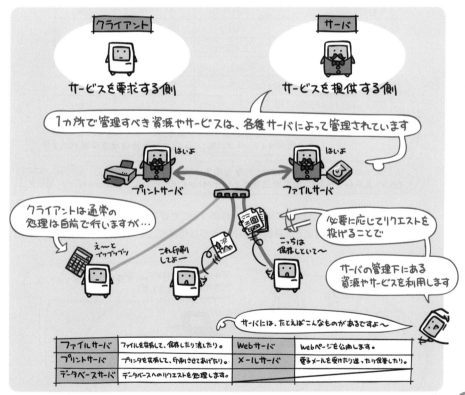

ちなみに、「サーバ」や「クライアント」というのは役割を示す言葉であり、そうした名前で専用の機械があるわけではありません。

ですから、サーバ自体がクライアントとして他のサーバに要求を出すこともありますし、1台のサーバマシンに複数のサーバ機能を兼任させることもあります。

線がいらない無線LAN

ケーブルを必要とせず、電波などを使って無線で通信を行うLANが無線LANです。
IEEE802.11シリーズとして規格化されています。

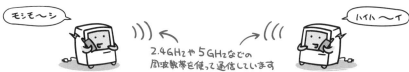

モシモ〜シ　　　　ハイハ〜イ

2.4GHzや5GHzなどの
周波数帯を使って通信しています

代表的な規格は次の通りです。

名称	周波数	最大通信速度	アンテナ数
IEEE 802.11	2.4GHz	2 Mbps	1本
IEEE 802.11b	2.4GHz	11 Mbps	1本
IEEE 802.11a	5GHz	54 Mbps	1本
IEEE 802.11g	2.4GHz	54 Mbps	1本
IEEE 802.11n （Wi-Fi 4)	2.4GHz/5GHz	600 Mbps	4本
IEEE 802.11ac (Wi-Fi 5)	5GHz	6.9 Gbps	8本
IEEE 802.11ax (Wi-Fi 6)	2.4GHz/5GHz	9.6 Gbps	8本

最大通信速度は、アンテナ数をフルに使った場合の数字なので、
使用するアンテナの数が減るとその分通信速度は遅くなります

例えば「n」の場合、アンテナ1本あたりの通信速度は約150Mbpsです
それを4本束ねた場合に、最大通信速度の600Mbpsが出せるというわけですね

無線なので電波の届く範囲であれば自由に移動することができます。そのため、特にノートパソコンなど、持ち運びできる装置をLANへとつなぐ場合に便利です。

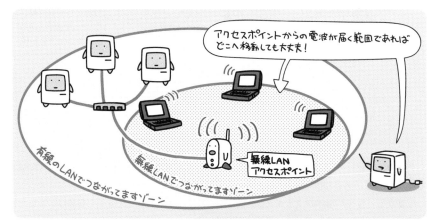

アクセスポイントからの電波が届く範囲であれば
どこへ移動しても大丈夫！

無線LAN
アクセスポイント

有線のLANでつながってますゾーン

無線LANでつながってますゾーン

無線LANの通信方法には、前ページのようにアクセスポイントを基地局として用いる方式と、機器同士が直接通信を行う方式があります。

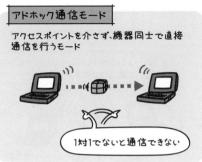

便利である反面、電波を盗聴されてしまう恐れもあるため、通信を暗号化するなど、しっかりとしたセキュリティ対策が必要になります。

暗号化方式		暗号化鍵の鍵長	説明
WEP		64/128ビット	Wi-Fiの暗号化規格として、最初に採用された方式。数分で暗号化が解かれてしまう脆弱性があるため、利用は非推奨となっている。
WPA	TKIP	128ビット	WEPのセキュリティ面を向上させた規格。だが、脆弱性がなくなったわけではないため、利用は推奨されていない。
	AES	128/192/256ビット	
WPA2	TKIP	128ビット	WPAを改良した規格で、現在の主流である規格。AES方式を使うことで、より安全性を高められる。
	AES	128/192/256ビット	
WPA3	AES	128/192/256ビット	WPA2で発見された脆弱性を解消した規格。個人用と企業用の2種類がある。

SSID (Service Set IDentifier)は 無線LANにつける名前

無線LANは固有の名前を持ちます。これをSSID（もしくはESSID）と言います。

アクセスポイントを置く場合は、アクセスポイントにSSIDを設定します。機器同士が直接通信を行うモードでは、全ての機器に同一のSSIDを設定して使います。

このSSIDを隠して使うSSIDステルスという機能があります。SSIDを隠ぺいすることで、不正利用されるリスクを減少できるとされています。

他にもゲストSSIDという機能によって、インターネットへの接続のみを開放する使い方もあります。この場合利用者は、インターネット以外の…たとえば自宅や企業内の他の端末へはアクセスできないため、安全性を保つことができます。

・・

問 1

(IP-R02-A-63)

記述a～dのうち，クライアントサーバシステムの応答時間を短縮するための施策として，適切なものだけを全て挙げたものはどれか。

a クライアントとサーバ間の回線を高速化し，データの送受信時間を短くする。

b クライアントの台数を増やして，クライアントの利用待ち時間を短くする。

c クライアントの入力画面で，利用者がデータを入力する時間を短くする。

d サーバを高性能化して，サーバの処理時間を短くする。

ア a, b, c　　　イ a, d　　　ウ b, c　　　エ c, d

解説

　aとd　そのとおりです。b　クライアントの台数を増すと、クライアントの利用待ち時間は長くなります。c　クライアントの入力画面で、利用者がデータを入力する時間を短くしても、クライアントサーバシステムの応答時間は変わりません。クライアントサーバシステムの応答時間は、クライアントからサーバにデータの送信が開始されてから、処理結果がサーバからクライアントに到着するまでの時間です（利用者がデータを入力する時間は含まれません）。

問 2

(IP-R02-A-88)

無線LANに関する記述のうち，適切なものだけを全て挙げたものはどれか。

a 使用する暗号化技術によって，伝送速度が決まる。

b 他の無線LANとの干渉が起こると，伝送速度が低下したり通信が不安定になったりする。

c 無線LANでTCP/IPの通信を行う場合，IPアドレスの代わりにESSIDが使われる。

ア a, b　　　イ b　　　ウ b, c　　　エ c

解説

　a　使用する暗号化技術によって、伝送速度は多少影響を受けますが、伝送速度が決まるとは言えません。b　そのとおりです。c　無線LANでTCP/IPの通信を行う場合、IPアドレスが使われます（有線LANでも同様です）。ESSID (Extended Service Set IDentifier) とは、無線アクセスポイントを含む無線LANの識別名であり、基本的に、無線LANではIPアドレスとESSIDの両方を使っています。

正解 ▶ 問1：イ　問2：イ

問 3

(IP-R06-70)

ESSIDをステルス化することによって得られる効果として，適切なものはどれか。

ア　アクセスポイントと端末間の通信を暗号化できる。

イ　アクセスポイントに接続してくる端末を認証できる。

ウ　アクセスポイントへの不正接続リスクを低減できる。

エ　アクセスポイントを介さず，端末同士で直接通信できる。

解説

"SSIDステルス化"は、204ページで説明してあるとおり、SSIDを隠ぺい（見えなく）することです。SSIDがわからないとアクセスポイントに接続できないので、アクセスポイントへの不正接続リスクを低減できます。

問 4

(IP-R05-65)

Wi-Fiのセキュリティ規格であるWPA2を用いて，PCを無線LANルータと接続するときに設定するPSKの説明として，適切なものはどれか。

ア　アクセスポイントへの接続を認証するときに用いる符号（パスフレーズ）であり，この符号に基づいて，接続するPCごとに通信の暗号化に用いる鍵が生成される。

イ　アクセスポイントへの接続を認証するときに用いる符号（パスフレーズ）であり，この符号に基づいて，接続するPCごとにプライベートIPアドレスが割り当てられる。

ウ　接続するアクセスポイントを識別するために用いる名前であり，この名前に基づいて，接続するPCごとに通信の暗号化に用いる鍵が生成される。

エ　接続するアクセスポイントを識別するために用いる名前であり，この名前に基づいて，接続するPCごとにプライベートIPアドレスが割り当てられる。

解説

PSK（Pre-Shared Key：事前共有鍵）は、PCと無線LANルータ（アクセスポイント）の両方に設定する、半角英数字で8〜63文字もしくは16進数で64桁の、パスワードのようなもの（パスフレーズと呼ばれるともあります）です。PSKはパスワードのようなものなので、PCと無線LANルータ（アクセスポイント）の両方に、同じPSKを設定しなければなりません。

正解 ▶ 問3：ウ　問4：ア

プロトコルとパケット

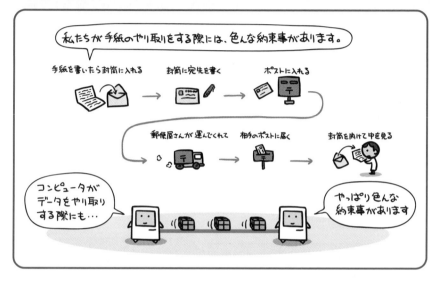

 コンピュータは色んな約束事にのっとって、
ネットワークを介したデータのやり取りを行います。

　私たち人間は、言葉を使って情報を伝達することができます。でも、私は英語でペラペラ話しかけられたって「This is a pen.」くらいしかわかりません。そしてそんなことを話しかけてくる人はまずいません。つまりまるでわからない。これと同様に、英語しか話せない人に日本語で話しかけても、まず通じることはないでしょう。

　つまり「言葉で情報を伝達できる」といったって、両方が同じ言語、同じ「言語という約束事」を共有できていないと意味がないわけです。

　コンピュータのネットワークもこれと同じことが言えます。

　どんなケーブルを使って、どんな形式でデータを送り、それをどうやって受け取って、どのように応答するか。全部共通の約束事が定められています。

　考えてみれば、手紙をやり取りするのだって、電話をかけたり受けたりするのだって、全部なんらかの約束事が定められていますよね。

　情報をやり取りするためには約束事が必要。その約束事を互いに共有するからこそ、間違いのない形で、相手に情報が送り届けられるのです。

プロトコルとOSI基本参照モデル

　ネットワークを通じてコンピュータ同士がやり取りするための約束事。これをプロトコルといいます。

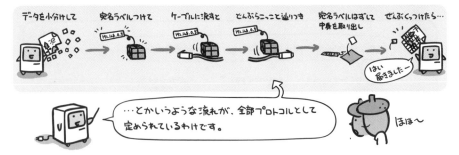

　プロトコルには様々な種類があり、「どんなケーブルを使って」「どんなデータ形式で」といったことが、事細かに決まっています。それらを7階層に分けてみたのがOSI基本参照モデル。基本的には、この第1階層から第7階層までのすべてを組み合わせることで、コンピュータ同士のコミュニケーションが成立するようになっています。

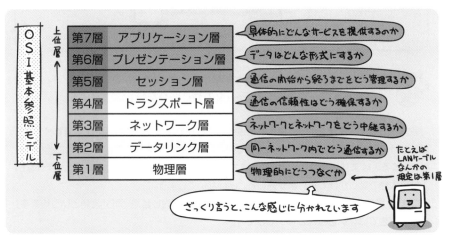

　ちなみになんで階層に分けているのかというと、「プロトコルを一部改変したいんだけど、どの機能を差し替えればいいかなー」という時に、これなら一目瞭然だから。

　現在は、インターネットの世界で標準とされていることから、「TCP/IP」というプロトコルが広く利用されています。

なんで「パケット」に分けるのか

TCP/IPというプロトコルを使うネットワークでは、通信データをパケットに分割して通信路へ流します。

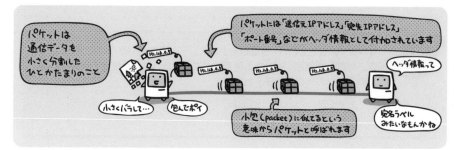

なんでわざわざ分割して流すのかというと、通信路上を流せるデータ量は有限だから。たとえば100BASE-TXのネットワークだと、1秒間に流せるのは100Mbitまでと決まってます。

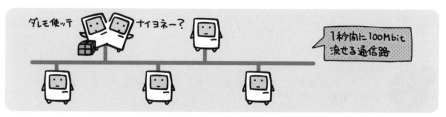

仮にデータを細切れにせず、そのままの形でドカンと流したとすると…。

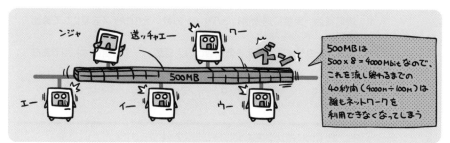

これを避けるために、小さなパケットに分割してから流すようにして、ネットワークの帯域を分け合っているのです。

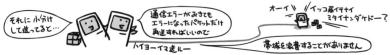

このように出題されています
過去問題練習と解説

・・・

問 1
(IP-H26-A-70)

インターネット上でデータを送るときに，データを幾つかの塊に分割し，宛先，分割した順序，誤り検出符号などを記したヘッダを付けて送っている。このデータの塊を何と呼ぶか。

ア　ドメイン　　イ　パケット　　　ウ　ポート　　　エ　ルータ

解説

ア　ネットワークで使われる「ドメイン」は、ネットワークのある範囲を指す用語として使われます。例えば、パケットが衝突（コリジョン）する可能性があるネットワークの範囲のことを「コリジョンドメイン」といいます。

イ　パケットは、通信路を流れるデータの塊のことです。LANを流れるパケットを「フレーム」と呼んでいる場合もあります。

ウ　ポートは、LANケーブルの接続口のことです。

エ　ルータは、ネットワーク層の中継機能を提供する装置です。

問 2
(IP-H25-A-68)

パケット交換方式に関する記述のうち，適切なものだけを全て挙げたものはどれか。

a　インターネットにおける通信で使われている方式である。

b　通信相手との通信経路を占有するので，帯域保証が必要な通信サービスに向いている。

c　通信量は，実際に送受信したパケットの数やそのサイズを基にして算出される。

d　パケットのサイズを超える動画などの大容量データ通信には利用できない。

ア　a, b, c　　イ　a, b, d　　ウ　a, c　　エ　b, d

解説

a　インターネットは、IPパケットを送受信するグローバルなネットワークです。

b　パケット交換方式は、通信相手との通信経路を占有しません。

c　通信量は、実際に送受信したパケットの数やそのサイズを基にして算出されます。

d　パケットの最大サイズを超えるデータは、分割された複数のパケットとして送受信されます。

正解▶問1：イ　問2：ウ

ネットワークを構成する装置

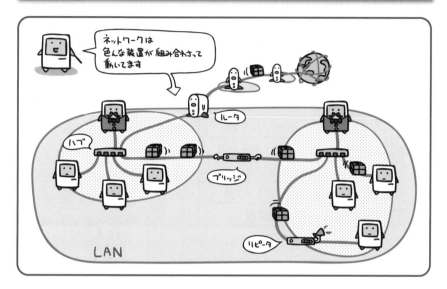

 ネットワークの世界で働く代表的な装置には、
ルータやハブ、ブリッジ、リピータなどがあります。

　もっともシンプルなネットワークといえば、コンピュータとコンピュータをケーブルで直結
しちゃう形でしょう。しかしこれでは、計2台のネットワークしか構築できませんし、当然イ
ンターネットにだってつながりゃしない。
　「もっとたくさんのコンピュータをつなぎたい」
　それにはハブと呼ばれる装置が必要になります。
　「インターネットにもつなぎたい」
　だったら別のネットワークに中継してくれるルータなる装置が必要ですね。
　…と、こんな感じで、ネットワークにはその用途に応じて様々な装置が用意されています。
それらを組み合わせることによって、コンピュータの台数が増減できたり、ネットワークの
つながる範囲が広がったりと、環境にあわせた柔軟な構成をつくることができるのです。

LANの装置とOSI基本参照モデルの関係

　ネットワークで用いる各装置というのは、その装置が「どの層に属するか」「なにを中継するか」を知ることで、より理解しやすくなるものです。

　そんなわけで、まずは代表的な装置になにがあるかと、それらがOSI基本参照モデルでいうとどの層に属しているのかといったあたりを見ていきましょう。

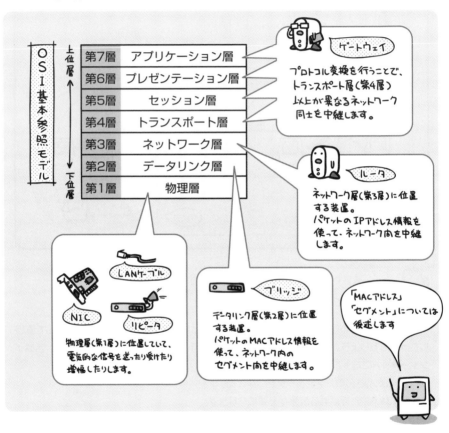

　ちなみに、なんでネットワークの速度はバイトじゃなくてビットであらわすのかというと、実際の通信路を構成するNICやLANケーブルが属する物理層では、単に「1か0か（オンかオフか）」という電気信号を扱うだけだから。

　電気信号以外のことなんか知ったこっちゃないので、「どれだけのオンオフを1秒間に流せるか」という表記の方が向いている…というわけですね。

NIC (Network Interface Card)

コンピュータをネットワークに接続するための拡張カードがNICです。LANボードとも呼ばれます。

NICの役割は、データを電気信号に変換してケーブル上に流すこと。そして受け取ることです。

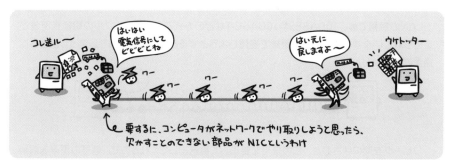

NICをはじめとするネットワーク機器には、製造段階でMACアドレスという番号が割り振られています。これはIEEE（米国電気電子技術者協会）によって管理される製造メーカ番号と、自社製品に割り振る製造番号との組み合わせで出来ており、世界中で重複しない一意の番号であることが保証されています。

イーサネットでは、このMACアドレスを使って各機器を識別します。

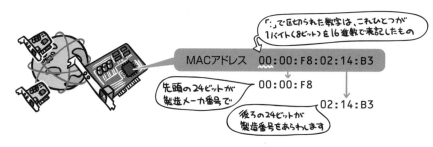

リピータ

リピータは物理層（第1層）の中継機能を提供する装置です。
ケーブルを流れる電気信号を増幅して、LANの総延長距離を伸ばします。

第7層	アプリケーション層
第6層	プレゼンテーション層
第5層	セッション層
第4層	トランスポート層
第3層	ネットワーク層
第2層	データリンク層
第1層	物理層

LANの規格では、10BASE5や10BASE-Tなどの方式ごとに、ケーブルの総延長距離が定められています。それ以上の距離で通信しようとすると、信号が歪んでしまってまともに通信できません。

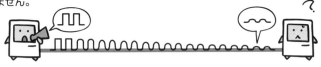

リピータを間にはさむと、この信号を整形して再送出してくれるので、信号の歪みを解消することができます。

パケットの中身を解さず、ただ電気信号を増幅するだけなので、不要なパケットも中継してしまうあたりが少々難なところです。

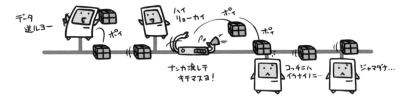

ちなみに、ネットワークに流したパケットは、宛先が誰かに依らずとにかく全員に渡されるわけですが…、

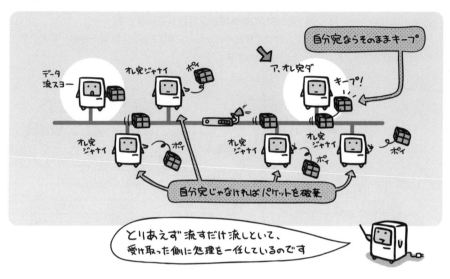

　この、「無条件にデータが流される範囲（論理的に1本のケーブルでつながっている範囲）」をセグメントと呼びます。

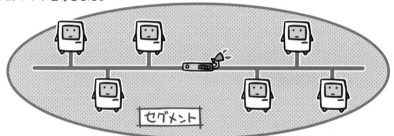

　ひとつのセグメント内に大量のコンピュータがつながれていると、パケットの衝突（コリジョン）が多発するようになって、回線の利用効率が下がります。

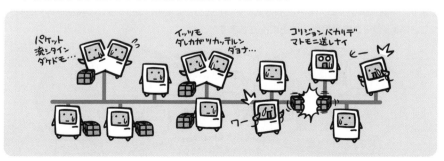

ブリッジ

　ブリッジはデータリンク層（第2層）の中継機能を提供する装置です。
　セグメント間の中継役として、流れてきたパケットのMACアドレス情報を確認、必要であれば他方のセグメントへとパケットを流します。

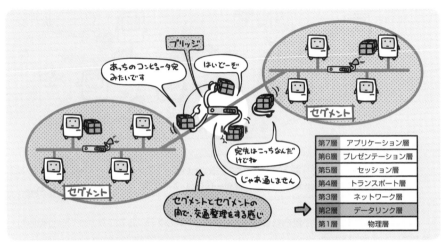

　ブリッジは、流れてきたパケットを監視することで、最初に「それぞれのセグメントに属するMACアドレスの一覧」を記憶してしまいます。

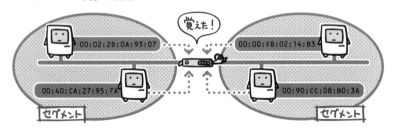

　以降はその一覧に従って、セグメント間を橋渡しする必要のあるパケットだけ中継を行います。中継パケットはCSMA/CD方式に従って送出するため、コリジョンの発生が抑制されて、ネットワークの利用効率向上に役立ちます。

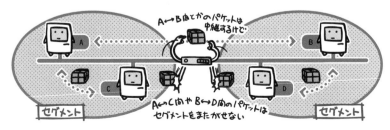

ハブ

ハブは、LANケーブルの接続口（ポート）を複数持つ集線装置です。

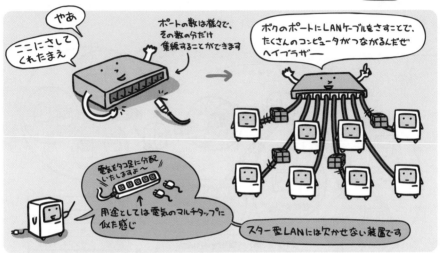

ハブには内部的にリピータを複数束ねたものであるリピータハブと、ブリッジを複数束ねたものであるスイッチングハブの2種類があります。

それぞれ次のように動作します。

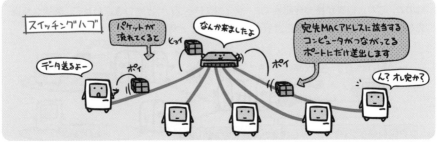

8

ネットワーク

ルータ

　ルータはネットワーク層（第3層）の中継機能を提供する装置です。

　異なるネットワーク（LAN）同士の中継役として、流れてきたパケットのIPアドレス情報を確認した後に、最適な経路へとパケットを転送します。

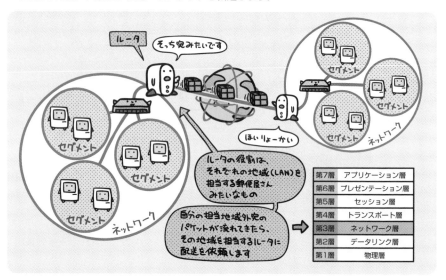

　ブリッジが行う転送は、あくまでもMACアドレスが確認できる範囲でのみ有効なので、外のネットワーク宛のパケットを中継することはできません。

　そこでルータの出番。ルータはパケットに書かれた宛先IPアドレスを確認します。IPアドレスというのは、「どのネットワークに属する何番のコンピュータか」という内容を示す情報なので、これと自身が持つ経路表（ルーティングテーブル）とをつき合わせて、最適な転送先を選びます。このことを経路選択（ルーティング）と呼びます。

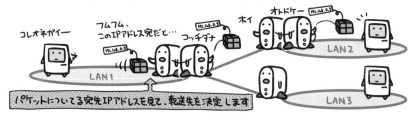

といっても、いつも隣接しているネットワーク宛とばかりは限りません。特にインターネットのように、接続されているネットワークが膨大な数となる場合には、直接相手のネットワークに転送するのはまず不可能です。

そのような場合は、「アッチなら知ってんじゃね?」というルータに放り投げる。

そこもわかんなきゃ、さらに次へ、さらに次へと、ルータ同士がさながらバケツリレーのようにパケットの転送を繰り返して行くことで、いつかは目的地のネットワークへと辿り着く…と、そういう仕組みになっているのです。

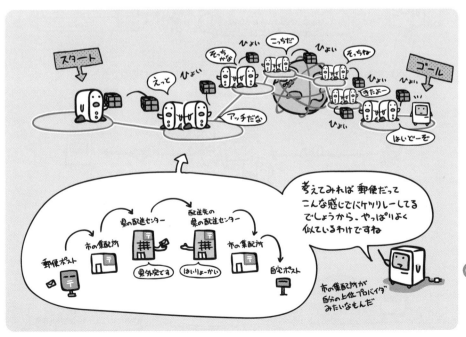

ゲートウェイ

　ゲートウェイはトランスポート層（第4層）以上が異なるネットワーク間で、プロトコル変換による中継機能を提供する装置です。

　ネットワーク双方で使っているプロトコルの差異をこの装置が変換、吸収することで、お互いの接続を可能とします。

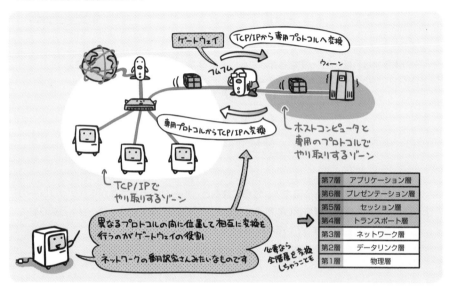

　たとえば、携帯メールとインターネットの電子メールが互いにやり取りできるのも、間にメールゲートウェイという変換器が入ってくれているおかげ。

　ゲートウェイは、専用の装置だけではなく、その役割を持たせたネットワーク内のコンピュータなども該当します。

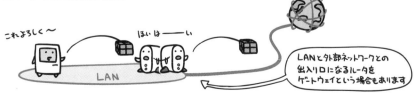

このように出題されています
過去問題練習と解説

問 1

(IP-H29-A-78)

ネットワークを構成する機器であるルータがもつルーティング機能の説明として，適切なものはどれか。

ア　会社が支給したモバイル端末に対して，システム設定や状態監視を集中して行う。

イ　異なるネットワークを相互接続し，最適な経路を選んでパケットの中継を行う。

ウ　光ファイバと銅線ケーブルを接続し，流れる信号を物理的に相互変換する。

エ　ホスト名とIPアドレスの対応情報を管理し，端末からの問合せに応答する。

解説

アとウ　特別な名前が付けられていない機能の説明です。

イ　ルータがもつルーティング機能の説明です。

エ　DNSサーバがもつ機能の説明です。

問 2

(IP-H28-S-68)

MACアドレスに関する記述のうち，適切なものはどれか。

ア　同じアドレスをもつ機器は世界中で一つしか存在しないように割り当てられる。

イ　国別情報が含まれており，同じアドレスをもつ機器は各国に一つしか存在しないように割り当てられる。

ウ　ネットワーク管理者によって割り当てられる。

エ　プロバイダ (ISP) によって割り当てられる。

解説

ア　そのとおりです。MACアドレスの説明は、213ページを参照してください。

イ　MACアドレスに、国別情報は含まれていません。

ウとエ　MACアドレスは、ネットワーク機器のメーカ (製造者・ベンダ) によって割り当てられます。

正解 ▶ 問1：イ　問2：ア

問 3
(IP-H26-A-66)

携帯電話の電子メールをインターネットの電子メールとしてPCで受け取れるようにプロトコル変換する場合などに用いられ，互いに直接通信できないネットワーク同士の通信を可能にする機器はどれか。

ア　LANスイッチ
イ　ゲートウェイ
ウ　ハブ
エ　リピータ

___解 説___

　本問の要点は，「プロトコル変換する場合などに用いられ」にあります。この場合に用いられる機器は，「ゲートウェイ」です。

問 4
(IP-R05-87)

IoTエリアネットワークでも用いられ，電気を供給する電力線に高周波の通信用信号を乗せて伝送させることによって，電力線を伝送路としても使用する技術はどれか。

ア　PLC
イ　PoE
ウ　エネルギーハーベスティング
エ　テザリング

___解 説___

ア　PLC（Power Line Communications）… 家庭やオフィスなどに敷設されている電力線（電灯線）をLANの通信回線として利用する技術です。なお，PLCの製品は，あまり売れていないので，見かけることは少ないです。
イ　PoE（Power over Ethernet）… LANケーブルを使って，電力を供給する技術です。
ウ　エネルギーハーベスティング … 身の回りにある熱や振動などの，未利用の微小なエネルギーを収穫（ハーベスト）して電力に変換する技術です。
エ　テザリング … 無線通信機能を持つスマートフォンなどの携帯端末がルータの役割を担当し，ゲーム機やパソコンなどの他機器との通信を中継することです。

正解 ▶問3：イ　問4：ア

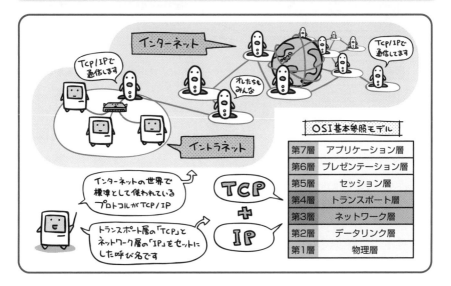

Chapter 8-4 TCP/IPを使った ネットワーク

TCPとIPという2つのプロトコルの組み合わせが、インターネットにおける「デファクトスタンダード」です。

　デファクトスタンダードとは、「事実上の標準」という意味。特に標準として定めたわけではないのだけど、みんなしてそれを使うもんだから標準みたいな扱いになっちゃった…という規格などを指す言葉です。TCP/IPもそのひとつ、というわけですね。

　で、その中身ですが、まずIP。これは、「複数のネットワークをつないで、その上をパケットが流れる仕組み」といったことを規定しています。いわばネットワークの土台みたいなものです。前節で取り上げたルータが、IPアドレスをもとにパケットを中継したりできるのもコイツのおかげだったりします。

　一方のTCPは、そのネットワーク上で「正しくデータが送られたことを保証する仕組み」を定めたもの。

　両者が組み合わさることで、「複数のネットワークを渡り歩きながら、パケットを正しく相手に送り届けることができるのですよ」という仕組みになるわけですね。

　こうしたインターネットの技術を、そのまま企業内LANなどに転用したネットワークのことをイントラネットと呼びます。

8 ネットワーク

TCP/IPの中核プロトコル

TCP/IPネットワークを構成する上で、中核となるプロトコルが次の3つです。

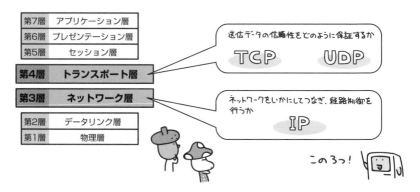

ネットワーク層のIPが網としての経路機能を担当し、その上のTCPやUDPが「ではその経路で小包(パケット)をどのように運ぶのか」という約束事を担当しています。

IP (Internet Protocol)

IPは経路制御を行い、ネットワークからネットワークへとパケットを運んで相手に送り届けます。

IPによって構成されるネットワークでは、コンピュータやネットワーク機器などを識別するために、IPアドレスという番号を割り当てて管理しています。

コネクションレス型の通信(事前に送信相手と接続確認を取ることなく一方的にパケットを送りつける)であるため、通信品質の保証についてはTCPやUDPなどの上位層に任せます。

TCP (Transmission Control Protocol)

　TCPは、通信相手とのコネクションを確立してから、データを送受信するコネクション型の通信プロトコルです。パケットの順序や送信エラー時の再送などを制御して、送受信するデータの信頼性を保証します。

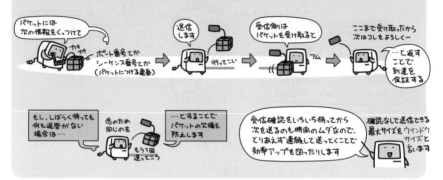

UDP (User Datagram Protocol)

　UDPは、事前に送信相手と接続確認を取ったりせず、一方的にパケットを送りつけるコネクションレス型の通信プロトコルです。パケットの再送制御などを一切行わないため信頼性に欠けますが、その分高速です。

IPアドレスはネットワークの住所なり

　　TCP/IPのネットワークにつながれているコンピュータやネットワーク機器は、IPアドレスという番号で管理されています。

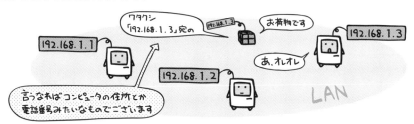

　　個々のコンピュータを識別するために使うものですから、重複があってはいけません。必ず一意の番号が割り振られているのがお約束です。

　　IPアドレスは、32ビットの数値であらわされます。たとえば次のような感じ。

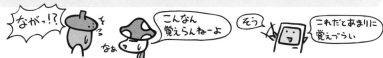

　　なので8ビットずつに区切って、それぞれを10進数であらわして…

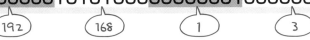

　　それらを「.」でつないで表記します。

192.168.1.3

グローバルIPアドレスとプライベートIPアドレス

IPアドレスには、グローバルIPアドレス（またはグローバルアドレス）とプライベートIPアドレス（またはプライベートアドレス）という、2つの種類があります。

グローバルIPアドレスは、インターネットの世界で使用するIPアドレスです。世界中で一意であることが保証されないといけないので、地域ごとのNIC（Network Information Center）と呼ばれる民間の非営利機関によって管理されています。

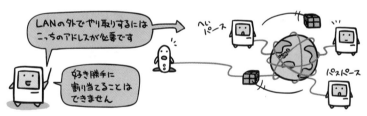

プライベートIPアドレスは、企業内などLANの中で使えるIPアドレスです。LAN内で重複がなければ、システム管理者が自由に割り当てて使うことができます。

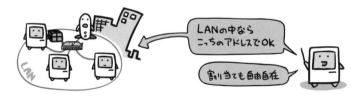

グローバルIPアドレスとプライベートIPアドレスの関係は、電話の外線番号と内線番号の関係によく似ています。

IPアドレスは「ネットワーク部」と「ホスト部」で出来ている

2ページ前で、「IPアドレスはコンピュータの住所みたいなもの」と書きました。

私たちが普段用いている宛名表記をコンピュータ用にしたもの…という意味で書いたわけですが、実際、IPアドレスの内容というのは、それとよく似ているのです。

IPアドレスの内容は、ネットワークごとに分かれるネットワークアドレス部と、そのネットワーク内でコンピュータを識別するためのホストアドレス部とに分かれています。つまり、宛名表記が、「住所と名前」で構成されているのと同じことです。

たとえば、次のIPアドレスを見てください。このIPアドレスでは、頭の24ビットがネットワークアドレスをあらわし、後ろ8ビットがホストアドレスをあらわしています。

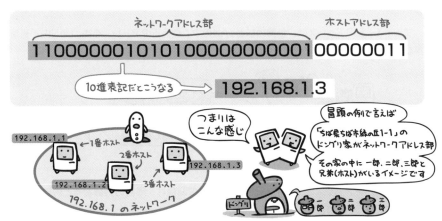

IPアドレスのクラス

　IPアドレスは、使用するネットワークの規模によってクラスA、クラスB、クラスCと3つの
クラスに分かれています（実際にはもっとあるけど一般的でない）。

　それぞれ「32ビット中の何ビットをネットワークアドレス部に割り振るか」が規定されてい
るので、それによって持つことのできるホスト数が違ってきます。

なんで？

ホストアドレスに使える
ビット数が増えれば、
それだけ割り合てに使える
数も増えるからです！

8ビットであらわせる数は
00000000（0）〜 11111111（255）

16ビットであらわせる数は
0000000000000000（0）
　　〜 1111111111111111（65,535）

具体的には次のように決まっています。

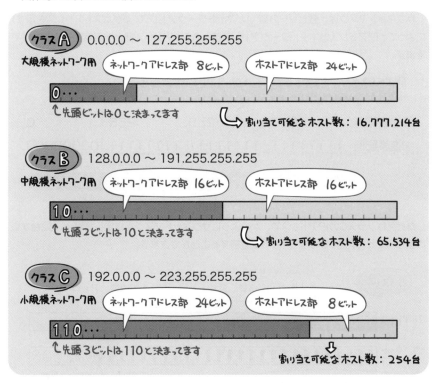

クラスA　0.0.0.0 〜 127.255.255.255
大規模ネットワーク用　ネットワークアドレス部 8ビット　ホストアドレス部 24ビット
0…
↑先頭ビットは0と決まってます
割り当て可能なホスト数：16,777,214台

クラスB　128.0.0.0 〜 191.255.255.255
中規模ネットワーク用　ネットワークアドレス部 16ビット　ホストアドレス部 16ビット
10…
↑先頭2ビットは10と決まってます
割り当て可能なホスト数：65,534台

クラスC　192.0.0.0 〜 223.255.255.255
小規模ネットワーク用　ネットワークアドレス部 24ビット　ホストアドレス部 8ビット
110…
↑先頭3ビットは110と決まってます
割り当て可能なホスト数：254台

　ホストアドレス部が「すべて0」「すべて1」となるアドレスは、それぞれ「ネットワークアド
レス（すべて0）」「ブロードキャストアドレス（すべて1）」という意味で予約されているため割
り当てには使えません。上図の「割り当て可能なホスト数」が、そのビット数で本来あらわ
せるはずの数から−2した数値になっているのはそのためです。

サブネットマスクでネットワークを分割する

一番小規模向けのクラスCでも254台のホストを扱えるわけですが、「そんなにホスト数はいらないから、事業部ごとにネットワークを分けたい！」とかいう場合、サブネットマスクを用いてネットワークを分割することができます。

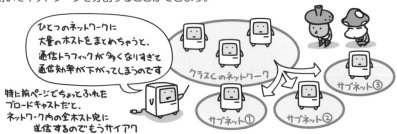

サブネットマスクは、各ビットの値（1がネットワークアドレス、0がホストアドレスを示す）によって、IPアドレスのネットワークアドレス部とホストアドレス部とを再定義することができます。

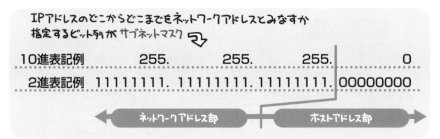

たとえばクラスCのIPアドレスで、次のようにサブネットマスクを指定した場合、62台ずつの割り当てが行える4つのサブネットに分割することができます。

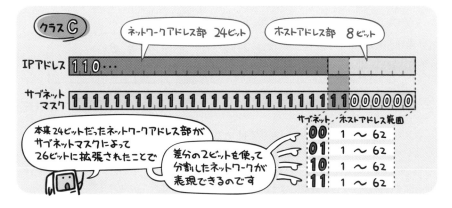

DHCPは自動設定する仕組み

　LANにつなぐコンピュータの台数が増えてくると、1台ずつに重複しないIPアドレスを割り当てることが思いのほか困難となってきます。

　DHCP（Dynamic Host Configuration Protocol）というプロトコルを利用すると、こうしたIPアドレスの割り当てなどといった、ネットワークの設定作業を自動化することができます。管理の手間は省けますし、人為的な設定ミスも防ぐことができてバンバンザイ。

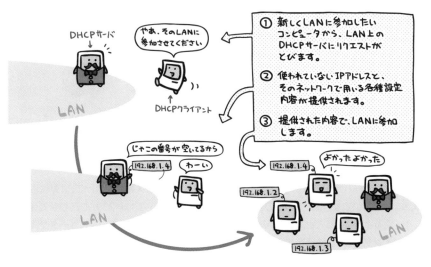

　プロバイダなどのインターネット接続サービスを利用する場合にも、最初にDHCPを使ってインターネット上でのネットワーク設定を取得する手順が一般的です。

NATとIPマスカレード

LANの中ではプライベートIPアドレスを使っているのが一般的ですが、外のネットワークとやり取りするためにはグローバルIPアドレスが必要です。

では、プライベートIPアドレスしか持たない各コンピュータは、どうやって外のコンピュータとやり取りするのでしょうか。それにはNATやIPマスカレード（NAPTともいいます）といったアドレス変換技術を用います。これらは、ルータなどによく実装されています。

NAT

グローバルIPアドレスとプライベートIPアドレスとを1対1で結びつけて、相互に変換を行います。同時にインターネット接続できるのは、グローバルIPアドレスの個数分だけです。

IPマスカレード

グローバルIPアドレスに複数のプライベートIPアドレスを結びつけて、1対複数の変換を行います。IPアドレスの変換時にポート番号（詳しくはP.239）もあわせて書き換えるようにすることで、1つのグローバルIPアドレスでも複数のコンピュータが同時にインターネット接続をすることができます。

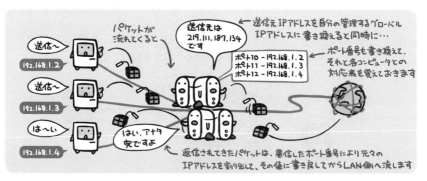

ドメイン名とDNS

10進数で表記されたIPアドレスは、2進数で表記されているのよりかはマシですが、それでも人間にとって「覚えやすい」とは言いづらいものがあります。数字の羅列って、丸暗記しないといけないから大変なんですよね。

そこで、覚えづらいIPアドレスに対して、文字で別名をつけたものがドメイン名です。たとえば「技術評論社のネットワークに所属するwwwという名前のコンピュータ」を表現する場合は、次のように書きあらわします。

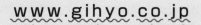

www.gihyo.co.jp

| コンピュータの名前 | 組織の名前 | 組織の種類 | 国の名前 |

この場合は「日本（jp）」の「企業（co）」で「技術評論社（gihyo）」というとこのネットワークにいる「www」という名前のコンピュータ…ということをあらわしているわけです

国としては他に英国（uk）や中国（cn）などがあり、組織には大学（ac）や政府機関（go）などがあります

インターネットでWebページを見る時に使う「http://www.gihyo.co.jp/」という記述の滴線部分は、実はコンピュータを指定してる部分だったりする

このドメイン名とIPアドレスとを関連づけして管理しているのがDNS（Domain Name System）です。DNSサーバに対して「www.gihyo.co.jpのIPアドレスは何?」とか、「IPアドレスが219.101.198.19のドメイン名って何?」とか問い合わせると、それぞれに対応するIPアドレスやドメイン名が返ってきます。

IPv6 (Internet Protocol Version 6)

　現在広く用いられているIPはVersion 4のもので、IPv4とも呼ばれています。このプロトコルでは32ビットの数値によってIPアドレスを割り当てるため、表現できる個数は約43億個。決して少なくはない数ですが、全世界のインターネット接続人口を考えた場合、十分な数とは言えません。

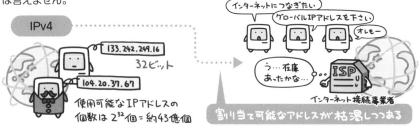

　そこで、IPv4の後継規格として置き換えが進められているのがIPv6です。IPv6ではIPアドレスを128ビットの数値によって表現します。そのため、約340澗個（澗は10^{36}をあらわす）という、1兆の1兆倍の1兆倍よりも大きい、実質無限と言ってよい個数のIPアドレスを割り当てることができます。

　「モノのインターネット」とも言われる、膨大な数のIoTデバイス（P.262）がインターネットにつながり、大量のIPアドレスが必要な時代になったとしても、IPv6であれば大丈夫…というわけですね。

　少しずつ普及が進みつつあるIPv6ですが、IPv4との間に互換性がないため、簡単に切り替えることはできません。そのため今は移行期として、両者を共存させるための手法が様々用いられています。

問 1

(IP-R01-A-65)

NATに関する次の記述中のa，bに入れる字句の適切な組合せはどれか。

　NATは，職場や家庭のLANをインターネットへ接続するときによく利用され， a と b を相互に変換する。

	a	b
ア	プライベートIPアドレス	MACアドレス
イ	プライベートIPアドレス	グローバルIPアドレス
ウ	ホスト名	MACアドレス
エ	ホスト名	グローバルIPアドレス

解説

　NAT (Network Address Translation) は、プライベートIPアドレスと、グローバルIPアドレスを相互に変換する仕組みです。232ページを参照してください。

問 2

(IP-R06-71)

インターネットで使用されているドメイン名の説明として，適切なものはどれか。

ア　Web閲覧や電子メールを送受信するアプリケーションが使用する通信規約の名前

イ　コンピュータやネットワークなどを識別するための名前

ウ　通信を行うアプリケーションを識別するための名前

エ　電子メールの宛先として指定する相手の名前

解説

　各選択肢は、下記の用語の説明です。
ア　プロトコル名
イ　ドメイン名
ウ　ポート番号に付けられている名前
エ　メールアドレスのユーザ名
　なお、ドメイン名の具体例は、amazon.co.jpやyahoo.co.jpなどです。

問 3
(IP-R03-98)

インターネットで用いるドメイン名に関する記述のうち，適切なものはどれか。

ア　ドメイン名には，アルファベット，数字，ハイフンを使うことができるが，漢字，平仮名を使うことはできない。

イ　ドメイン名は，Webサーバを指定するときのURLで使用されるものであり，電子メールアドレスには使用できない。

ウ　ドメイン名は，個人で取得することはできず，企業や団体だけが取得できる。

エ　ドメイン名は，接続先を人が識別しやすい文字列で表したものであり，IPアドレスの代わりに用いる。

解 説

ア　ドメイン名には、アルファベット、数字、ハイフン、漢字、全角ひらがな・カタカナを使えます（◎や☆などの記号は、使えません）。

イ　ドメイン名は、電子メールアドレスの@の後ろにも使われます。

ウ　ドメイン名は、個人でも取得できます。

エ　ドメイン名に関する説明は、233ページを参照してください。

問 4
(IP-R05-97)

サブネットマスクの役割として，適切なものはどれか。

ア　IPアドレスから，利用しているLAN上のMACアドレスを導き出す。

イ　IPアドレスの先頭から何ビットをネットワークアドレスに使用するかを定義する。

ウ　コンピュータをLANに接続するだけで，TCP/IPの設定情報を自動的に取得する。

エ　通信相手のドメイン名とIPアドレスを対応付ける。

解 説

ア　ARP (Address Resolution Protocol) の役割です。

イ　そのとおりです。サブネットマスクの説明は、230ページを参照してください。

ウ　DHCP(Dynamic Host Configuration Protocol) の役割です。231ページを参照してください。

エ　DNS (Domain Name System) の役割です。233ページを参照してください。

問 5
(IP-R02-A-75)

PCに設定するIPv4のIPアドレスの表記の例として，適切なものはどれか。

ア　00.00.11.aa.bb.cc　　　　　イ　050-1234-5678

ウ　10.123.45.67　　　　　　　エ　http://www.example.co.jp/

解 説

ア　MACアドレスの表記例です。　　イ　IP電話の電話番号の表記例です。　　ウ　IPv4のIPアドレスの表記例です。IPv4とは、IPバージョン4の略であり、226ページのIPアドレスのことです。

エ　URLの表記例です。

ネットワーク上のサービス

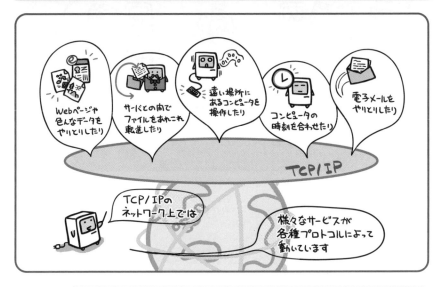

 ネットワーク上で動くサービスには、
それぞれに対応したプロトコルが用意されています。

　サービスというのは、要求に応じて何らかの処理を提供する機能のこと。たとえば「ファイル欲しい!」って言ったら送ってくれたり、「正確な時刻に合わせたい!」って言ったら正しい時刻が伝えられたりと、そんなこと。

　TCP/IPを基盤とするネットワーク上では、そのようなサービスが多数利用できるようになっています。そして、それらサービスを支えるのが、TCP/IPのさらに上位層 (セッション層以上) で規定されているプロトコル群なのです。ばばん!

　…というとなんだかすごく大仰ですが、実際は私たちが普段目にするプロトコルという存在って、こうした上位層のものがほとんどなんですよね。サーバとの間でファイルを転送するFTPとか、コンピュータを遠隔操作するTelnetとか。きっとずらずら並べたてていけば、どれかは耳にしたことがあるかと思います。

　さて、それじゃあネットワーク上では、どんなプロトコルがどんなサービスを提供しているのか、そのあたりを見ていくといたしましょう。

代表的なサービスたち

ネットワーク上のサービスは、そのプロトコルを処理するサーバによって提供されています。

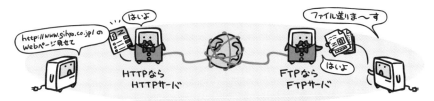

代表的なプロトコルには次のものがあります。こうした主だったプロトコルにはあらかじめポート番号が予約されており、これをウェルノウンポートと言います。

	プロトコル名	説明	TCP/UDP ポート番号
	HTTP (HyperText Transfer Protocol)	Webページの転送に利用するプロトコル。Webブラウザを使ってHTMLで記述された文書を受信する時などに使います。	TCP 80
	FTP (File Transfer Protocol)	ファイル転送サービスに利用するプロトコル。インターネット上のサーバにファイルをアップロードしたり、サーバからファイルをダウンロードしたりするのに使います。	TCP 転送用 20 制御用 21
	Telnet	他のコンピュータにログインして、遠隔操作を行う際に使うプロトコル。	TCP 23
	SMTP (Simple Mail Transfer Protocol)	電子メールの配送部分を担当するプロトコル。メール送信時や、メールサーバ間での送受信時に使います。	TCP 25
	POP (Post Office Protocol)	電子メールの受信部分を担当するプロトコル。メールサーバ上にあるメールボックスから、受信したメールを取り出すために使います。	TCP 110
	NTP (Network Time Protocol)	コンピュータの時刻合わせを行うプロトコル。	UDP 123

ポート番号については… 次ページで！

サービスはポート番号で識別する

　ネットワーク上で動くサービスたちは、個々に「それ専用のサーバマシンを用意しなきゃいけない!」というわけではありません。

　サーバというのは、「プロトコルを処理してサービスを提供するためのプログラム」が動くことでサーバになっているわけですから、ひとつのコンピュータが、様々なサーバを兼任することは当たり前にあるわけです。

　でもIPアドレスだと、パケットの宛先となるコンピュータは識別できても、それが「どのサーバプログラムに宛てたものか」までは特定できません。

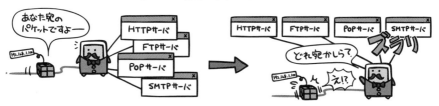

　そこで、プログラムの側では0 ～ 65,535までの範囲で自分専用の接続口を設けて待つようになっています。この接続口を示す番号のことをポート番号と呼びます。

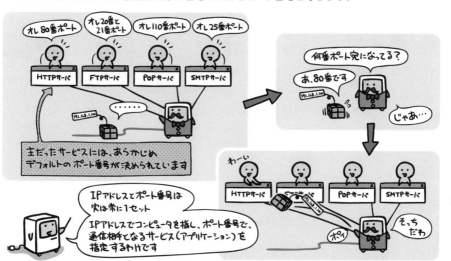

239

インターネットで用いられる技術の標準化

　TCP/IPをはじめとするプロトコル群や、続々と登場する各種サービスなど、こうしたインターネットで利用される技術の標準化を推進する任意団体がIETF（Internet Engineering Task Force）です。

　IETFにおいて取りまとめた技術仕様は、RFC（Request For Comments）という名前で文書化され、インターネット上で公開されています。

問 1 (IP-R06-92)

インターネットに接続されているサーバが，1台でメール送受信機能とWebアクセス機能の両方を提供しているとき，端末のアプリケーションプログラムがそのどちらの機能を利用するかをサーバに指定するために用いるものはどれか。

ア IPアドレス　　イ ドメイン　　ウ ポート番号　　エ ホスト名

解説

　各選択肢の用語説明は、下記のページを参照してください。
ア 226ページ　　イ ドメイン名ならば233ページ　　ウ 239ページ
エ 233ページのドメイン名www.gihyo.co.jpのwwwの部分（"コンピュータの名前"とされている部分）

　なお、1台のサーバには、同一のIPアドレス・ドメイン・ホスト名が割り当てられているので、ポート番号を使わないと、受信したパケットが、メール送受信のためのものなのか、Webアクセスのためのものなのかの区別ができません。

問 2 (IP-H30-A-88)

コンピュータの内部時計を，基準になる時刻情報をもつサーバとネットワークを介して同期させるときに用いられるプロトコルはどれか。

ア FTP　　　　イ NTP　　　　ウ POP　　　　エ SMTP

解説

ア～エ　FTP、NTP、POP、SMTPのすべての説明は、238ページを参照してください。

問 3 (IP-R01-A-94)

NTPの利用によって実現できることとして，適切なものはどれか。

ア OSの自動バージョンアップ
イ PCのBIOSの設定
ウ PCやサーバなどの時刻合わせ
エ ネットワークに接続されたPCの遠隔起動

解説

　NTP（Network Time Protocol）の利用によって実現できることは、PCやサーバなどの時刻合わせです。

正解▶問1：ウ　問2：イ　問3：ウ

Chapter 8-6 WWW (World Wide Web)

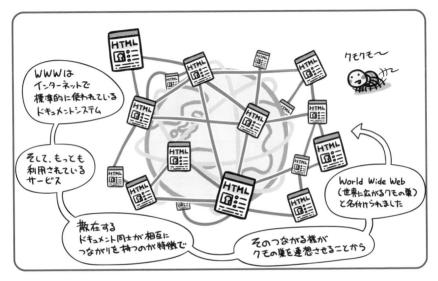

WWWはインターネットで標準的に使われているドキュメントシステム

そして、もっとも利用されているサービス

散在するドキュメント同士が相互につながりを持つのが特徴で

そのつながる様がクモの巣を連想させることから

クモクモ〜

World Wide Web（世界に広がるクモの巣）と名付けられました

インターネットとWWWが同義語として使われるケースがあるほど、今や定着しているサービスです。

　自宅からインターネットに接続する場合、ほとんどの人がインターネットプロバイダ (ISP、単にプロバイダとも) と呼ばれる接続事業者を利用することになります。その時頭に思い浮かべる「インターネットで使いたいサービス」の多くがWWW。「http:// 〜」とアドレスを打ち込んでホームページなるものを見るあれがそうです。

　最近はテレビでも「続きはWebで!」とかやってますよね。

　このサービスでは、Webブラウザ (ブラウザ) を使って、世界中に散在するWebサーバから文字や画像、音声などの様々な情報を得ることができます。

　特徴的なのはそのドキュメント形式。ハイパーテキストといわれる構造で「文書間のリンクが設定できる」「文書内に画像や音声、動画など様々なコンテンツを表示できる」などの特徴を持ちます。これによって、インターネット上のドキュメント同士がつながりを持ち、互いに補完しあうような使い方もできるようになっているのです。

　上のイラストにもあるように、そうした「ドキュメント間にリンクが張り巡らされて網の目状となっている構造」をクモの巣に例えたことが、WWWというサービス名の由来です。

Webサーバに、「くれ」と言って表示する

WWWのサービスにはWebサーバとWebブラウザ（という名のクライアント）が欠かせないわけですが、そのやり取りは、実はものすごく単純だったりします。

サーバの仕事というのは、基本的に「くれ」と言われたファイルを渡すだけ。なにかデータを整形したり、特別な処理を加えたりとかは一切なっしんぐ。

このやり取りに使われているプロトコルがHTTP

でも、そんな単純な仕組みで出来ているからこそ、様々なファイルが扱えたり、拡張も容易だったりと、広い範囲で使える仕組みになっているのです。

WebページはHTMLで記述する

WebページはHTML（HyperText Markup Language）という言語で記述されています。「言語」というのは、「ある法則にのっとった書式」という意味。つまりHTMLという名前で、決められた書式があるわけです。

HTMLの書式は、タグと呼ばれる予約語をテキストファイルの中に埋め込むことで、文書の見栄えや論理構造を指定するようになっています。

タグは〈（予約語）〉ではじめて〈/（予約語）〉で終わります

HTMLの代表的なタグにはこんなのがあります

〈HTML〉	HTMLで書かれたページであることを表す。
〈HEAD〉	ページのヘッダを表す。
〈TITLE〉	ページのタイトルを表す。
〈BODY〉	ページの本文を表す。
〈P〉	段落を表す。
〈IMG〉	画像を表示する。
〈H1〉	見出しを表す。

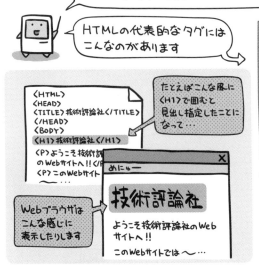

たとえばこんな風に〈H1〉で囲むと見出し指定したことになって…

```
<HTML>
<HEAD>
<TITLE>技術評論社</TITLE>
</HEAD>
<BODY>
<H1>技術評論社</H1>
<P>ようこそ技術評論社のWebサイトへ!!</P>
<P>このWebサイト
 …
```

Webブラウザはこんな感じに表示したりします

めにゅー

技術評論社

ようこそ技術評論社のWebサイトへ!!

このWebサイトでは〜…

但し、「見栄え」については「CSS」というスタイル指定を用いるようにして、HTMLは「構造だけを表す」ように立ち返りつつあります。

見出し指定された部分をどう表示するかはCSSで決める

〈H1〉見出しです〈/H1〉

「アンカー」というタグを使うと、他の文書へのリンクを設定することができます。こうすることで、文書同士を関連づけできるのが大きな特徴です。

たとえばこんなWebページがあって…　本の紹介ページが表示されて…　その会社のページが表示される

キタミWeb
・プロフィール
・著作紹介

メニューのリンクをクリックしたら

発行:技術評論社

発行元の会社名をクリックしたら

みたいな感じ!

URLはファイルの場所を示すパス

Web上で取得したいファイルの場所を指し示すには、URL (Uniform Resource Locator) という表記方法を用います。

URLによって記述されたアドレスは、次のような形式になっています。

http://www.gihyo.co.jp/book/index.html

それぞれの意味するところは下記参照。

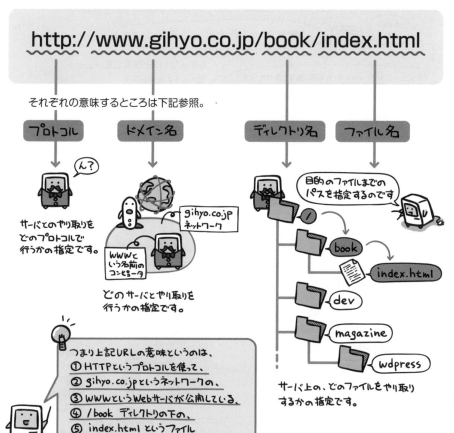

プロトコル　ドメイン名　ディレクトリ名　ファイル名

ん？

サーバとのやり取りを
どのプロトコルで
行うかの指定です。

gihyo.co.jp
ネットワーク

wwwと
いう名前の
コンピュータ

どのサーバとやり取りを
行うかの指定です。

目的のファイルまでの
パスを指定するのです

book

index.html

dev

magazine

wdpress

サーバ上の、どのファイルをやり取り
するかの指定です。

つまり上記URLの意味というのは、
① HTTPというプロトルを使って、
② gihyo.co.jp というネットワークの、
③ wwwというWebサーバが公開している、
④ /book ディレクトリの下の、
⑤ index.html というファイル
…をやり取りするぜ！ということになるのです

サーチエンジンとSEO（Search Engine Optimization）

WWWに広がる膨大な量のドキュメントから、利用者が自身の求める適切な情報を探し出すには、検索サイトの存在が欠かせません。

このような検索サイトにおいて、特定のキーワードで検索された場合に、自社のWebサイトが検索結果の上位に表示されるよう構成を工夫する取り組みのことをSEOと言います。

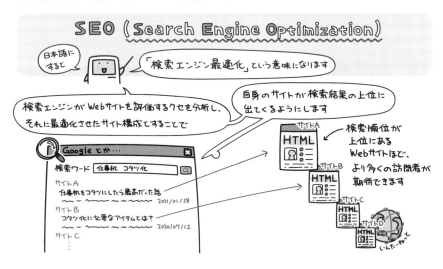

ちなみに、この手法を悪用して、詐欺サイトや不正なソフトウェアを仕込んだページが、検索結果の上位に表示されるよう細工する攻撃手法がSEOポイズニングです。

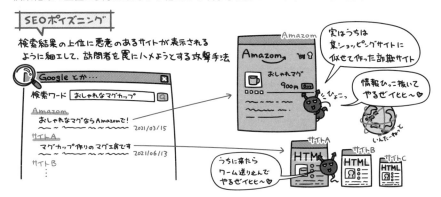

CGM（Consumer Generated Media）

CGMとは、直訳すると「消費者により生成されたメディア」という意味になります。

　要するに、サービス利用者が投稿することによって形成されていくメディアのことです。わかりやすいところでは、読者投稿型の料理レシピサイトなど。各種ブログやBBS、SNSなどもこれに該当します。

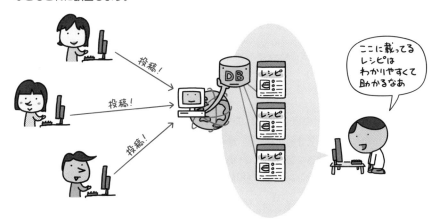

問 1 (IP-H30-S-31)

インターネットに接続する通信ネットワークを提供する事業者はどれか。

ア ASP イ ISP ウ SaaS エ SNS

解説

ア ASP（Application Service Provider）は、インターネットを通じて顧客に汎用的なアプリケーションソフトウェアの機能（例えば、財務会計や給与計算）を提供するサービス事業者のことです。

イ ISP（Internet Service Provider）は、インターネット接続のサービスを提供する事業者のことです。

ウ SaaS（Software as a Service）は、ユーザが必要とするITサービスを利用できるようにしたソフトウェアもしくはその提供形態のことです。SaaSを提供する事業者がASPである、と考えても構いません。

エ SNS（Social Network Service）は、社会的ネットワークをインターネット上で構築するサービスを意味する用語ですが、具体例として「Facebook」や「Twitter」を思い浮かべれば、わかりやすいでしょう。

問 2 (IP-R02-A-80)

HyperTextの特徴を説明したものはどれか。

ア いろいろな数式を作成・編集できる機能をもっている。

イ いろいろな図形を作成・編集できる機能をもっている。

ウ 多様なテンプレートが用意されており，それらを利用できるようにしている。

エ 文中の任意の場所にリンクを埋め込むことで関連した情報をたどれるようにした仕組みをもっている。

解説

　HyperTextは、244ページで説明されているHTML（HyperText Markup Language）の前半部分であり、選択肢エの記述のような仕組みを持っています。なお、244ページの用語の使い方に従えば、選択肢エは、「文中の任意の場所にアンカータグを埋め込むことで…」となります。

"http://example.co.jp/index.html" で示されるURLのトップレベルドメイン (TLD) はどれか。

ア http イ example ウ co エ jp

解 説

　本問の「example.co.jp」がドメイン名であり、右記のように分解されます。つまり、トップレベルドメインは、「.」(ピリオド)で区切られたドメイン名のうち、一番右にあるものです。

$$\underset{\substack{\text{サードレベルドメイン}\\ \text{セカンドレベルドメイン}}}{\text{example.}\;\underset{}{\text{co.}}}\;\underset{\text{トップレベルドメイン}}{\text{jp}}$$

cookieを説明したものはどれか。

ア Webサイトが、Webブラウザを通じて訪問者のPCにデータを書き込んで保存する仕組み又は保存されるデータのこと

イ Webブラウザが、アクセスしたWebページをファイルとしてPCのハードディスクに一時的に保存する仕組み又は保存されるファイルのこと

ウ Webページ上で、Webサイトの紹介などを目的に掲載されている画像のこと

エ ブログの機能の一つで、リンクを張った相手に対してその旨を通知する仕組みのこと

解 説

ア cookie (クッキー) とは、WebサイトのWebサーバが、訪問者のスマートフォンやPCに送信し、保存されるデータもしくはその仕組みのことです。Webサイトを訪れた日時や、ログインID、パスワード、訪問者が入力したデータなどがcookieに記録されます。
　cookieを利用している場合、①一度、入力したデータを記録しているので、それを使って再入力の手間が省ける。②cookieに記録されたデータから、訪問者が興味を持っている情報や広告が表示される。といったメリットがあります。
　しかし、ある人 (Aさん) がインターネットカフェや学校のPCを利用した場合、Aさんのcookieのデータ (例えば、IDとパスワード) がそのPCに記録されます。Aさんが離席し、BさんがそのPCを利用する場合、Bさんは、Aさんのcookieのデータを見られるので、それを悪用できます。したがって、cookieは情報セキュリティ上のリスクを伴うデメリットもあります。

　イ・ウ・エは、下記の用語の説明です。
イ ブラウザキャッシュ　ウ バナー画像　エ トラックバック

正解▶問1：イ 問2：エ 問3：エ 問4：ア

電子メール

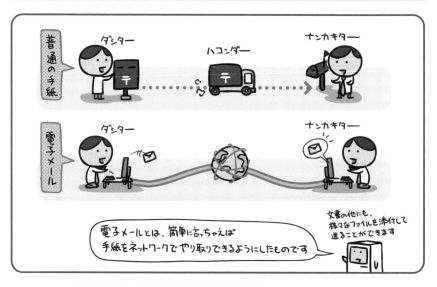

電子メールは手紙のコンピュータネットワーク版。
メールアドレスを使ってメッセージをやり取りします。

　携帯電話が普及したことで、電子メールという存在はかなり認知されるようになりました。いちいち文書を印刷して封筒に入れてポストに投函して…としていた従来の手紙とは異なり、コンピュータ上の文書をそのままネットワークに乗せて短時間で相手へ送り届けることができる手紙（mail）。それが電子メールです。

　電子メールでは、ネットワーク上のメールサーバをポスト兼私書箱のように見立てて、テキストや各種ファイルをやり取りします。昔はテキスト情報しかやり取りできなかったのですが、MIME（Multipurpose Internet Mail Extensions）という規格の登場によって、様々なファイル形式が扱えるようになりました。メール本文に画像や音声など、なんらかのファイルを添付する場合に、このMIME規格が使われます。

　電子メールを実際にやり取りするには、電子メールソフト（メーラー）と呼ばれるアプリケーションソフトを使用します。

手紙のやり取りに住所と名前が必要であるように、電子メールのやり取りにもメールアドレスという、住所＋名前に相当するものが使われます。

これは、「インターネット上で自分の私書箱がどこにあるか」を表現したもので、次のような形式となっています。

ドメイン名

メールアドレスの、@より右側の部分は「ドメイン名」をあらわします。

インターネット上における私書箱の位置…つまりは郵便で言うところの住所にあたる情報です。

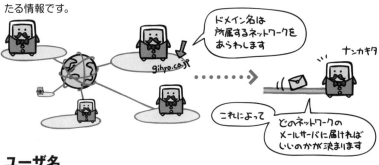

ユーザ名

メールアドレスの、@より左側の部分は「ユーザ名」をあらわします。

郵便で言うところの名前にあたる情報です。ひとつのドメイン内で重複する名前を用いることはできません。

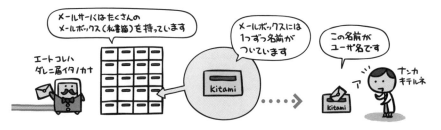

8
ネットワーク

メールの宛先には種類がある

さて、メールをやり取りするにはメールアドレスを宛先として指定するわけですが、この宛先がよく見てみると数種類用意されていたりします。

実は電子メールというのは、その目的に応じて3種類の宛先を使い分けできるようになっているのです。それぞれの意味というのは次のような感じ。

TO

本来の意味の「宛先」です。送信したい相手のメールアドレスをこの欄に記載します。

CC

Carbon Copy（カーボンコピー）の略で、「参考までにコピー送っとくから、一応アナタも見といてね」としたい相手のメールアドレスをこの欄に記載します。

BCC

Blind Carbon Copy（ブラインドカーボンコピー）の略で、「他者には伏せた状態でコピー送っとくから、一応アナタも見といてね」としたい相手のメールアドレスをこの欄に記載します。

1対1でメールのやり取りをしている時には、TO以外の宛先欄を意識することはまずありません。じゃあどんな時に使うかというと、「複数の宛先にまとめてメールを送信したい時」に使います。このように、同じメールを複数の相手に出すやり方を同報メールと呼びます。

たとえば「お客さんへの報告書を主任と部長にも見ておいて欲しいんだけど、部長にも送ってるってことがお客さんに見えてしまうのは少々好ましくない」という場合、それぞれの宛先欄には次のように記載します。

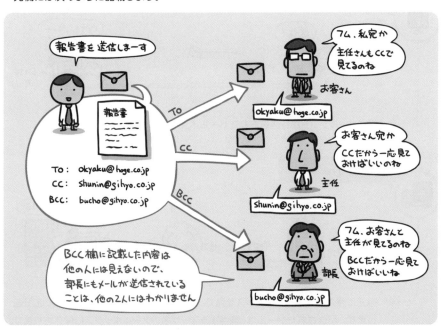

電子メールを送信するプロトコル (SMTP)

電子メールの送信には、SMTPというプロトコルを使用します。
たとえば電子メールを実際の郵便に置きかえて考えると…

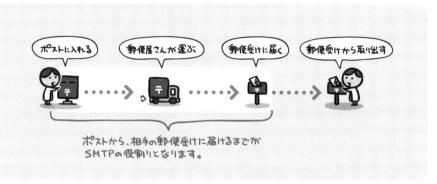

ポストに入れる　郵便屋さんが運ぶ　郵便受けに届く　郵便受けから取り出す

ポストから、相手の郵便受けに届けるまでが
SMTPの役割りとなります。

このSMTPに対応したサーバのことをSMTPサーバと呼びます。
SMTPサーバには、次のような2つの仕事があります。

郵便ポスト

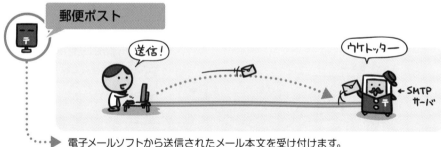

送信！　ウケトッター　←SMTPサーバ

▶ 電子メールソフトから送信されたメール本文を受け付けます。

郵便屋さん

郵便デース　お？　kitami宛てですな　SMTPサーバ　シュタッ

▶ 宛先に書かれたメールアドレスを見て、相手先のメールサーバへとメールを配送
します。配送されたメールは、該当するユーザ名のメールボックスに保存されます。

電子メールを受信するプロトコル (POP)

一方、電子メールを受信するには、POPというプロトコルを使用します。
先ほどと同じく実際の郵便に置きかえて考えると…

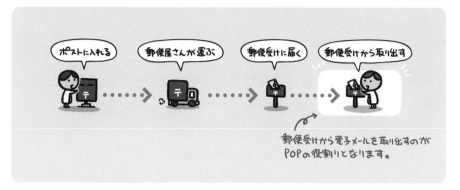

郵便受けから電子メールを取り出すのが
POPの役割りとなります。

このPOPに対応したサーバのことをPOPサーバと呼びます。

POPサーバは、電子メールソフトなどのPOPクライアントから「受信メールくださいな」
と要求があがってくると…

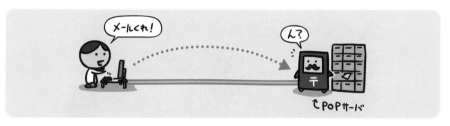

メールくれ！

ん？

POPサーバ

そのユーザのメールボックスから、受信済みのメールを取り出して配送します。

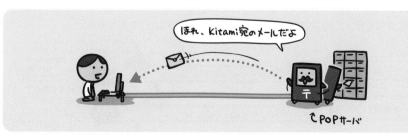

ほれ、kitami宛のメールだよ

POPサーバ

現在は「POP Version3」を意味するPOP3が広く使われています。

電子メールを受信するプロトコル（IMAP）

　IMAP（Internet Message Access Protocol）は、POPと同じく電子メールを受信するためのプロトコルです。

　POPとは異なり、送受信データをサーバ上で管理するため、どのコンピュータからも同じデータを参照することができます。

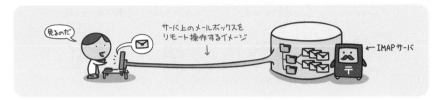

　現在はIMAP4というバージョンが広く用いられています。

電子メールを暗号化して送受信するプロトコル

　これまで取り上げてきた、SMTP、POP、IMAPという電子メール用のプロトコルは、いずれもネットワーク上を無防備な素のデータとしてやり取りします。

　そこで、SSL/TLS（P.317）という暗号化プロトコルを用いることにより、サーバとの間の通信経路を安全にやり取りできるようにしたのが次のプロトコルたちです。

MIME（Multipurpose Internet Mail Extensions）

電子メールでは、本来ASCII文字しか扱うことができません。そこで、日本語などの複数バイト文字や、画像データなどファイルの添付を行えるようにする拡張規格がMIME（Multipurpose Internet Mail Extensions）です。

当然そのままでは本来の文と区別がつかなくなるので、メールをパートごとに分けて、どんなデータなのか種別を記します。受信側はこの種別を元に、各パートを復元して参照するわけです。

このMIMEに、暗号化やデジタル署名の機能を加えた規格としてS/MIMEがあります。

S/MIMEを利用することで、途中の通信経路の状態を問わず、メール本文を盗聴の危険から守ることができます。

電子メールのメッセージ形式

現在、電子メールの本文を記述するメッセージ形式には、テキスト形式とHTML形式の2種類があります。

テキスト形式
- ・文字だけで構成されるメール形式
- ・一般的に使われているのはこれ
- ・多くの環境で問題なく読んでもらえる

見た目が文字だけという話ではなくて、データの中身が文字コードのみで構成されていることを意味してます

プレーンテキストといいます

HTML形式
- ・Webページの記述に用いられるHTMLで本文を作成するメール形式
- ・Webページ同様にタグが使えるため、文字の装飾や画像の埋込、リンクの設定など、見栄え良く本文を構成することができる。
- ・受信側もHTML形式に対応していないと、意図した通りに表示されない

もともと電子メールというのは、MIMEの項でも述べた通り、テキスト形式のみ…それも最もシンプルなASCII文字に限られていました。そこにMIMEなどの拡張が施されてより多くの文字が扱えるようになり、さらに「より表現力を」という需要を満たす形で開発されたのがHTML形式のメールです。

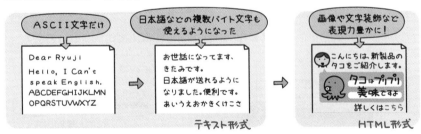

HTML形式であるため、Webページと同じく文字の装飾や本文内に画像を配置するなどの多様な表現力を持ちますが、その一方で閲覧時には、本文内に悪意のあるスクリプトが埋め込まれていて自動実行される可能性や、偽装Webサイトへ誘導するフィッシング（P.290）詐欺被害に合うなどの危険性に留意する必要があります。

電子メールは文字化け注意!!

電子メールの便利なところは、相手のデバイスを意識せずにメールのやり取りができることです。考えてみれば、世界中の誰かさんとインターネットでつながって、相手が何を使ってメールを読むのかも知らないままやり取りできちゃう。これってすごいことですよね。

ただ、そこでちょっと思い出して欲しいのが文字コード (P.77) の話。

文字コードには色んな種類がありますから、あるコンピュータで表示できる文字だからといって、それが他のコンピュータでも表示できるとは限らないのです。

このように、特定のコンピュータでしか表示できない文字のことを機種依存文字と呼びます。

機種依存文字には次のようなものがあります。あと、厳密には機種依存文字ではないのですが、半角カナ（ｱｲｳｴｵみたいなの）も同じく文字化けの原因になりますので、ともにメールでの使用は控えた方が無難です。

丸付数字	① ② ③ ④ ⑤ ⑥ ⑦ ⑧ ⑨ ⑩ ⑪ ⑫ ⑬ ⑭ ⑮ ⑯ ⑰ ⑱ ⑲ ⑳
ローマ数字	Ⅰ Ⅱ Ⅲ Ⅳ Ⅴ Ⅵ Ⅶ Ⅷ Ⅸ Ⅹ
単位	㍉ ㌔ ㌢ ㍍ ㌘ ㌧ ㌃ ㌶ ㍑ ㍗ ㌍ ㌦ ㌣ ㌫ ㍊ ㌻ mm cm km mg kg cc ㎡
省略文字	㏍ ㏍ ㏋ ㊤ ㊥ ㊦ ㊧ ㊨ ㈱ ㈲ ㈹ ㍾ ㍽ ㍼

· ·

問 **1**

(IP-R05-92)

電子メールに関する記述のうち，適切なものはどれか。

ア 電子メールのプロトコルには，受信にSMTP，送信にPOP3が使われる。

イ メーリングリストによる電子メールを受信すると，その宛先には全ての登録メンバーのメールアドレスが記述されている。

ウ メールアドレスの "@" の左側部分に記述されているドメイン名に基づいて，電子メールが転送される。

エ メール転送サービスを利用すると，自分名義の複数のメールアドレス宛に届いた電子メールを一つのメールボックスに保存することができる。

解説

ア 電子メールのプロトコルには、受信にPOP3もしくはIMAP4、送信にSMTPが使われます。

イ メーリングリストによる電子メールを受信すると、その宛先には、受信した自分のメールアドレスだけが記述されています。なお、メーリングリストとは、一つのメールアドレスを使って、メールアドレスが異なる複数の人に、同じ電子メールを同時に送信できる仕組みのことです。

ウ メールアドレスの "@" の右側部分に記述されているドメイン名に基づいて、電子メールが転送され、受信者のメールサーバに到着します。

エ そのとおりです。

問 **2**

(IP-R04-87)

メールサーバから電子メールを受信するためのプロトコルの一つであり，次の特徴をもつものはどれか。

① メール情報をPC内のメールボックスに取り込んで管理する必要がなく、メールサーバ上に複数のフォルダで構成されたメールボックスを作成してメール情報を管理できる。

② PCやスマートフォンなど使用する端末が違っても、同一のメールボックスのメール情報を参照、管理できる。

ア IMAP　　　イ NTP　　　ウ SMTP　　　エ WPA

解説

ア IMAPの説明は、256ページを参照してください。

イ NTP (Network Time Protocol) は、サーバなどに内蔵されている時計の時刻を、ネットワークを介して正確に設定するためのプロトコルです。

ウ SMTPの説明は、254ページを参照してください。

エ WPA (Wi-Fi Protected Access) は、無線LANの暗号化方式のひとつです。

問3
(IP-R02-A-92)

AさんがXさん宛ての電子メールを送るときに，参考までにYさんとZさんにも送ることにした。ただし，Zさんに送ったことは，XさんとYさんには知られたくない。このときに指定する宛先として，適切な組合せはどれか。

	To	Cc	Bcc
ア	X	Y	Z
イ	X	Y, Z	Z
ウ	X	Z	Y
エ	X, Y, Z	Y	Z

解説

　本問は，「Xさん宛ての電子メールを送るときに，参考までにYさんとZさんにも送ることにした」としているので，Xさんのメールアドレスは，To（252ページ参照）に，YさんとZさんのメールアドレスは，Cc（252ページ参照）に指定するはずです。しかし，本問では，さらに「ただし，Zさんに送ったことは，XさんとYさんには知られたくない」としているので，Zさんのメールアドレスは，Ccではなく，Bcc（252ページ参照）に指定します。

問4
(IP-R03-59)

Aさんが，Pさん，Qさん及びRさんの3人に電子メールを送信した。Toの欄にはPさんのメールアドレスを，Ccの欄にはQさんのメールアドレスを，Bccの欄にはRさんのメールアドレスをそれぞれ指定した。電子メールを受け取った3人に関する記述として，適切なものはどれか。

ア　PさんとQさんは，同じ内容のメールがRさんにも送信されていることを知ることができる。
イ　Pさんは，同じ内容のメールがQさんに送信されていることを知ることはできない。
ウ　Qさんは，同じ内容のメールがPさんにも送信されていることを知ることができる。
エ　Rさんは，同じ内容のメールがPさんとQさんに送信されていることを知ることはできない。

解説

ア　Rさんのメールアドレスは，Bccの欄に指定されているので，PさんとQさんは，同じ内容のメールがRさんにも送信されていることを知ることはできません。
イ　Qさんのメールアドレスは，Ccの欄に指定されているので，Pさんは，同じ内容のメールがQさんに送信されていることを知ることができます。
ウ　そのとおりです。
エ　Rさんのメールアドレスは，Bccの欄に指定されているので，Rさんは，同じ内容のメールがPさんとQさんに送信されていることを知ることができます。

ビッグデータと人工知能

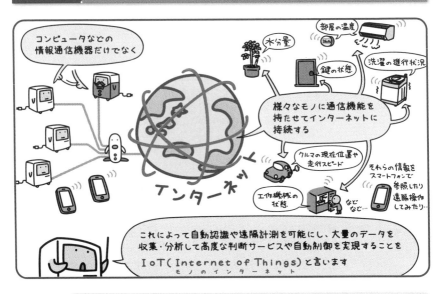

様々な"モノ"がインターネットにつながることで、
膨大な情報が日々蓄積され、その活用範囲を広げています。

　IoTとはInternet of Thingsの略。「モノのインターネット」と訳されています。モノのデジタル化・ネットワーク化が進んだ社会のような意味だと捉えれば良いでしょう。

　かつてはコンピュータ同士を広く接続するインフラとして用いられていたインターネットですが、スマートフォンやタブレットなどの情報端末、テレビやBDレコーダーなどのデジタル家電にはじまり、今ではスマート家電や各種センサーを搭載した様々な"モノ"が、インターネットに接続されるようになりました。

　こうした数多くのモノが、そのセンサーによって見聞きしたあらゆる事象は、インターネット上に「ビッグデータ」と言われる膨大な「数値化されたデジタル情報」を日々生み出し続けています。あまりに膨大すぎて人の手にはあまるので、このビッグデータの活用には、人工知能(AI)技術が欠かせません。その一方で、人工知能技術自体の発達にも、ビッグデータが一役も二役も買っているのが面白いところです。

　本節では、そうしたビッグデータと人工知能について見ていきます。

　IoT社会の現代において、ビッグデータと人工知能の組み合わせは、デジタル技術をさらに躍進させる存在として注目を浴びています。

ビッグデータ

　前ページでも述べていた通り、「とにかく膨大」なデータだからビッグデータ。どこからがじゃあビッグなのかというと、典型的なデータベースソフトウェアが把握し、蓄積し、運用し、分析できる能力を超えたサイズのデータを指すとされています。

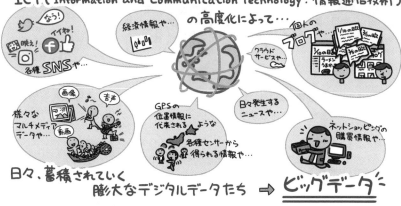

　このビッグデータが持つ大きな特性が、次に挙げる「3つのV」です。

　これらを分析する際は、一部を抜き出して対象とするようなサンプリングは行わず、データ全体を対象に統計的手法を用いて行います。大量のデータを統計的、数学的手法で分析し、法則や因果関係を見つけ出す技術をデータマイニングと言います。

人工知能（AI：Artificial Intelligence）

人間は明確な定義やプログラミングされた指示がなくとも、知り得た情報をもとに分析し、自然と学習を行うことで多様な意志判断を行うことができます。

こうした知的能力を、コンピュータシステム上で実現させる技術を人工知能（AI：Artificial Intelligence）と呼びます。

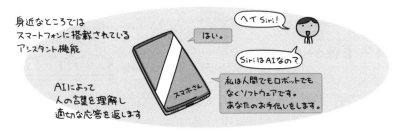

ビッグデータの有する膨大な情報は、その膨大さゆえに、管理や分析は難しいものがありました。特に画像や音声などは人の手によってひとつずつ解析するしかなく、これを大量にさばくことは現実的ではありませんでした。

それを可能にしたのがAIです。

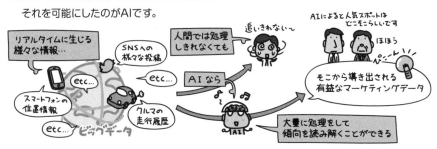

このAIを実現するための中核技術に機械学習があります。

近年におけるAIの目覚ましい発達は、この学習技術の登場によってもたらされたと言っても過言ではありません。一方で、その学習精度を高めるためには、大量のデータを投入する必要があります。つまりその発達にはビッグデータの存在が欠かせません。

このように、ビッグデータとAIは、互いの可能性を高め合う共存共栄関係にあるのです。

機械学習

　機械学習は、AIを実現するための中核技術です。字面の通り、機械が学習することで、タスク遂行のためのアルゴリズムを自動的に改善していくのが特徴です。

 学習方法には大きく分けてこの3つがあります！

 **教師あり学習**　データと正解をセットにして与える(もしくは誤りを指摘する)手法です。たとえば大量の猫の写真を「猫」という正解付きで与えることにより、コンピュータは「どのような特徴があれば猫なのか」を自ら学習し、判別できるようになります。

データ
正解

 **教師なし学習**　データのみを与える手法です。たとえば猫と犬と人の写真を大量に与えることにより、コンピュータは共通の特徴や法則性を自ら見つけ出し、データの集約や分類を行えるようになります。

データ

 強化学習　個々の行動に対する善し悪しを得点として与えることで、得点がもっとも多く得られる方策を学習する手法です。コンピュータが試行錯誤しながら行動し、偶然良い結果(報酬)が得られた時の行動を学習することで、適切なアルゴリズムを導き出します。

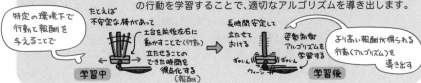

　この機械学習をさらに発展させたものとして、ディープラーニング（深層学習）があります。これは、人間の脳神経回路を模したモデル（これをニューラルネットワークという）に大量のデータを解析させることで、コンピュータ自体が自動的にデータの特徴を抽出して学習を行うというものです。

このように出題されています
過去問題練習と解説

問1

(IP-R03-19)

ビッグデータの分析に関する記述として，最も適切なものはどれか。

ア　大量のデータから未知の状況を予測するためには，統計学的な分析手法に加え，機械学習を用いた分析も有効である。

イ　テキストデータ以外の，動画や画像，音声データは，分析の対象として扱うことができない。

ウ　電子掲示板のコメントやSNSのメッセージ，Webサイトの検索履歴など，人間の発信する情報だけが，人間の行動を分析することに用いられる。

エ　ブログの書き込みのような，分析されることを前提としていないデータについては，分析の目的にかかわらず，対象から除外する。

解説

ア　そのとおりです。　イ　テキストデータ以外の、動画や画像、音声データは、分析の対象として扱えます。　ウ　電子掲示板のコメントやSNSのメッセージ、Webサイトの検索履歴など、人間の発信する情報だけではなく、それ以外の情報も、人間の行動を分析することに用いられます。　エ　ブログの書き込みのような、分析されることを前提としていないデータについても、対象に含めることがあります。

問2

(IP-R06-28)

次の事例のうち，AIを導入することによって業務の作業効率が向上したものだけを全て挙げたものはどれか。

a　食品専門商社のA社が，取引先ごとに様式が異なる手書きの請求書に記載された文字を自動で読み取ってデータ化することによって，事務作業時間を削減した。

b　繊維製造会社のB社が，原材料を取引先に発注する定型的なPCの操作を自動化するツールを導入し，事務部門の人員を削減した。

c　損害保険会社のC社が，自社のコールセンターへの問合せに対して，オペレーターにつなげる前に音声チャットボットでヒアリングを行うことによって，オペレーターの対応時間を短縮した。

d　物流会社のD社が，配送荷物に電子タグを装着して出荷時に配送先を電子タグに書き込み，配送時にそれを確認することによって，誤配送を削減した。

ア　a, c　　　　イ　b, c　　　　ウ　b, d　　　　エ　c, d

解説

a　請求書は取引先ごとに様式が異なっているので、請求書の画像を認識し、その取引先を特定するところで、AIが活用されています。　b　RPA（133ページ参照）の事例です。　c　音声チャットボットでヒアリングを行うところで、AIが活用されています。　d　RFID（43ページ参照）の事例です。

問3 (IP-R03-20)

画像認識システムにおける機械学習の事例として，適切なものはどれか。

ア　オフィスのドアの解錠に虹彩の画像による認証の仕組みを導入することによって，セキュリティが強化できるようになった。

イ　果物の写真をコンピュータに大量に入力することで，コンピュータ自身が果物の特徴を自動的に抽出することができるようになった。

ウ　スマートフォンが他人に利用されるのを防止するために，指紋の画像認識でロック解除できるようになった。

エ　ヘルプデスクの画面に，システムの使い方についての問合せを文字で入力すると，会話形式で応答を得ることができるようになった。

解説

　選択肢イの「果物の写真をコンピュータに大量に入力することで，コンピュータ自身が果物の特徴を自動的に抽出する」が機械学習のヒントになっています。

問4 (IP-R04-24)

教師あり学習の事例に関する記述として，最も適切なものはどれか。

ア　衣料品を販売するサイトで，利用者が気に入った服の画像を送信すると，画像の特徴から利用者の好みを自動的に把握し，好みに合った商品を提案する。

イ　気温，天候，積雪，風などの条件を与えて，あらかじめ準備しておいたルールベースのプログラムによって，ゲレンデの状態がスキーに適しているか判断する。

ウ　麺類の山からアームを使って一人分を取り，容器に盛り付ける動作の訓練を繰り返したロボットが，弁当の盛り付けを上手に行う。

エ　録音された乳児の泣き声と，泣いている原因から成るデータを収集して入力することによって，乳児が泣いている原因を泣き声から推測する。

解説

　265ページで説明しているとおり，「教師あり学習」の特徴は，データと正解をセット（組）にして人工知能に与えることです。選択肢エは，データ（録音された乳児の泣き声）と正解（泣いている原因）をセットで入力しています。

問5 (IP-R02-A-19)

ディープラーニングを構成する技術の一つであり，人間の脳内にある神経回路を数学的なモデルで表現したものはどれか。

ア　コンテンツデリバリネットワーク　　　　イ　ストレージエリアネットワーク
ウ　ニューラルネットワーク　　　　　　　　エ　ユビキタスネットワーク

解説

　選択肢ウの「ニューラルネットワーク」の「ニューラル（neural）」は，直訳すると「神経（系）の」という意味であり，問題文の「人間の脳内にある神経回路」と結びつけると覚えやすいです。

正解 ▶ 問1：ア　問2：ア　問3：イ　問4：エ
　　　問5：ウ

Chapter 9 セキュリティ

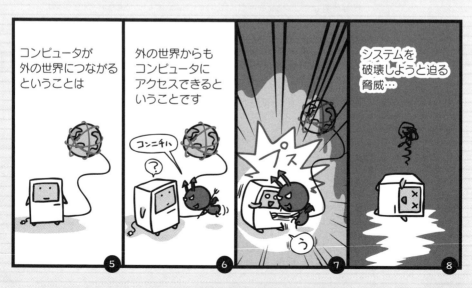

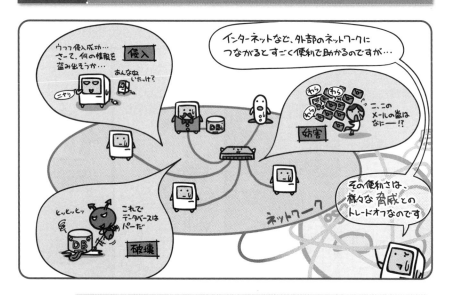

Chapter 9-1 ネットワークに潜む脅威と情報セキュリティ

 外部とつながれたネットワークには、様々な脅威が存在しています。

　世界中アチコチにつながっているインターネット。企業のネットワークをこいつにつなぐと確かに便利なのですが、それは同時に「外部ネットワークに潜む悪意ともつながる」という危険性をはらんでいます。

　たとえば外部の人間…特に悪意を持った人間が自社のネットワークに侵入できてしまうとどうなるか。情報の漏洩はもちろん、重要なデータやファイルを破壊される恐れが出てきます。また、侵入を許さなかったとしても、大量の電子メールを送りつけたり、企業Webサイトを繰り返しリロードして負荷を増大させたりとすることで、サーバの処理能力をパンクさせる妨害行為なども起こりえます。

　考えてみれば、事務所に泥棒が入れば大変ですし、FAXを延々と送りつけてきて妨害行為を働くなんてのも古くからある手法ですよね。そのようなことと同じ危険が、ネットワークの中にもあるということなのです。

　悪意を持った侵入者は、常にシステムの脆弱性という穴を探しています。これらの脅威に対して、企業の持つ情報資産をいかに守るか。それが情報セキュリティです。

情報セキュリティマネジメントシステム
(ISMS: Information Security Management System)

　組織が自身の情報資産を適切に管理し、それらを守るための仕組みが情報セキュリティマネジメントシステム (ISMS) です。次ページでふれる情報セキュリティの3要素 (機密性、完全性、可用性) をバランス良く維持・改善していくことを目的とします。

　この情報セキュリティマネジメントシステムを、どのように構築し、維持・改善していくべきかを定めた規格がISO/IEC 27001 (JIS Q 27001) で…

　組織が構築した情報セキュリティマネジメントシステムが、この規格に基づいて適切に構築・運用されているかを証明するのが、第三者であるISMS認証機関が審査して認証を行うISMS適合性評価制度です。ここでISMS認証を受けた組織は、情報資産を適切に管理する仕組みを有してますよとなるわけです。

　しかし情報セキュリティ対策は、一度行ったら終わりというわけではありません。この分野は常に新しい脅威に対して備える必要があるため、PDCAサイクル (P.538) に基づいて継続的な見直しと改善のプロセスを繰り返すことが求められます。

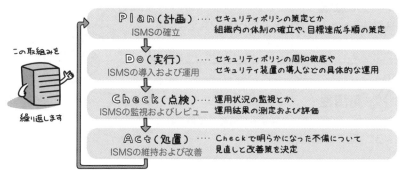

情報セキュリティの3要素

情報セキュリティは、「とにかく穴を見つけて片っ端からふさげばいい」というものではありません。たとえば次のように穴をふさいでみたとしましょう。

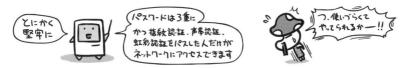

そう、「セキュリティのためだ」と堅牢なシステムにすればするほど、今度は「使いづらい」という問題が出てきてしまいます。そもそも「安全最優先」と言うのであれば、そこでつながってるLANケーブルを引っこ抜いちゃえばいいのです。でも、それだとネットワークの利便性が享受できないからよろしくない。じゃあ、安全性と利便性とをどこでバランスさせるか…。これがセキュリティマネジメントの基本的な考え方です。

そんなわけで情報セキュリティは、次の3つの要素を管理して、うまくバランスさせることが大切だとされています。

機密性
許可された人だけが情報にアクセスできるようにするなどして、情報が漏洩しないようにすることを指します。

完全性
情報が書き換えられたりすることなく、完全な状態を保っていることを指します。

可用性
利用者が、必要な時に必要な情報資産を使用できるようにすることを指します。

情報セキュリティの7要素

近年は前ページにあげた「機密性」、「完全性」、「可用性」の3要素に加えて、「真正性」「責任追跡性」「否認防止」「信頼性」という4つの要素を含む「情報セキュリティの7要素」が提唱されています。

これらを意識することで、さらに情報セキュリティを高めることができます。

 各特性はISO 27000規格の用語定義で次のように記されています
※責任追跡性のみ特に定義がありません

真正性 (authenticity)

 エンティティは、それが主張するとおりのものであるという特性。

責任追跡性 (accountability)

 accountabilityは「説明責任」という意味。いつ、だれが、何をしたのかを特定・追跡できる特性。

否認防止 (non-repudiation)

 主張された事象又は処置の発生、及びそれらを引き起こしたエンティティを証明する能力。

信頼性 (reliability)

 意図する行動と結果とが一貫しているという特性。

ちなみに！
エンティティは、"実体"、"主体"とも言います

ちょっと耳慣れない言葉ですよね

 情報セキュリティの文脈においては、情報を使用する組織及び人、情報を扱う設備、ソフトウェア及び物理的媒体などを意味します

セキュリティポリシ（情報セキュリティ方針）

さて、色々検討した末に、「ウチの情報セキュリティは、こんな風にして守るべきだぜ」と思い至ったとします。でも、思っているだけでは何も反映されません。

そこで、組織の経営者（トップマネジメント）が、企業としてどのように取り組むかを明文化して、従業員および関連する外部関係者に周知・徹底するわけです。これを、セキュリティポリシ（情報セキュリティ方針）と呼びます。

セキュリティポリシは基本方針と対策基準、実施手順の3階層で構成されています。

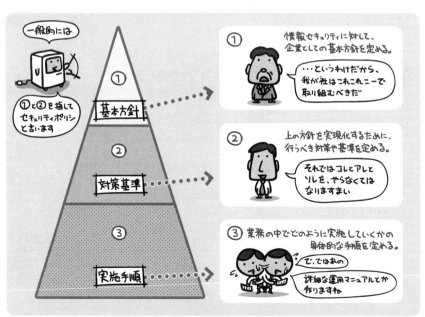

リスクマネジメント

　情報セキュリティの目的はなにかというと、「情報資産をリスクから守る」ことに尽きます。では、リスクとは具体的に何でしょう？

　情報セキュリティにおける「リスク」とは、「組織が持つ情報資産の脆弱性を突く脅威によって、組織が損害を被る可能性のこと」を指します。

　一方で、リスクマネジメントの国際的なガイドラインであるISO 31000:2018(JIS Q 31000:2019)では、「リスク」は次のように定義されています。

　つまり後者の定義に従えば、リスクというのは「組織が目的を達成する上で起こりうる不確かな要素」となるわけです。たとえば下記の例もみんなリスクです。

　…という具合に、リスクが示す範囲には定義によってちがいがあるんですけど、とにかくそうした不確定要素を予測し、分析して、その影響範囲を把握し、事前に対策を講ずるのがリスクマネジメントです。

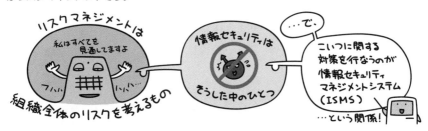

　リスクマネジメントは、経営層（トップマネジメント）が責任を負い、業務の一環として役割を分担しながら、全社的に取り組むものです。

リスクマネジメントに含まれる4つのプロセス

　リスクは小さなものから大きなものまで多種多様にあるものです。それらすべてに対応できれば理想的でしょうが、それでは費用対効果が悪くてしょうがないので、取捨選択を行う必要があります。そこで出てくるのがリスク受容基準です。

　リスクマネジメントでは、この受容基準におさまらないリスクを洗い出し、適切に管理しなくてはいけません。そのために行われるのが、次に示す4つのプロセスです。

①	リスク特定	リスクを洗い出す。
②	リスク分析	特定したリスクのもたらす結果(影響度)と起こりやすさ(発生頻度)から、リスクの大きさ(リスクレベル)を算定する。
③	リスク評価	算定したリスクレベルをリスク受容基準と照らし合わせて対応の必要性を判断し、リスクレベルに基づいて優先順位をつける。
④	リスク対応(対策)	リスクに対してどのような対応を行うか決定する。

　このうち、リスク特定からリスク評価までの3つのプロセスをリスクアセスメントといいます。リスクアセスメントでは、リスクを分析・評価することで、リスク基準と照らし合わせて対応が必要となるか否かを判断します。

　JIS Q 27001:2014に基づく情報セキュリティマネジメント管理基準では、リスクアセスメントを次のような手順であると定めています。

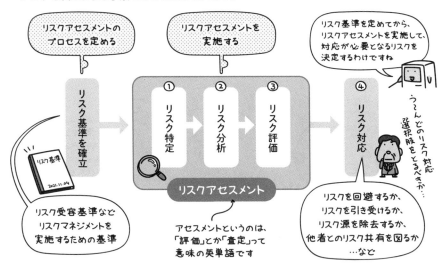

セキュリティリスクへの対応

リスクアセスメントによって評価を終えたリスクに対し、どのように対処するか対応計画を策定および実践するのがリスク対応(対策)です。

これには大別してリスクコントロールとリスクファイナンシングという2つの手法があり、それぞれ次のように6つの手段に細分化されます。

区分	手段	内容
リスクコントロール	回避	リスクを伴う活動自体を中止し、予想されるリスクを遮断する対策。リターンの放棄を伴う。
	損失防止	損失発生を未然に防止するための対策、予防措置を講じて発生頻度を減じる。
	損失削減	事故が発生した際の損失の拡大を防止・軽減し、損失規模を抑えるための対策。
	分離・分散	リスクの源泉を一箇所に集中させず、分離・分散させる対策。
リスクファイナンシング	移転	保険、契約等により損失発生時に第三者から損失補てんを受ける方法。
	保有	リスク潜在を意識しながら対策を講じず、損失発生時に自己負担する方法。

『中小企業白書』(2016年度版) by 中小企業庁より

リスクコントロールは
「損失の発生を防止する、もしくは発生した損失の拡大を防止する」もの

リスクファイナンシングは
「損失を補てんするための財務的な備えを講ずる」もの

不正のトライアングル

　不正のトライアングルとは、米国の犯罪学者ドナルド・R・クレッシーが提唱した理論を体系化したものです。「機会」「動機・プレッシャー」「姿勢・正当化」という3つの要素が揃った場合に不正が発生するとされています。

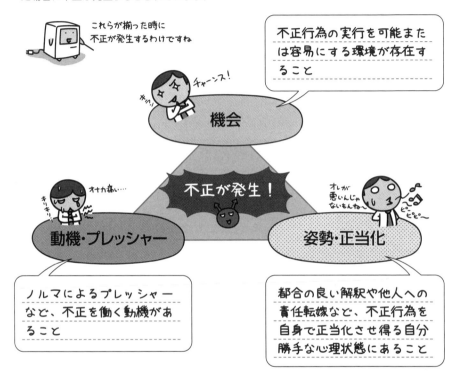

　これは、逆に言えば「3つの要素のうち1つでも欠けると不正は起きない」ことを意味しています。つまり不正を防止するためには、どれか1つを排除できれば良いわけですね。

JPCERTコーディネーションセンター (JPCERT/CC) とインシデント対応チーム (CSIRT)

JPCERTコーディネーションセンター (JPCERT/CC)というのは、次の言葉の略称です。

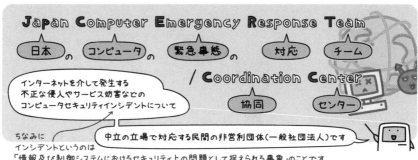

JPCERT/CCでは、日本における情報セキュリティ対策活動の向上に取り組んでおり、インシデント発生の報告受付、対応支援、発生状況の把握、手口の分析、再発防止のための対策の検討や助言などを行っています。

様々な組織内に構築されているインシデント対応チーム(CSIRT)間をつなぐ情報交換網の役割も担っています

このJPCERT/CCが、組織的なインシデント対応体制の構築や運用を支援する目的で取りまとめた資料に「CSIRTマテリアル」があります。

個人情報保護法とプライバシーマーク

　企業からの情報漏洩として、最近とみに取り沙汰されるのが「個人情報」に関するものです。個人情報とは、次のような内容を指します。

　個人情報保護法というのは、こうした個人情報を、事業者が適切に取り扱うためのルールを定めたものです。たとえば「顧客リストが横流しされて、セールスの電話がジャンジャカかかってくるようになった」などに代表される、消費者が不利益を被るケースを未然に防ぐことが目的です。

　個人情報に関する認定制度として、プライバシーマーク制度があります。
　これは、「JIS Q 15001（個人情報保護マネジメントシステム—要求事項）」に適合して、個人情報の適切な保護体制が整備できている事業者を認定するものです。

. . . .

問 1
(IP-R06-11)

品質に関する組織やプロセスの運営管理を標準化し，マネジメントの質や効率の向上を目的とした方策として，適切なものはどれか。

ア　ISMSの導入 　　　　イ　ISO 9001の導入
ウ　ITILの導入 　　　　エ　プライバシーマークの取得

解説

選択肢ア・ウ・エの用語説明は、下記のページを参照してください。
ア　271ページ 　　　ウ　384ページ 　　　エ　280ページ
選択肢イのISO 9001は、品質マネジメントシステムを構築・運用するための規格です。

問 2
(IP-R04-72)

情報セキュリティにおける機密性，完全性及び可用性と，①～③のインシデントによって損なわれたものとの組合せとして，適切なものはどれか。

① DDoS攻撃によって，Webサイトがダウンした。
② キーボードの打ち間違いによって，不正確なデータが入力された。
③ PCがマルウェアに感染したことによって，個人情報が漏えいした。

	①	②	③
ア	可用性	完全性	機密性
イ	可用性	機密性	完全性
ウ	完全性	可用性	機密性
エ	完全性	機密性	可用性

解説

①「Webサイトがダウンした」＝「使えなくなった」ので、可用性が損なわれます。　②「不正確なデータが入力された」ので、完全性が損なわれます。　③「個人情報が漏えいした」ので、機密性が損なわれます。可用性、完全性、機密性の説明は、272ページを参照してください。

問 3
(IP-R06-64)

情報セキュリティのリスクマネジメントにおけるリスクへの対応を，リスク共有，リスク回避，リスク保有及びリスク低減の四つに分類するとき，リスク共有の例として，適切なものはどれか。

ア　災害によるシステムの停止時間を短くするために，遠隔地にバックアップセンターを設置する。
イ　情報漏えいによって発生する損害賠償や事故処理の損失補填のために，サイバー保険に加入する。

ウ　電子メールによる機密ファイルの流出を防ぐために，ファイルを添付し
　　　　た電子メールの送信には上司の許可を必要とする仕組みにする。
　　エ　ノートPCの紛失や盗難による情報漏えいを防ぐために，HDDを暗号
　　　　化する。

解説

　選択肢ア・ウ・エは，"リスク低減"に，選択肢イは"リスク共有"に該当します。なお，277ページの表の手段の"回避"が本問の"リスク回避"に，"損失防止"・"損失削減"・"分離・分散"が本問の"リスク低減"に，"移転"が本問の"リスク共有"に，"保有"が本問の"リスク保有"に，それぞれ該当します。また，"リスク回避"は，採用される頻度が著しく低いです。

問 4
(IP-R06-27)

個人情報保護法では，あらかじめ本人の同意を得ていなくても個人データの提供が許される行為を規定している。この行為に該当するものだけを，全て挙げたものはどれか。

　a　事故で意識不明の人がもっていた本人の社員証を見て，搬送先の病院
　　　が本人の会社に電話してきたので，総務の担当者が本人の自宅電話番
　　　号を教えた。
　b　新規加入者を勧誘したいと保険会社の従業員に頼まれたので，総務の
　　　担当者が新入社員の名前と所属部門のリストを渡した。
　c　不正送金等の金融犯罪被害者に関する個人情報を，類似犯罪の防止対
　　　策を進める捜査機関からの法令に基づく要請に応じて，総務の担当者
　　　が提供した。

　ア　a　　　　　　イ　a,c　　　　　　ウ　b,c　　　　　　エ　c

解説

　個人情報保護法の第18条3項には，あらかじめ本人の同意を得ていなくても個人データの提供が許される行為が規定されています。
　aは，第18条3項二号"人の生命，身体又は財産の保護のために必要がある場合であって，本人の同意を得ることが困難であるとき"に該当します。
　cは，第18条3項四号"国の機関若しくは地方公共団体又はその委託を受けた者が法令の定める事務を遂行することに対して協力する必要がある場合であって，本人の同意を得ることにより当該事務の遂行に支障を及ぼすおそれがあるとき"に該当します。

コンピュータシステムの利用にあたっては、
ユーザ認証を行うことでセキュリティを保ちます。

　たとえばですね、社内のコンピュータシステムを、適切な権限に応じて利用できるように
したいとします。部長さんしか見えちゃいけない書類はそのようにアクセスを制限して、み
んなが見ていい書類は誰でも見えるよう権限を設定して、そしてシステムを利用する権限が
ない人は一切アクセスできないように…と、そんなことがしたいとする。

　そのために、まず必要となる情報が、「今システムを利用しようとしている人は誰か?」と
いうものです。誰か識別できないと権限を判定しようがないですからね。

　この、一番最初に「アナタ誰?」と確認する行為。これをユーザ認証といいます。

　ユーザ認証は、不正なアクセスを防ぎ、適切な権限のもとでシステムを運用するためには
欠かせない手順です。

　ちなみに、ユーザ認証をパスしてシステムを利用可能状態にすることをログイン(ログオ
ン)、システムの利用を終了してログイン状態を打ち切ることをログアウト(ログオフ)と呼
びます。

ユーザ認証の手法

ユーザ認証には次のような方法があります。

ユーザIDとパスワードによる認証

ユーザIDとパスワードの組み合わせを使って個人を識別する認証方法です。基本的にユーザIDは隠された情報ではないので、パスワードが漏洩（もしくは簡単に推測できたり）しないように、その扱いには注意が必要です。

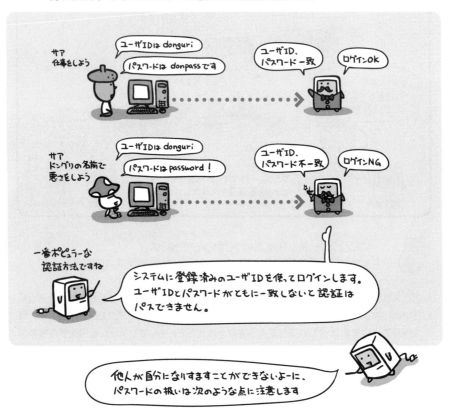

◎ 電話番号や誕生日など、推測しやすい内容をパスワードに使わない。

◎ 付箋やメモ用紙などに書いて、人目につく場所へ貼ったりしない。

◎ なるべく定期的に変更を心がけ、ずっと同じパスワードのままにしない。

バイオメトリクス認証

指紋や声紋、虹彩（眼球内にある薄膜）などの身体的特徴を使って個人を識別する認証方法です。生体認証とも呼ばれます。

ワンタイムパスワード

一度限り有効という、使い捨てのパスワードを用いる認証方法です。トークンと呼ばれるワンタイムパスワード生成器を使う形が一般的です。

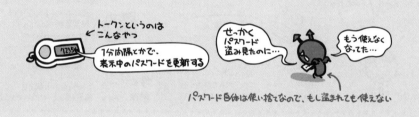

コールバック

遠隔地からサーバへ接続する場合などに、いったんアクセスした後で回線を切り、逆にサーバ側からコールバック（着信側から再発信）させることで、アクセス権を確認する認証方法です。

アクセス権の設定

社内で共有している書類を、「許可された人だけが閲覧できるようにする」というように設定できるのがアクセス権です。これがないと、知られちゃ困る情報がアチコチに漏れたり、大切なファイルが勝手に削除されてしまったりと困ったことになってしまいます。

アクセス権には「読取り」「修正」「追加」「削除」などがあります。これらをファイルやディレクトリに対してユーザごとに指定していくわけです。

その他に、たとえば「開発部の人は見ていいファイル」「部長職以上は見ていいディレクトリ」といった指定を行いたい場合は、個々のユーザに対してではなく、ユーザのグループに対して権限の設定を行います。

ソーシャルエンジニアリングに気をつけて

　ユーザ認証を行ったり、アクセス権を設定したりしても、情報資産を扱っているのは結局のところ「人」。なので、そこから情報が漏れる可能性は否定できません。

　そのような、コンピュータシステムとは関係のないところで、人の心理的不注意をついて情報資産を盗み出す行為。これをソーシャルエンジニアリングといいます。

　これについての対策は、「セキュリティポリシで重要書類の処分方法を取り決め、それを徹底する」といったもの…だけではなくて、社員教育を行うなどして、1人1人の意識レベルを改善していくことが大切です。

様々な不正アクセスの手法

不正アクセスにはその他にも様々な手法があります。代表的なものをいくつか見ておきましょう。

パスワードリスト攻撃

どこかから入手したID・パスワードのリストを用いて、他のサイトへのログインを試みる手法です。

ブルートフォース攻撃

特定のIDに対し、パスワードとして使える文字の組合せを片っ端から全て試す手法です。総当たり攻撃とも言います。

リバースブルートフォース攻撃

ブルートフォース攻撃の逆で、パスワードは固定にしておいて、IDとして使える文字の組合せを片っ端から全て試す手法です。

レインボー攻撃

ハッシュ値から元のパスワード文字列を解析する手法です。パスワードになりうる文字列とハッシュ値との組をテーブル化しておき、入手したハッシュ値から元の文字列を推測します。

SQLインジェクション

ユーザの入力値をデータベースに問い合わせて処理を行うWebサイトに対して、その入力内容に悪意のある問い合わせや操作を行うSQL文を埋め込み、データベースのデータを不正に取得したり、改ざんしたりする手法です。

DNSキャッシュポイズニング

DNSのキャッシュ機能を悪用して、一時的に偽のドメイン情報を覚えさせることで、偽装Webサイトへと誘導する手法です。

DNSサーバは問い合わせに対して、そのドメインを管理するサーバから情報を入手して返答します

この時、毎回情報を取りに行くのはムダなので入手した情報をキャッシュして保持して再利用します

不正アクセスによりこのキャッシュ情報を改ざんして…

偽の情報によって利用者を誤ったサイトへと誘導したりする

www.gihyo.jpのIPアドレスは？

www.gihyo.jpのIPアドレスは？

219.101.198.19です

DNSサーバ

777.IPアドレスを書き換えてやる…

コッチかな

Gihyo.jp

DoS(Denial of Service)攻撃

電子メールやWebリクエストなどを、通常ではあり得ないほど大量にサーバへ送りつけることで、ネットワーク上のサービスを提供不能にする手法です。

DDoS(Distributed Denial of Service)攻撃

上記DoS攻撃を、複数のコンピュータから一斉に行う手法です。

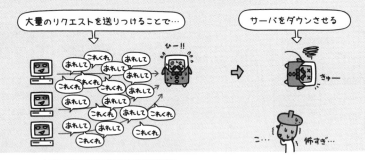

フィッシング

金融機関などを装った偽装Webサイトに利用者を誘導し、暗証番号をはじめとする個人情報を不正に取得しようとする手法です。多くの場合、誘導には正規業者を装った電子メールが用いられます。

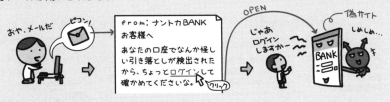

CAPTCHA

ネット上のサービスをよく利用する方であれば、ユーザ登録などWebフォームの入力時に、次のような入力を促されたことが1度はあるのではないでしょうか。

これは、コンピュータには読み取ることが難しいよう歪めるなどした文字を判読させることにより、「今Webフォームを入力しているのは間違いなく人間である」と判断するためのものです。

なぜこのようなことをするのかというと、機械による自動入力を排除するため。自動入力による不正ログインを防止することで、たとえばこれによって、「コンサートチケットの販売開始と同時に、機械による自動入力で大量にチケットを買い占める(この業者は、高値をつけて他者へ転売する)」といった行為を排除したりするわけです。

しかしコンピュータによる解読技術は年々向上しています。そのため、これに対応しようと文字の歪みを大きくすると、今度は人間にとっても判読が難しくなるという問題が生じています。

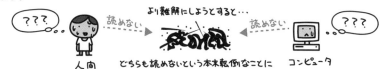

この技術のことをCAPTCHAと言います。

・・・・・・・・・・・・・・・・・・・・・・・・・・・・・・・・・・・・・・

問 1

(IP-R04-75)

バイオメトリクス認証に関する記述として，適切なものはどれか。

ア 指紋や静脈を使用した認証は，ショルダーハックなどののぞき見行為によって容易に認証情報が漏えいする。

イ 装置が大型なので，携帯電話やスマートフォンには搭載できない。

ウ 筆跡やキーストロークなどの本人の行動的特徴を利用したものも含まれる。

エ 他人を本人と誤って認証してしまうリスクがない。

解説

バイオメトリクス認証の説明は、285ページを参照してください。

問 2

(IP-R04-91)

ソーシャルエンジニアリングに該当する行為の例はどれか。

ア あらゆる文字の組合せを総当たりで機械的に入力することによって，パスワードを見つけ出す。

イ 肩越しに盗み見して入手したパスワードを利用し，他人になりすましてシステムを不正利用する。

ウ 標的のサーバに大量のリクエストを送りつけて過負荷状態にすることによって，サービスの提供を妨げる。

エ プログラムで確保している記憶領域よりも長いデータを入力することによってバッファをあふれさせ，不正にプログラムを実行させる。

解説

各選択肢は、下記に該当する行為の例です。
ア　ブルートフォース攻撃（288ページ）　　イ　ソーシャルエンジニアリング（287ページ）
ウ　DoS（Denial of Service）攻撃（290ページ）　　エ　バッファオーバーフロー攻撃

問 3

(IP-R04-95)

攻撃対象とは別のWebサイトから盗み出すなどによって，不正に取得した大量の認証情報を流用し，標的とするWebサイトに不正に侵入を試みるものはどれか。

ア DoS攻撃　　　　　　　　　イ SQLインジェクション

ウ パスワードリスト攻撃　　　　エ フィッシング

解説

各選択肢の説明は、下記を参照してください。
ア　DoS攻撃…290ページ　　　　　　イ　SQLインジェクション…289ページ
ウ　パスワードリスト攻撃…288ページ　エ　フィッシング…290ページ

問4 (IP-R02-A-85)

ファイルサーバに保存されている文書ファイルの内容をPCで直接編集した後，上書き保存しようとしたら"権限がないので保存できません"というメッセージが表示された。この文書ファイルとそれが保存されているフォルダに設定されていた権限の組合せとして，適切なものはどれか。

	ファイル読取り権限	ファイル書込み権限	フォルダ読取り権限
ア	あり	あり	なし
イ	あり	なし	あり
ウ	なし	あり	なし
エ	なし	なし	あり

解説

　本問の「ファイルサーバに保存されている文書ファイルの内容をPCで直接編集した後」は、「ファイルサーバのフォルダに保存されている文書ファイルの内容を読取り、PCで直接編集した後」と補って読み替えられるので、「フォルダ読取り権限」と「ファイル読取り権限」は、「あり」が該当します。さらに、本問は、「上書き保存しようとしたら"権限がないので保存できません"というメッセージが表示された」としているので、「ファイル書込み権限」は、「なし」が該当します。

問5 (IP-R03-56)

インターネットにおいてドメイン名とIPアドレスの対応付けを行うサービスを提供しているサーバに保管されている管理情報を書き換えることによって，利用者を偽のサイトへ誘導する攻撃はどれか。

ア　DDoS攻撃　　　　　　　　イ　DNSキャッシュポイズニング
ウ　SQLインジェクション　　　エ　フィッシング

解説

ア　DDoS (Distributed Denial of Service：分散サービス不能) 攻撃とは、悪意者が特定のサイトに対し、日時を決めて、複数台のPCなどを使って同時に大量のアクセスをし、他の正当なアクセスをできなくする攻撃のことです。290ページを参照してください。
イ　DNSキャッシュポイズニングに関する説明は、289ページを参照してください。
ウ　SQLインジェクションに関する説明は、289ページを参照してください。
エ　フィッシングとは、正規のメールやWebサイトを装って、偽のWebサイトに利用者を誘導し、パスワードやクレジットカード番号などを不正に入手する手口のことです。290ページを参照してください。

Chapter 9-3 | コンピュータウイルスの脅威

 第3者のデータなどに対して、意図的に被害を及ぼすよう
作られたプログラムがコンピュータウイルスです。

ウイルスウイルスというと、なにか得体の知れないものがやってきてコンピュータを狂わ
せるように思えますが、実際はコンピュータウイルス（単にウイルスとも呼びます）という
のも、単なるプログラムのひとつに過ぎません。ただその動作が、「コンピュータ内部のファ
イルを根こそぎごっそり削除いたします」というような、ちょっとしゃれにならない内容だっ
たりするだけです。

経済産業省の「コンピュータウイルス対策基準」によると、次の3つの基準のうち、どれ
かひとつを有すればコンピュータウイルスであるとしています。

コンピュータウイルスの種類

コンピュータウイルスとひと口に言っても、その種類は様々です。
ざっくり分類すると、次のような種類があります。

狭義のウイルス	他のプログラムに寄生して、その機能を利用する形で発病するものです。狭義の「ウイルス」は、このタイプを指します。
マクロウイルス	アプリケーションソフトの持つマクロ機能を悪用したもので、ワープロソフトや表計算ソフトのデータファイルに寄生して感染を広げます。
ワーム	自身単独で複製を生成しながら、ネットワークなどを介してコンピュータ間に感染を広めるものです。作成が容易なため、種類が急増しています。
トロイの木馬	有用なプログラムであるように見せかけてユーザに実行をうながし、その裏で不正な処理（データのコピーやコンピュータの悪用など）を行うものです。

また、コンピュータウイルスとは少し異なりますが、マルウェア（コンピュータウイルスを含む悪意のあるソフトウェア全般を指す言葉）の一種として次のようなプログラムにも同様の注意が必要です。

スパイウェア	情報収集を目的としたプログラムで、コンピュータ利用者の個人情報を収集して外部に送信します。他の有用なプログラムにまぎれて、気づかないうちにインストールされるケースが多く見られます。
ボット	感染した第3者のコンピュータを、ボット作成者の指示通りに動かすものです。迷惑メールの送信、他のコンピュータを攻撃するなどの踏み台に利用される恐れがあります。

ウイルス対策ソフトと定義ファイル

　このようなコンピュータウイルスに対して効力を発揮するのがウイルス対策ソフトです。このソフトウェアは、コンピュータに入ってきたデータを最初にスキャンして、そのデータに問題がないか確認します。

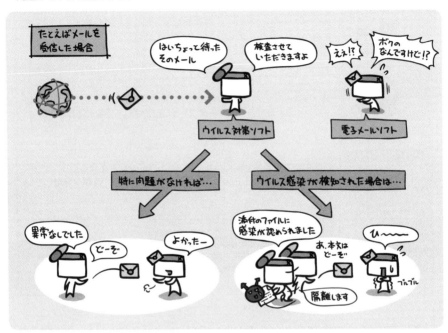

　このようなウイルスの予防措置以外にも、コンピュータの中を検査してウイルス感染チェックを行ったり、すでに感染してしまったファイルを修復したりというのも、ウイルス対策ソフトの役目です。

　ウイルス対策ソフトが、多種多様なウイルスを検出するためには、既知ウイルスの特徴を記録したウイルス定義ファイル（シグネチャファイル）が欠かせません。ウイルスは常に新種が発見されていますので、このウイルス定義ファイルも常に最新の状態を保つことが大切です。

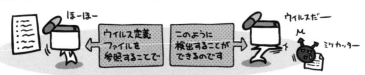

ビヘイビア法（動的ヒューリスティック法）

ウイルス定義ファイルを用いた検出方法では、既知のウイルスしか検出することができません。

そこで、実行中のプログラムの挙動を監視して、不審な処理が行われないか検査する手法がビヘイビア法です。動的ヒューリスティック法とも言います。

検知はできたけども同時に感染しちゃいましたーでは困るので、次のような方法を用いて検査を行います。

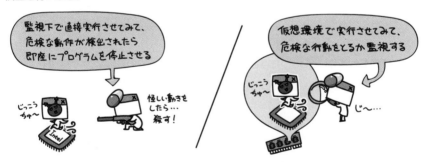

ちなみに、ビヘイビア法を英語で書くと次のようになります。

ウイルスの予防と感染時の対処

コンピュータウイルスの感染経路としては、電子メールの添付ファイルやファイル交換ソフトなどを通じたものが、現在はもっとも多いとされています。

これらのウイルスから身を守るには、次のような取り組みが有効です。

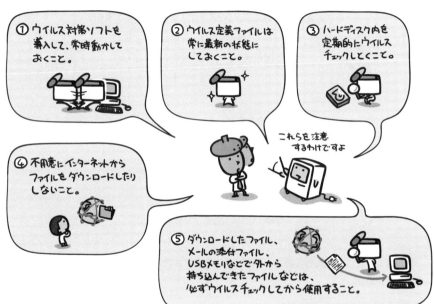

① ウイルス対策ソフトを導入して、常時動かしておくこと。

② ウイルス定義ファイルは常に最新の状態にしておくこと。

③ ハードディスク内を定期的にウイルスチェックしておくこと。

これらを注意するわけですよ

④ 不用意にインターネットからファイルをダウンロードしたりしないこと。

⑤ ダウンロードしたファイル、メールの添付ファイル、USBメモリなどで外から持ち込んできたファイルなどは、必ずウイルスチェックしてから使用すること。

それでももし感染してしまった場合は、あわてず騒がず、次の対処を心がけます。

① 感染の拡大を防ぐために、ネットワークから切り離す。

② ウイルス対策ソフトを使い、問題のあったコンピュータのウイルスチェックを行う。

③ ウイルスが発見されたら、その旨をシステム管理者に伝えて指示をあおぐ。

フム。それでは関係部署に連絡を出そう

このように出題されています
過去問題練習と解説

問 1

(IP-R02-A-58)

受信した電子メールに添付されていた文書ファイルを開いたところ，PCの挙動がおかしくなった。疑われる攻撃として，適切なものはどれか。

　ア　SQLインジェクション　　　　イ　クロスサイトスクリプティング
　ウ　ショルダーハッキング　　　　エ　マクロウイルス

解説

ア　SQLインジェクションの説明は、289ページを参照してください。

イ　クロスサイトスクリプティングとは、「訪問者の入力データをそのまま画面に表示するWebサイトに対して、悪意のあるスクリプトを埋め込んだ入力データを送ることによって、訪問者のブラウザで実行させる攻撃」です。

ウ　ショルダーハッキングとは、「利用者の背後から、画面やキーボード入力操作を盗み見て、秘密情報を不正に取得する」ことです。

エ　マクロウイルスの説明は、295ページを参照してください。

問 2

(IP-R04-56)

ランサムウェアによる損害を受けてしまった場合を想定して，その損害を軽減するための対策例として，適切なものはどれか。

　ア　PC内の重要なファイルは，PCから取外し可能な外部記憶装置に定期的にバックアップしておく。
　イ　Webサービスごとに，使用するIDやパスワードを異なるものにしておく。
　ウ　マルウェア対策ソフトを用いてPC内の全ファイルの検査をしておく。
　エ　無線LANを使用するときには，WPA2を用いて通信内容を暗号化しておく。

解説

ア　ランサムウェアとは、「Ransom（身代金）」と「Software（ソフトウェア）」から作られた造語であり、暗号化などによってファイルを利用できない状態にした上で、そのファイルを元に戻すことと引き換えに身代金を要求するマルウェアです。選択肢アのようにしておくと、PC内の重要なファイルがランサムウェアに感染しても、バックアップから復旧すればよいので、損害を軽減できます。

イ～エ　これらの対策例は、損害の予防効果を見込めますが、発生した損害の軽減には役立ちません。

正解 ▶ 問1：エ　問2：ア

ネットワークの セキュリティ対策

Chapter 9-4

 ネットワークのセキュリティ対策は、
壁をもうけて通信を遮断するところからはじまるのです。

　ここまでセキュリティの概念や、不正アクセスをはじめとする起こりうる脅威について書いてきました。でも、そもそもネットワークが出入り自由だとしたら、どんな対策をしても意味がありません。

　私たちの住まいには、通常なんらかの鍵がかけられるようになっています。それは、不審者の出入りを阻むために他なりません。「ごめんください、入っていいですかー」と訪ねてくる人がいたら、「あらお隣の花子さんコンニチハどーぞどーぞ」と家人が許可してはじめて中に立ち入れる。そうすることで家の中のセキュリティが保たれているわけです。

　ネットワークもこれと同じです。

　「LANの中は安全地帯。ファイルをやり取りしたりして、気兼ねなく過ごすことができる世界」…とするためには、外と中とを区切る壁をもうけて、出入りを制限しなきゃいけません。

　では実際にどんな手段を講じるものなのか。詳しく見ていくといたしましょう。

ファイアウォール

LANの中と外とを区切る壁として登場するのがファイアウォールです。

　ファイアウォールというのは「防火壁」の意味。本来は「火災時の延焼を防ぐ耐火構造の壁」を指す言葉なのですが、「外からの不正なアクセスを火事とみなして、それを食い止める存在」という意味でこの言葉を使っています。

　ファイアウォールは機能的な役割のことなので、特に定まった形はありません。
　主な実現方法としては、パケットフィルタリングやアプリケーションゲートウェイなどが挙げられます。

パケットフィルタリング

パケットフィルタリングは、パケットを無条件に通過させるのではなく、あらかじめ指定されたルールにのっとって、通過させるか否かを制御する機能です。

その名の通り、「ルールに当てはまらないパケットは、フィルタによってろ過された後に残るゴミのように、通過を遮られて破棄される」わけですね。

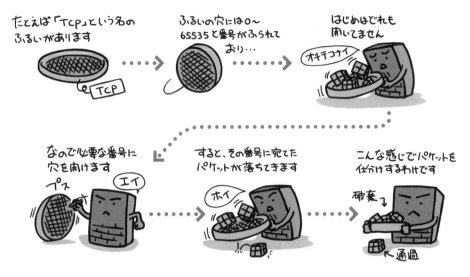

この機能では、パケットのヘッダ情報（送信元IPアドレスや宛先IPアドレス、プロトコル種別、ポート番号など）を見て、通過の可否を判定します。

通常、アプリケーションが提供するサービスはプロトコルとポート番号で区別されますので、この指定はすなわち「どのサービスは通過させるか」と決めたことになります。

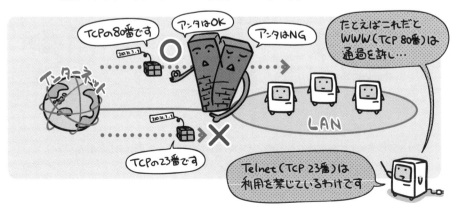

アプリケーションゲートウェイ

アプリケーションゲートウェイは、LANの中と外の間に位置して、外部とのやり取りを代行して行う機能です。プロキシサーバ（代理サーバ）とも呼ばれます。

外のコンピュータからはプロキシサーバしか見えないので、LAN内のコンピュータが、不正アクセスの標的になることを防ぐことができます。

ペネトレーションテスト

　既知の手法を用いて実際に攻撃を行い、これによってシステムのセキュリティホールや設定ミスといった脆弱性の有無を確認するテストがペネトレーションテストです。昔小学校とかでよくやった避難訓練みたいなものですね。

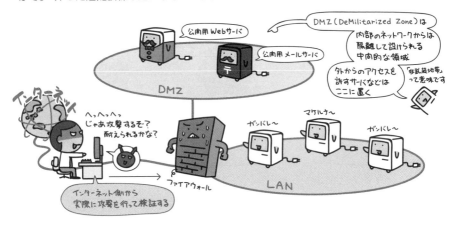

　このテストの第一の目的は、「ファイアウォールや公開サーバに対して侵入できないことを確認する」だと言えます。

　しかし何ごとも100%はありません。もし侵入されたらどうなるか、どこまで突破されるか、何をされてしまうのか、そういった視点での検証に本テストの特徴があります。

　システムの脆弱性や攻撃手法は日々新しく発見されています。したがって検証は一度やったらお終い…ではなく、定期的に行うことが望ましいと考えられます。

このように出題されています
過去問題練習と解説

問 1
(IP-R04-64)

a〜dのうち，ファイアウォールの設置によって実現できる事項として，適切なものだけを全て挙げたものはどれか。

a 外部に公開するWebサーバやメールサーバを設置するためのDMZの構築
b 外部のネットワークから組織内部のネットワークへの不正アクセスの防止
c サーバルームの入り口に設置することによるアクセスを承認された人だけの入室
d 不特定多数のクライアントからの大量の要求を複数のサーバに動的に振り分けることによるサーバ負荷の分散

ア a, b　　　イ a, b, d　　　ウ b, c　　　エ c, d

解説

ファイアウォールは、インターネットから社内ネットワークへの不正侵入や破壊行為の防止、Webサーバ・DNSサーバなどの外部公開サーバの防御などを行うためのハードウェアやソフトウェアです。したがって、ファイアウォールを設置しても、cのような入室制限や、dのようなサーバ負荷の分散はできません。

問 2
(IP-R06-79)

企業などの内部ネットワークとインターネットとの間にあって，セキュリティを確保するために内部ネットワークのPCに代わって，インターネット上のWebサーバにアクセスするものはどれか。

ア DNSサーバ　　　　　　　イ NTPサーバ
ウ ストリーミングサーバ　　　エ プロキシサーバ

解説

選択肢ア・イ・エは、下記のページを参照してください。
ア 233ページ　イ 238ページのNTP　エ 303ページ
選択肢ウのストリーミングサーバは、動画ファイルをダウンロードしながら同時に再生する"ストリーミング配信"という動画配信を行うためのサーバです。
なお、プロキシサーバの"プロキシ"を直訳すると"代理"であり、問題文の"内部ネットワークのPCに代わって，インターネット上のWebサーバにアクセスするもの"の下線部が、その"代理"を意味しています。

正解 ▶問1：ア　問2：エ

暗号化技術と
デジタル署名

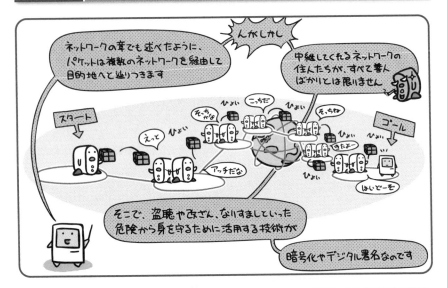

 **インターネットは「荷物が丸裸で運ばれている」ようなもの。
暗号化やデジタル署名で、荷物に鍵をかけるのです。**

　複数のネットワークがつながりあって出来ているのがインターネット。当然パケットは、ネットワークからネットワークへとバケツリレーされていくことになります。

　でもちょっと待った。パケットが単に「デジタルデータを小分けして荷札つけたもの」なんであれば、ちょろりと中をのぞくだけで、なにが書いてあるか丸わかりですよね?

　たとえばネット上のサービスを利用するためのユーザ名やパスワード。クレジットカード情報。今時であれば、ネットバンキングに使う口座情報などもあるでしょう。そのような情報が、まったく丸裸の状態で、見知らぬ人のネットワークを延々渡り歩いて流れていく図を想像してみてください。もしくは、「絶対人に漏らしたくないユーザ名とパスワード」を書いた紙を、2つ折りにしただけで知らない人にバケツリレーしてもらう感じ…でも構いません。

　当たり前ですが、こんなんじゃ危なくて仕方ないですよね。そこで登場するのが、暗号化技術やデジタル署名というわけです。

盗聴・改ざん・なりすましの危険

ネットワークの通信経路上にひそむ危険といえば、代表的なのが次の3つです。
イメージしやすいよう、メールにたとえて見てみましょう。

 盗聴

　データのやり取り自体は正常に行えますが、途中で内容を第3者に盗み読まれるという危険性です。

改ざん

　データのやり取りは正常に行えているように見えながら、実際は途中で第3者に内容を書き換えられてしまっているという危険性です。

なりすまし

　第3者が別人なりすまし、データを送受信できてしまうという危険性です。

307

暗号化と復号

さて、それでは「通信経路は危険がいっぱいだ」という結論に辿り着いたとして、どう対処すればいいでしょうか。

そうですね、まず考えられるのは「通信経路でのぞき見できちゃうのがそもそもおかしい。そこをしっかり対処すべきだ」というものかもしれません。社内LANなどの限定された空間であれば、そういう対処も採れるでしょう。しかし、世界規模で広がってるネットワークを、えいやと一度に置きかえるなんてのは現実的ではありません。

そこで発想の大転換。のぞき見されるのは防ぎようがないんだから、のぞかれても大丈夫な内容に変えてしまえば良いのです。

たとえばやり取りする当事者同士だけがわかる形にメッセージを作り替えてしまえば、途中でいくらのぞき見されても困ることはありません。

このように、「データの中身を第三者にはわからない形へと変換してしまう」ことを暗号化といいます。上の絵だとキノコのやってることがそう。

一方、暗号化したデータは元の形に戻さないと解読できません。この「元の形に戻す」ことを復号といいます。こちらはドングリがやってる部分ですね。

盗聴を防ぐ暗号化（共通鍵暗号方式）

前ページの「ひと文字ずらす」というような、暗号化や復号を行うために使うデータを鍵と呼びます。データという荷物をロックするための鍵…みたいなものと思えばよいでしょう。

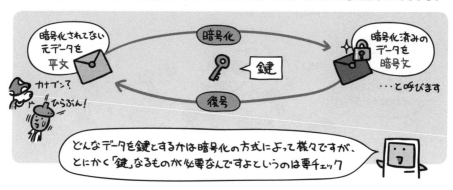

暗号化されてない
元データを
平文

暗号化

暗号化済みの
データを
暗号文

鍵

…と呼びます

カナブンて
ドッ ひらぶん！

復号

どんなデータを鍵とするかは暗号化の方式によって様々ですが、とにかく「鍵」なるものが必要なんですよというのは要チェック

送り手（暗号化する側）と受け手（復号する側）が同じ鍵を用いる暗号化方式を、共通鍵暗号方式と呼びます。この鍵は第三者に知られると意味がなくなりますから、秘密にしておく必要があります。そのことから秘密鍵暗号方式とも呼ばれます。

暗号化

秘密鍵

送り手側は
秘密鍵を用いて
暗号化を行います。

復号

秘密鍵

受け手側は
同じ秘密鍵を用いて
復号を行います。

双方ともに同じ鍵を用いるところがこの方式の特徴です

ただし…

あれ？

ところでこの鍵自体はどうやって安全に受け渡しするんだろうか…？

…という問題もあったりします。

盗聴を防ぐ暗号化 (公開鍵暗号方式)

　共通鍵暗号方式は、「お互いに鍵を共有する」というのが前提である以上、通信相手の数分だけ秘密鍵を管理しなければいけません。複数の相手に使い回しがきけば管理は楽ですが、そういうわけにもいかないですからね。

　しかも、事前に鍵を渡しておく必要がありますから、インターネットのような不特定多数の相手を対象に通信する分野では、かなり利用に無理があると言えます。

　そこで出てくるのが公開鍵暗号方式です。大きな特徴は「一般に広くばらまいてしまう」ための公開鍵という公開用の鍵があること。この方式は、暗号化に使う鍵と、復号に使う鍵が別物なのです。

公開鍵暗号方式では、受信者の側が秘密鍵と公開鍵のペアを用意します。

そして公開鍵の方を配布して、「自分に送ってくる時は、この鍵を使って暗号化してください」とするのです。

公開鍵で暗号化されたデータは、それとペアになる秘密鍵でしか復号することができません。公開鍵をいくらばらまいても、その鍵では暗号化しかできないので、途中でデータを盗聴される恐れにはつながらないのです。

また、自分用の鍵のペアを1セット持っていれば複数人とやり取りできますから、「管理する鍵の数が増えちゃって大変！」なんてこともありません。

ただし、共通鍵暗号方式に比べて、公開鍵暗号方式は暗号化や復号に大変処理時間を要します。そのため、利用形態に応じて双方を使い分けるのが一般的です。

文書に対する署名・捺印の役割を果たすデジタル署名

暗号化によって安全にデータをやり取りできるようになったのはいいんですけど、それだけではまだ、「途中で改ざんされていないか」「誰が送信したものか」を受信側で検証する術がありません。それを確認できるようにしたのがデジタル署名です。

デジタル署名というのは、基本的には現実世界での署名・捺印と同じ機能を、デジタルデータの世界でも果たせるようにしたものです。

上記の文書と同じように、デジタルデータに対して「私が内容を承認しました」という証明を、デジタル署名は付加するわけです。

これは単に「そんな役割と見なして—」という話ではなく、実際に法的な実効力を持つ話でもあります。

現在は電子署名法という法律によって、デジタル署名が手書きの署名や捺印と同等に扱えるよう法的基盤が整備されています

さて、「同じ機能」というからには、まずサインと捺印について考えてみましょう。

サインや捺印というのは、その人でしか持ち得ない要素によって、本人による承認だと証明するものです。

デジタル署名も、「署名」というからには本人でしか知り得ない(または持ち得ない)何かによって、それをデジタルデータに付加できる必要があります。そして、それが署名として機能するためには、誰もがそれを「誰それさんの署名だ」と検証できなくてはいけません。

そこで出てくるのが、公開鍵暗号方式で用いていた「秘密鍵」と「公開鍵」という鍵ペアによる役割分担です。

このように、デジタル署名では公開鍵暗号方式における秘密鍵・公開鍵という役割分担を活かし、それぞれを署名鍵(秘密鍵)・検証鍵(公開鍵)として用います。

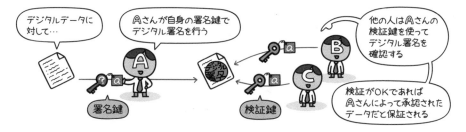

電子署名法で認められているデジタル署名の方式にはRSA暗号方式、DSA署名方式、ECDSA署名方式などがあります。いずれも基本は署名鍵でデジタル署名を作成し、検証鍵でその正当性を確認します。

デジタル署名とメッセージダイジェスト

　メッセージダイジェストというのは、任意のデータをハッシュ化して求めることのできる、固定長のビット列のことです。

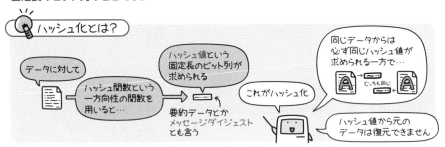

　ここで話をデジタル署名に戻します。署名というからには、それは「何に対して行った署名か」が大事になってきます。しかし公開鍵暗号方式の話を思い出してください。この処理は遅いのです。したがって、データ全体を対象にデジタル署名を行ったり検証したりというのは現実的ではありません。

　そこで出てくるのがハッシュ化です。

　データ本体をハッシュ化することで得られるメッセージダイジェストを処理対象にすれば、データの内容とデジタル署名とを結び付けて証明しつつ、その処理は小さな固定長データを扱うだけで済ますことができます。

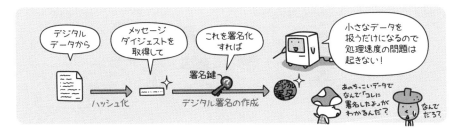

　それでは、このハッシュ化を用いてデジタル署名を作成する流れと、受信側でそのデジタル署名を検証する流れを、初期のRSA暗号方式を題材にして見て行きましょう。

まずはハッシュ化によるデジタル署名を作成する流れから。これはまあ先ほどの図とやっていることは同じですね。

ハッシュ化によるデジタル署名の作り方

 メッセージがある ハッシュ化によりメッセージダイジェストを作成する 署名鍵を使って、メッセージダイジェストからデジタル署名を作成する 署名データのできあがり！

続いては、それを送信して、受信側で検証をする流れです。

デジタル署名とハッシュ化で、改ざんを検知する流れ

 デジタル署名をくっつけてメッセージを送信する 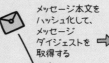 受信者は送信者の検証鍵を使ってデジタル署名を検証し、元のメッセージダイジェストを得る メッセージ本文をハッシュ化して、メッセージダイジェストを取得する 両者が同一であれば、改ざんされてないと言える

元データが同じであれば、ハッシュ関数は必ず同じメッセージダイジェストを生成します。したがって、デジタル署名の検証結果であるメッセージダイジェストと、受信した本文から新たに取得したメッセージダイジェストとを比較して同一であれば、そのメッセージは「改ざんされていない」と見なすことができるわけですね。

 ○○さんの検証鍵によって確認できることが

これは間違いなく○○さんの署名であるという証明になり

 メッセージダイジェストが同一であるということが

署名の後で中身は改ざんされていないという証明になるのです

なんかよくできてんなあ…

 ほんとだね

なりすましを防ぐ認証局（CA）

ところでこれまで、「鍵が証明してくれる」「鍵によって確認できる」ということを述べていますが、そもそも「ペアの鍵を作った人物がすでにニセモノだった」場合はどうなるのでしょうか。

そう、一見キリがありません…が、それができてしまう限りは「他人になりすまして通信を行う」なりすまし行為が回避できるとは言い切れません。

というわけで、信用できる第三者が「この公開鍵は確かに本人のものですよ」と証明する機構が考えられました。それが認証局（CA：Certificate Authority）です。

認証局は、次のような流れによって公開鍵の正当性を保証します。

① 公開鍵を認証局に登録しておきます

② 認証局に登録した鍵によって身分を保証します

このような認証機関と、公開鍵暗号技術を用いて通信の安全性を保証する仕組みのことを、公開鍵基盤（PKI：Public Key Infrastructure）と呼びます。

SSL (Secure Sockets Layer)は
代表的な暗号化プロトコル

　ここまで、ネットワークの通信経路上にひそむ危険（盗聴・改ざん・なりすまし）や、そこで用いられる暗号化技術についてふれてきました。

　では実際にそれらを用いてどのような手順で暗号化通信を行うのか。それを定めたものが暗号化プロトコルです。代表的なものにSSL（Secure Sockets Layer）があります。

　SSLで行う通信は、簡単に言うと次のようなステップを経ることで、安全な通信を行います。

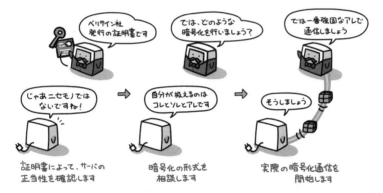

　たとえばWWWサービスでは、サーバとクライアントのやり取りにHTTPというプロトコルが使われます。これにSSLの暗号化通信を追加したプロトコルがHTTPSです。

　このプロトコルを使って情報をやり取りすることで、オンラインショッピングで用いるクレジットカード番号や入力した会員情報の漏洩などが防止できるわけです。

　なお、現在SSLは後継であるTLS（Transport Layer Security）に置き換わっていますが、TLSだと馴染みがないので、SSLとひとまとめに呼称されていたり、SSL/TLSという表記が用いられたりしています。

VPN (Virtual Private Network)

ネットワーク上に仮想的な専用線空間を作り出して拠点間を安全に接続する技術、もしくはそれによって構築されたネットワークのことをVPNと言います。

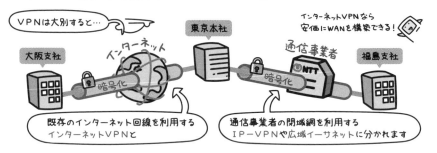

VPNは大別すると…

大阪支社

東京本社

インターネットVPNなら
安価にWANを構築できる!

通信事業者

福島支社

インターネット

暗号化

暗号化

既存のインターネット回線を利用する
インターネットVPNと

通信事業者の閉域網を利用する
IP-VPNや広域イーサネットに分かれます

インターネットVPNを利用するには、相互の接続口にVPN機能を持った機器を設置します。

VPN装置

インターネット経由でデータを流す場合には、VPN装置がデータを暗号化してから流します。受け取った側では、その暗号化を解除してから内部ネットワークへ転送します。

暗号化して
ポイッと

ポヘッ!

暗号を解除して
ポイッと

ここで用いる暗号化には、IPsec(詳しくは次ページ)というプロトコルが
標準として用いられています

このように途中経路での通信データを暗号化することで、情報の漏洩や改ざんといった危険を回避することができるのです。

ワルイヒト
サンジョ〜

イタダキ〜

ナカミが
ミレナイ…

ビッ

IPsec(Security Architecture for Internet Protocol)

ネットワーク層で動作するIP通信に、暗号化や認証機能を持たせることで、より安全に通信を行えるようにしたプロトコルとしてIPsecがあります。VPN(Virtual Private Network)を構築する際の標準的なプロトコルです。

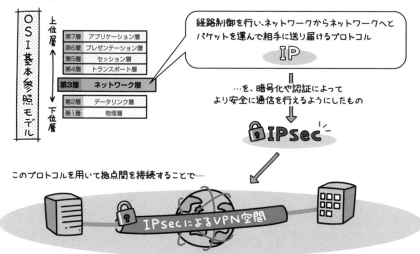

経路制御を行い、ネットワークからネットワークへとパケットを運んで相手に送り届けるプロトコル IP

…を、暗号化や認証によってより安全に通信を行えるようにしたもの

IPsec

このプロトコルを用いて拠点間を接続することで…

IPsecによるVPN空間

ネットワーク上に仮想的な専用線空間を設けるVPNが構築できる

IPsecは、IPパケットを暗号化することによって、改ざんや盗聴の危険から通信データを守ります。ネットワーク層でセキュリティを確保するため、上位層のアプリケーションが暗号化をサポートしていなくても安全性が保たれます。

ウチらは暗号化を意識しなくても…

安全にデータをやり取りできるわけね

送るよ〜　はいよ〜

このように出題されています
過去問題練習と解説

問 1

(IP-R06-57)

暗号化方式の特徴について記した表において，表中のa〜dに入れる字句の適切な組合せはどれか。

暗号方式	鍵の特徴	鍵の安全な配布	暗号化／復号の相対的な処理速度
a	暗号化鍵と復号鍵が異なる	容易	c
b	暗号化鍵と復号鍵が同一	難しい	d

	a	b	c	d
ア	共通鍵暗号方式	公開鍵暗号方式	遅い	速い
イ	共通鍵暗号方式	公開鍵暗号方式	速い	遅い
ウ	公開鍵暗号方式	共通鍵暗号方式	遅い	速い
エ	公開鍵暗号方式	共通鍵暗号方式	速い	遅い

解説

公開鍵暗号方式 … 暗号化鍵と復号鍵が異なり、共通鍵暗号方式よりも処理速度が遅いです。
共通鍵暗号方式 … 暗号化鍵と復号鍵が同じであり、公開鍵暗号方式よりも処理速度が速いです。

問 2

(IP-R05-84)

メッセージダイジェストを利用した送信者のデジタル署名が付与された電子メールに関する記述のうち，適切なものはどれか。

ア　デジタル署名を受信者が検証することによって，不正なメールサーバから送信された電子メールであるかどうかを判別できる。

イ　デジタル署名を送信側メールサーバのサーバ証明書で受信者が検証することによって，送信者のなりすましを検知できる。

ウ　デジタル署名を付与すると，同時に電子メール本文の暗号化も行われるので，電子メールの内容の漏えいを防ぐことができる。

エ　電子メール本文の改ざんの防止はできないが，デジタル署名をすることによって，受信者は改ざんが行われたことを検知することはできる。

解説

　デジタル署名を使って電子メールを送信する場合、デジタル署名と電子メールの本文は、一緒に送信されます。その時、電子メールの本文は暗号化されていませんので、「電子メールの本文が改ざん

される」リスクと「電子メールの本文が盗聴される」リスクはあります。

受信者は、①:受信したデジタル署名を送信者の検証鍵を使って検証し、メッセージダイジェスト（★）を取り出す、②:ハッシュ関数を使って、受信した電子メールの本文からメッセージダイジェスト（◆）を生成する、③:メッセージダイジェスト（★）とメッセージダイジェスト（◆）を照合し、一致を確認する、ことによって、受信した電子メールの本文が改ざんされていないことを検知できます。

問 3
(IP-R03-76)

IoTデバイス群とそれを管理するIoTサーバで構成されるIoTシステムがある。全てのIoTデバイスは同一の鍵を用いて通信の暗号化を行い、IoTサーバではIoTデバイスがもつ鍵とは異なる鍵で通信の復号を行うとき、この暗号技術はどれか。

ア 共通鍵暗号方式　　イ 公開鍵暗号方式
ウ ハッシュ関数　　　エ ブロックチェーン

解 説

本問において、全てのIoTデバイスには同一の公開鍵が、また、IoTサーバには、その公開鍵とペアになっている秘密鍵が使われています。

問 4
(IP-R06-66)

PKIにおけるCA（Certificate Authority）の役割に関する記述として、適切なものはどれか。

ア インターネットと内部ネットワークの間にあって、内部ネットワーク上のコンピュータに代わってインターネットにアクセスする。

イ インターネットと内部ネットワークの間にあって、パケットフィルタリング機能などを用いてインターネットから内部ネットワークへの不正アクセスを防ぐ。

ウ 利用者に指定されたドメイン名を基にIPアドレスとドメイン名の対応付けを行い、利用者を目的のサーバにアクセスさせる。

エ 利用者の公開鍵に対する公開鍵証明書の発行や失効を行い、鍵の正当性を保証する。

解 説

各選択肢は、下記の各役割に関する記述です。参照ページをカッコ内に付記します。

ア プロキシサーバ（303ページ）
イ ファイアウォール（301ページ）
ウ DNSサーバ（233ページ）
エ CA（316ページ）

なお、CAの日本語訳は、"認証局"であり、利用者の公開鍵は、間違いなく本人のものであることを認証します。

システム開発

1. それまで人の手で行っていた企業内の業務活動を… / 目立っとこでは伝票書き作業とか

2. コンピュータに置きかえて効率アップをはかろうというのがシステム開発

3. こんな感じね / 入力してくれれば / 申請まで済ませちゃいますからね

4. しかし…… / カカシ

5. コンピュータ化するといっても / それぞれプログラミングプログラミングプログラミング

6. ただ作ればいいってもんじゃありません / えぇぇ!?ワンん!!

7. だって要望を整理しないと、なにを作るべきかわかんないでしょ？ / どーですモグラさん 採光重視の明るい家ができましたよ！ / いや、オレら暗い家がいい… / 思い込みで作るとこんなことになる

8. だからまずはじめは実際の業務を把握するとこからはじめるわけ / で、なにをしてたんだ？ / はい…

9

これで、
システムに対する
要望が見えてくる

で、でもボク

ホントは
ちがう
ことを
やりたく
てー

10

そしたらシステムの
細部を煮詰めていっ
て…

じゃあこんな感じで
作ってみる？

設計書

さんせーい

11

作りはじめるのは
この段階に辿り
着いてからのこと

じゃあがんばって!!

え？

ポン

12

そして
できたらできたで
今度はテストが
待ってます

……

えぇぇぇ
ぇぇ～

13

このように
システム開発と
いうのは長い長い
道のりの作業

14

だからこそ無事
踏破できるように、
様々な開発手法や
分析手法が考案され
ているのです

で…

で…

できたー

15

やぁゴクロー
なかなかいいシステムを
組んでくれたじゃないか

DB

ほめてつかわすよ

プッチーン

16

なんでお前
途中で立ち位置
変わってんだよ

ポカスカ

ポカスカ

だってしんどそーだから
イヤになったんだよ!!

システムを開発する流れ

「企画」→「要件定義」→「開発」→「運用」→「保守」という
5段階のプロセスで、システムの一生はあらわされます。

　システムの一生というのは上のイラストのようになっていて、導入後の運用ベースになって以降も、業務の見直しや変化に応じてちょこちょこ修正が入ります。そうして運用と保守とを繰り返しながら、やがて役割を終えて破棄される瞬間まで働き続けることになる。これを、ソフトウェアライフサイクルと呼びます。

　システム化計画として企画段階で検討すべき項目はスケジュール、体制、リスク分析、費用対効果、適用範囲といった5項目。うん、わかり難いですね。もうちょっと噛み砕いて書くと、「導入までどんな段取りで」「どういった人員体制で取り組むべきで」「どんなトラブルが想定できて」「かけたお金に見合う効果があるか考えて」「どの業務をシステム化するか」…を決めるという内容になります。

　企画が済んだら、次は「どのような機能を盛り込んだシステムが必要なのか」を要件定義として固めます。これをやらないと、「要するにボクたちこんなシステムが欲しいんです」と伝えられないですからね。

　え？ 誰に伝えるか？ それは、実際に開発をお願いすることになるシステムベンダさんなのです！ …というところで次ページへ。

システム開発の調達を行う

　「調達」というのは、開発を担当するシステムベンダに対して発注をかけることです。契約締結に至るまでの流れと、そこで取り交わす文書は次のようになります。

① 情報提供依頼

情報提供依頼書(RFI:
Request For Information)を
渡して、最新の導入事例などの
提供をお願いします

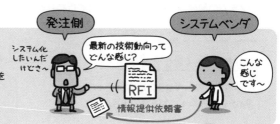

② 提案依頼書の作成と提出

システムの内容や予算などの
諸条件を提案依頼書(RFP:
Request For Proposal)に
まとめて、システムベンダに提出します

③ 提案書の受け取り

システムベンダは、
具体的な内容を提案書として
まとめ、発注側に渡します

④ 見積書の受け取り

提案内容でOKが出たら、
開発や運用・保守にかかる
費用を見積書にまとめて
発注側に渡します

⑤ システムベンダの選定

提案内容や見積内容を
確認して、発注するシステム
ベンダを決定します

開発の大まかな流れと対になる組み合わせ

　無事に契約が締結されたなら、今度はシステムベンダさんのところで実際の開発作業がはじまります。「要件定義プロセス→開発プロセス」という流れがスタートとなるわけですね。

　システムの開発は、以下の工程に従って行われるのが一般的です。

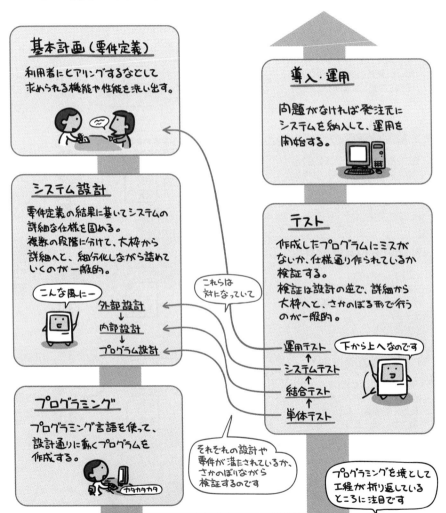

基本計画（要件定義）

この工程では、作成するシステムにどんな機能が求められているかを明らかにします。

　要求点を明確にするためには、利用者へのヒアリングが欠かせません。そのため、システム開発の流れの中で、もっとも利用部門との関わりが必要とされる工程と言えます。

要件を取りまとめた結果については、要件定義書という形で文書にして残します。

要件定義プロセスの機能要件と非機能要件

　情報システムは、業務機能を実現するアプリケーション部分と、それを支えるシステム基盤によって構成されます。ヒアリングによって利用者から得られる要求事項は主に業務機能を担う部分です。これを機能要件と言います。

　これらの機能要件以外、ざっくり言えば、システム基盤側の要件が非機能要件にあたります。

　広義の非機能要件は「機能要件以外のすべて」であり、その定義は様々です。
　そこで、主に「システム基盤で実現される要件」に着目したものを、独立行政法人情報処理推進機構(IPA)では、「非機能要求グレードの6大項目」として次のように規定しています。

大項目	説明	要求例
可用性	システムサービスを継続的に利用可能とするための要求	・運用スケジュール(稼働時間、停止予定など) ・障害、災害時における稼働目標
性能・拡張性	システムの性能、および将来のシステム拡張に関する要求	・業務量および今後の増加見積り ・システム化対象業務の特性(ピーク時、通常時、縮退時など)
運用・保守性	システムの運用と保守のサービスに関する要求	・運用中に求められるシステム稼働レベル ・問題発生時の対応レベル
移行性	現行システム資産の移行に関する要求	・新システムへの移行期間および移行方法 ・移行対象資産の種類および移行量
セキュリティ	情報システムの安全性の確保に関する要求	・利用制限 ・不正アクセスの防止
システム環境・エコロジー	システムの設置環境やエコロジーに関する要求	・耐震/免震、重量/空間、温度/湿度、騒音など、システム環境に関する事項 ・CO_2排出量や消費エネルギーなど、エコロジーに関する事項

『非機能要求グレード 2018』より抜粋　　(c)2010-2018 独立行政法人情報処理推進機構

システム設計

この工程では、要件定義の内容を具体的なシステムの仕様に落とし込みます。

システム設計は、次のような複数の段階に分かれています。

外部設計

外部設計では、システムを「利用者側から見た」設計を行います。つまり、ユーザインタフェースなど、利用者が実際に手を触れる部分の設計を行います。

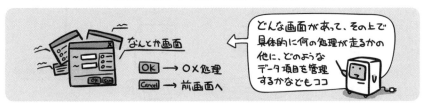

内部設計

内部設計では、システムを「開発者から見た」設計を行います。つまり、外部設計を実現するための実装方法や物理データ設計などを行います。

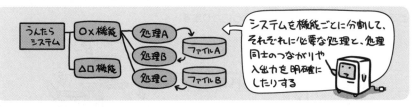

プログラム設計

プログラム設計では、プログラムを「どう作るか」という視点の設計を行います。プログラムの構造化設計や、モジュール同士のインタフェース仕様などがこれにあたります。

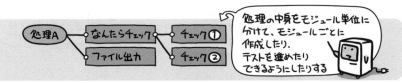

プログラミング

この工程では、システム設計で固めた内容にしたがって、プログラムをモジュール単位で作成します。

　プログラムの作成は、プログラミング言語を使って命令をひとつひとつ記述していくことで行います。この、「プログラムを作成する」ということを、プログラミングと呼びます。

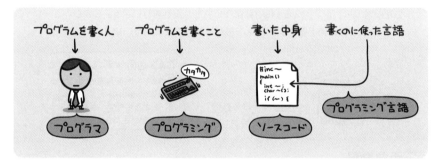

　私たちが使う言葉にも日本語や英語など様々な種類の言語があるように、プログラミング言語にも様々な種類が存在します。こうして書かれたソースコードは機械語に翻訳することで、プログラムとして実行できるようになります。

テスト

この工程では、作成したプログラムにミスがないかを検証します。

テストは、次のような複数の段階に分かれています。

単体テスト

単体テストでは、モジュールレベルの動作確認を行います。

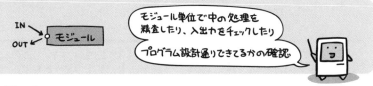

結合テスト

結合テストでは、モジュールを結合させた状態での動作確認や入出力検査などを行います。

システムテスト

システムテストでは、システム全体を稼働させての動作確認や負荷試験などを行います。

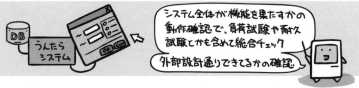

運用テスト

運用テストでは、実際の運用と同じ条件下で動作確認を行います。

このように出題されています
過去問題練習と解説

問1
(IP-R03-14)

ソフトウェアライフサイクルを，企画プロセス，要件定義プロセス，開発プロセス，運用プロセスに分けるとき，システム化計画を踏まえて，利用者及び他の利害関係者が必要とするシステムの機能を明確にし，合意を形成するプロセスはどれか。

ア　企画プロセス　　　　　イ　要件定義プロセス
ウ　開発プロセス　　　　　エ　運用プロセス

解説

　要件定義プロセスに関する説明は、327ページを参照してください。また、ここでいう開発プロセスとは、329〜331ページのシステム設計・プログラミング・テストの総称です。

問2
(IP-R06-33)

次の記述のうち，業務要件定義が曖昧なことが原因で起こり得る問題だけを全て挙げたものはどれか。

a　企画プロセスでシステム化構想がまとまらず，システム化の承認を得られない。
b　コーディングのミスによって，システムが意図したものと違う動作をする。
c　システムの開発中に仕様変更による手戻りが頻発する。
d　システムを受け入れるための適切な受入れテストを設計できない。

ア　a, b　　　　　イ　b, c　　　　　ウ　b, d　　　　　エ　c, d

解説

a 業務要件定義は、システム化構想の後に行われるので、aの時点では業務要件は未定義です。　b コーディングのミスは、コーディングをしているプログラマに原因があり、業務要件定義とは関連性がありません。　c 業務要件定義が曖昧だと、仕様変更が頻発することがありえます。　d 受入れテストは、開発完了したシステムが業務要件定義を満たしていることを検査するために実施するものなので、業務要件定義が曖昧だと、適切な受入れテストを設計できないことがありえます。

問3
(IP-R02-A-01)

情報システムの調達の際に作成される文書に関して，次の記述中のa，bに入れる字句の適切な組合せはどれか。

調達する情報システムの概要や提案依頼事項，調達条件などを明示して提案書の提出を依頼する文書は ___a___ である。また，システム化の目的や業務概要などを示すことによって，関連する情報の提供を依頼する文書は ___b___ である。

	a	b
ア	RFI	RFP
イ	RFI	SLA
ウ	RFP	RFI
エ	RFP	SLA

　調達する情報システムの概要や提案依頼事項、調達条件などを明示して提案書の提出を依頼する文書は、RFP（Request For Proposal）です。システム化の目的や業務概要などを示すことによって、関連する情報の提供を依頼する文書は、RFI（Request For Information）です。
　325ページを参照してください。

問 4
(IP-R06-07)

システム開発の上流工程において，業務プロセスのモデリングを行う目的として，最も適切なものはどれか。

ア　業務プロセスで取り扱う大量のデータを，統計的手法やAI手法などを用いて分析し，データ間の相関関係や隠れたパターンなどを見いだすため

イ　業務プロセスを可視化することによって，適切なシステム設計のベースとなる情報を整備し，関係者間で解釈を共有できるようにするため

ウ　個々の従業員がもっている業務に関する知識・経験やノウハウを社内全体で共有し，創造的なアイディアを生み出すため

エ　プロジェクトに必要な要員を調達し，チームとして組織化して，プロジェクトの目的の達成に向けて一致団結させるため

　選択肢ア・イ・ウの記述は、下記を行う目的に該当します。
ア　データマイニング　　　　イ　業務プロセスのモデリング　　　ウ　ナレッジマネジメント
　選択肢エは、プロジェクトの要員管理を行う目的のような感じがする記述です。何の目的なのかを特定するのは難しいです。

問 5
(IP-R03-22)

業務パッケージを活用したシステム化を検討している。情報システムのライフサイクルを，システム化計画プロセス，要件定義プロセス，開発プロセス，保守プロセスに分けたとき，システム化計画プロセスで実施する作業として，最も適切なものはどれか。

ア　機能，性能，価格などの観点から業務パッケージを評価する。

イ　業務パッケージの標準機能だけでは実現できないので，追加開発が必要なシステム機能の範囲を決定する。

ウ　システム運用において発生した障害に関する分析，対応を行う。

エ　システム機能を実現するために必要なパラメタを業務パッケージに設定する。

　ア　システム化計画プロセスでは、いくつかの候補になる業務パッケージを選定し、機能・性能・価格などの観点から、それらの業務パッケージを評価して、採用する業務パッケージを決定します。　　イ　要件定義プロセスで実施する作業です。　　ウ　保守プロセスで実施する作業です。　エ　開発プロセスで実施する作業です。

　　正解 ▶ 問1：イ　問2：エ　問3：ウ　問4：イ
　　　　　　　　　　　　　　　　　　　　問5：ア

Chapter 10-2 システムの開発手法

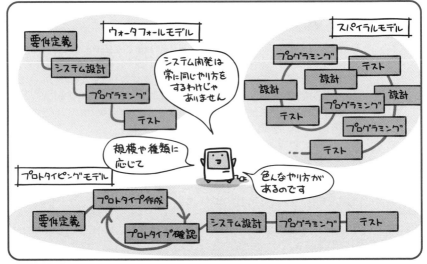

 「ウォータフォールモデル」、「プロトタイピングモデル」、
「スパイラルモデル」の3つが、代表的な開発手法です。

　システムに対する要求を確認して、設計して、作って、テストする。この段取りは、システム開発に限らず、たいてい何をする場合にも同じです。ほら、普段のお仕事だって、「要求を整理→やり方を決め→実行→結果確認」という段取りで進むことが多いではないですか。

　ただ、システム開発の場合は、なにかと規模が大きくなりがちです。規模が大きくなれば、当然開発期間もそれだけ長くかかります。

　そうすると、やっとできあがりましたという段になって、お客さんとの間で「なにこれ、思ってたのと違う」…となることもあったりして。

　えてして「頭の中で想像したシステム」と「実際にさわってみたシステム」というのは違う印象になりがちですし、開発者側が仕様を取り違える可能性だってないとは言えないですからね。

　基本的な段取りは共通ながら開発手法に様々な種類があるのは、こうした問題を解消して、効率よくシステム開発を行うための工夫に他なりません。

ウォータフォールモデル

ウォータフォールモデルは、開発手法としてはもっとも古くからあるもので、要件定義からシステム設計、プログラミング、テストと、各工程を順番に進めていくものです。前節で書いた開発の流れは、このモデルを用いています。

それぞれの工程を完了させてから次へ進むので管理がしやすく、大規模開発などで広く使われています。

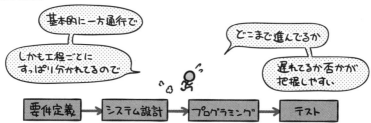

ただし必然的に、利用者がシステムを確認できるのは最終段階に入ってからです。しかも、前工程に戻って作業すること（手戻りといいます）は想定していないため、いざ動かしてみて「この仕様は想定していたものと違う」なんて話になると、とんでもなく大変なことになります。

プロトタイピングモデル

プロトタイピングモデルは、開発初期の段階で試作品（プロトタイプ）を作り、それを利用者に確認してもらうことで、開発側との意識ズレを防ぐ手法です。

利用者が早い段階で（プロトタイプとはいえ）システムに触れて確認することができるため、後になって「あれは違う」という問題がまず起きません。

ただ、プロトタイプといっても、作る手間は必要です。そのため、あまり大規模なシステム開発には向きません。

スパイラルモデル

　スパイラルモデルは、システムを複数のサブシステムに分割して、それぞれのサブシステムごとに開発を進めていく手法です。個々のサブシステムについては、ウォータフォールモデルで開発が進められます。

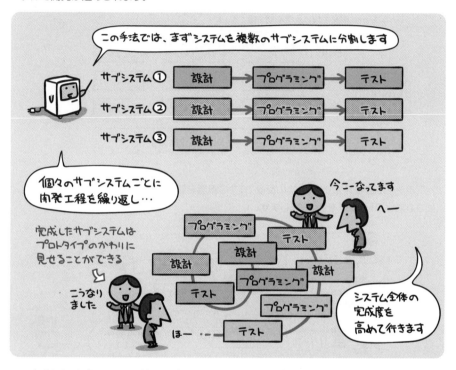

　完成したサブシステムに対する利用者の声は、次のサブシステム開発にも反映されていくため、後になるほど思い違いが生じ難くなり開発効率が上がります。

アジャイルとXP（eXtreme Programming）

　スパイラルモデルの派生型で、より短い反復単位（週単位であることが多い）を用いて迅速に開発を行う手法の総称がアジャイルです。

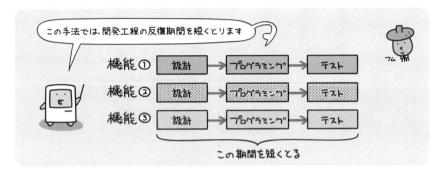

　アジャイル型の開発では、1つの反復で1つの機能を開発し、反復を終えた時点で機能追加されたソフトウェアをリリースします。

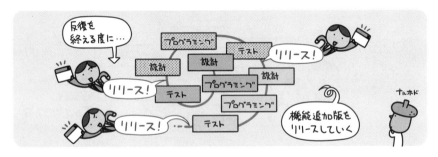

　アジャイル型の代表的な開発手法がXP（eXtreme Programming）です。少人数の開発に適用しやすいとされ、既存の開発手法が「仕様を固めて開発を行う（後の変更コストは大きい）」であったのに対して、XPは変更を許容する柔軟性を実現しています。

XPでは、5つの価値と19のプラクティス(実践)が定義されています。そのうち、開発のプラクティスとして定められているのが次の6つです。

テスト駆動開発	実装の前にテストを定め、そのテストをパスするように実装を行う。テストは自動テストであることが望ましい。 テストを決めてから → カタカタ 作り込む
ペアプログラミング	2人1組でプログラミングを行う。 1人がコードを書き、もう1人がそのコードの検証役となり、随時互いの役割を入れ替えながら作業を進める。 品質向上や 知識の共有に
リファクタリング	完成したプログラムでも、内部のコードを随時改善する。冗長な構造を改めるに留め、外部から見た動作は変更しない。 中身は常に ブラッシュアップ
ソースコードの共有所有	コードの作成者に断りなく、チーム内の誰もが修正を行うことができる。その代わりに、チーム全員が全てのコードに対して責任を負う。 みんな いじるよ♡
継続的インテグレーション	単体テストを終えたプログラムは、すぐに結合して結合テストを行う。 部品ができたら すぐ結合!
YAGNI	「You Aren't Going to Need It.」の略。 今必要とされる機能だけのシンプルな実装に留める。 この絵!! しんぷる is べすと 手抜きだ!!

リバースエンジニアリングとフォワードエンジニアリング

　既存ソフトウェアの動作を解析することで、プログラムの仕様やソースコードを導き出すことをリバースエンジニアリングと言います。

　その目的は、既にあるソフトウェアを再利用することにより、新規開発(もしくは仕様書が所在不明になっているような旧来システムの保守)を手助けすることです。

リバースエンジニアリング

　一方、これによって得られた仕様をもとに新しいソフトウェアを開発する手法を、フォワードエンジニアリングと言います。

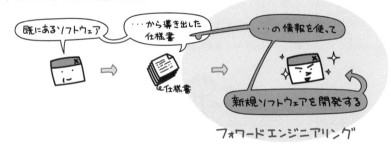

フォワードエンジニアリング

　しかし、元となるソフトウェア権利者の許可なくこれを行い、新規ソフトウェアを開発・販売すると、知的財産権の侵害にあたる可能性があるため注意が必要です。

マッシュアップ

　公開されている複数のサービスを組み合わせることで新しいサービスを作り出す手法を
マッシュアップと言います。Webサービス構築のためによく利用されています。

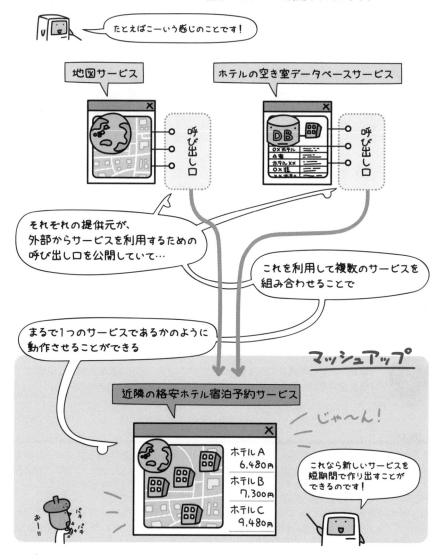

たとえばこーいう感じのことです！

地図サービス

ホテルの空き室データベースサービス

呼び出し口

呼び出し口

それぞれの提供元が、
外部からサービスを利用するための
呼び出し口を公開していて…

これを利用して複数のサービスを
組み合わせることで

まるで1つのサービスであるかのように
動作させることができる

マッシュアップ

近隣の格安ホテル宿泊予約サービス

じゃ～ん！

ホテルA
6,480円

ホテルB
7,300円

ホテルC
9,480円

これなら新しいサービスを
短期間で作り出すことが
できるのです！

お～!!
パチパチ

問 **1**

(IP-R06-40)

アジャイル開発に関する記述として，最も適切なものはどれか。

ア 開発する機能を小さい単位に分割して，優先度の高いものから短期間
で開発とリリースを繰り返す。

イ 共通フレームを適用して要件定義，設計などの工程名及び作成する文
書を定義する。

ウ システム開発を上流工程から下流工程まで順番に進めて，全ての開発
工程が終了してからリリースする。

エ プロトタイプを作成して利用者に確認を求め，利用者の評価とフィード
バックを行いながら開発を進めていく。

解説

　下記は、選択肢ア・ウ・エに関する記述と参照ページ数です。
ア アジャイル開発 (338ページ)　　ウ ウォータフォールモデル (335ページ)　　エ プロトタイ
ピングモデル (336ページ)

　選択肢イの記述に、特別な名前は付けられていません。なお、本番稼働後に、"期待していたシス
テムと全く違います。全部最初から作り直しです"といったシステム開発の大失敗を避けるために、
開発する機能を小さい単位に分割して、少しずつ本番稼働させる"アジャイル開発"のような手法が
考案されました。

問 **2**

(IP-H30-S-33)

情報システムの導入に当たり，ユーザがベンダに提案を求めるために提示す
る文書であり，導入システムの概要や調達条件を記したものはどれか。

ア RFC　　　　イ RFI　　　　ウ RFID　　　　エ RFP

解説

ア RFCは、ネットワーク分野では「Request For Comment」の、またITサービスマネジメント分
　野では「Request For Change」の略語です。ただし、両方とも、ITパスポート試験に出題され
　る可能性は極めて低いです。

イとエ RFIとRFPの説明は、325ページを参照してください。

ウ RFID (Radio Frequency IDentification) は、微小な無線チップを、カードや商品に埋め込み、
　人やモノを識別・管理する仕組みのことです。RFIDを応用したカードに、JRのスイカやイコカ、
　東京メトロのPASMOなどがあります。

問 3 (IP-R04-08)

ある業務システムの再構築に関して，複数のベンダにその新システムの実現イメージの提出を求めるRFIを予定している。その際，同時にベンダからの提出を求める情報として，適切なものはどれか。

ア　現行システムの概要　　　　　　イ　システム再構築の狙い
ウ　新システムに求める要件　　　　エ　適用可能な技術とその動向

解説

　RFI (Request For Information) は、325ページにあるとおり、発注予定者が、提案依頼書を提出するシステムベンダに対し、提案依頼書を作成するために必要な情報の提供を依頼する書類です。したがって、選択肢エの「適用可能な技術とその動向」が正解です。選択肢ア～ウは、発注予定者が、提案依頼書に記述する情報です。

問 4 (IP-R05-49)

リファクタリングの説明として，適切なものはどれか。

ア　ソフトウェアが提供する機能仕様を変えずに，内部構造を改善すること
イ　ソフトウェアの動作などを解析して，その仕様を明らかにすること
ウ　ソフトウェアの不具合を修正し，仕様どおりに動くようにすること
エ　利用者の要望などを基に，ソフトウェアに新しい機能を加える修正をすること

解説

　選択肢ア～エは、下記の用語の説明です。
ア　リファクタリング　　イ　リバースエンジニアリング　　ウ　デバッグ　　エ　ソフトウェア保守

問 5 (IP-R05-39)

　運用中のソフトウェアの仕様書がないので，ソースコードを解析してプログラムの仕様書を作成した。この手法を何というか。

ア　コードレビュー　　　　　　　　イ　デザインレビュー
ウ　リバースエンジニアリング　　　エ　リファクタリング

解説

ア　コードレビュー … ソースコード (＝ソースプログラム) を目視して検査し、バグや欠陥を探し出すこと。
イ　デザインレビュー … 外部設計書や内部設計書などの設計書類を目視して検査し、誤りや欠陥を探し出すこと。
ウ　リバースエンジニアリング … 340ページを参照してください。
エ　リファクタリング … 339ページを参照してください。

正解 ▶問1:ア　問2:エ　問3:エ　問4:ア
　　　問5:ウ

Chapter 10-3 業務のモデル化

システムに対する要求を明確にするためには、対象となる業務をモデル化して分析することが大事です。

　業務をシステム化するにあたっては、イラストにもあるように現状の分析が欠かせません。そのためには、まず業務の流れ（つまり業務プロセス）をしっかりと押さえる必要が出てきます。「敵を知り己を知ればなんとやら」ってやつですね。

　そこで登場するのがモデル化です。

　モデル化とは、現状の業務プロセスを抽象化して視覚的にあらわすことで、これをやると、その業務に関わっている登場人物や書類の流れがはっきりするのです。そのため、「どこにムダがあるか」「本来はどうであるべきか」といった業務分析に役立てることができます。

　そんなわけで要件定義では、このモデル化を使って業務分析を行います。利用者側の要求を汲み取り、システムが実現すべき機能の洗い出しを行うために使われるわけですね。

　代表的なのはDFDとE-R図の2つ。DFDは業務プロセスをデータの流れに着目して図示化したもので、E-R図は構造に着目して実体（社員とか部署とか）間の関連を図示化したものです。…が、こんな説明じゃ「何のことやら」だと思うので、実例を示しながら見ていくといたしましょう。

DFD

DFDはData Flow Diagramの略。その名の通り、データの流れを図としてあらわしたものです。次のような記号を使って図示します。

記号	名称	説明
◯	プロセス（処理）	データを加工したり変換したりする処理をあらわします。
▭	データの源泉と吸収	データの発生元や最終的な行き先をあらわします。
→	データフロー	データの流れをあらわします。
―	データストア	ファイルやデータベースなど、データを保存する場所をあらわします。

たとえば下の業務を例とした場合、DFDであらわされる図は次のようになります。

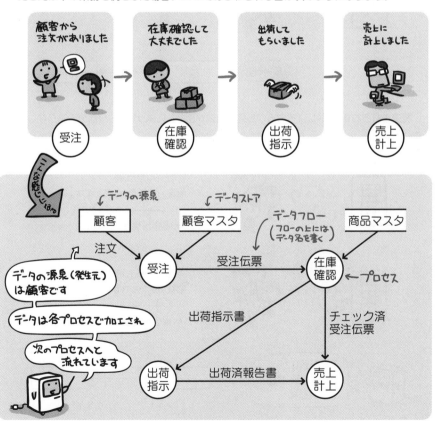

E-R図

E-R図は、実体（Entity: エンティティ）と、実体間の関連（Relationship: リレーションシップ）という概念を使って、データの構造を図にあらわしたものです。

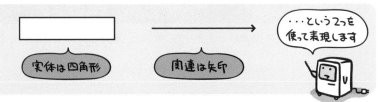

たとえば「会社」と「社員」の関連を図にすると、次のようになります。

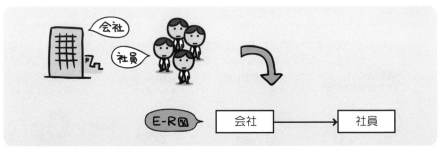

関連をあらわす矢印は、「そちらから見て複数か否か」によって矢じり部分の有りなしが決まります。

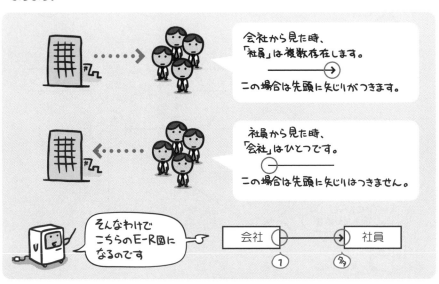

関連には「1対多」の他に、「1対1」「多対多」などのバリエーションが考えられます。
例としてあげると、次のような感じになります。

パターン①　「会社」と「社員」は1対多

会社にはたくさんの社員が所属しています

パターン②　当然、逆もあって「社員」と「会社」だと多対1

同上

パターン③　「社員」と「社員番号」は1対1

社員番号は1人の社員に対して、1つの固有番号が割りあてられます

パターン④　「商品」と「仕入先」は多対多

複数の商品を複数の仕入先から調達している場合です

問 1
(IP-R03-01)

E-R図を使用してデータモデリングを行う理由として，適切なものはどれか。

ア　業務上でのデータのやり取りを把握し，ワークフローを明らかにする。

イ　現行業務でのデータの流れを把握し，業務遂行上の問題点を明らかにする。

ウ　顧客や製品といった業務の管理対象間の関係を図示し，その業務上の意味を明らかにする。

エ　データ項目を詳細に検討し，データベースの実装方法を明らかにする。

解説

選択肢ア～エを行うために使われる図や書式の例は、下記のとおりです（カッコ内は参照ページ）。
ア　業務フロー図　　イ　DFD（345ページ）　　ウ　E-R図（346ページ）　　エ　データ項目定義書

問 2
(IP-R02-A-11)

あるレストランでは，受付時に来店した客の名前を来店客リストに記入し，座席案内時に来店客リストと空席状況の両方を参照している。この一連の業務をDFDで表現したものとして，最も適切なものはどれか。

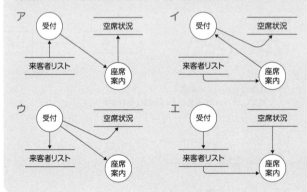

解説

本問の「受付時に来店した客の名前を来店客リストに記入し」は、＜「受付」プロセスは、データストア「来店客リスト」に、「客の名前」データを出力する＞と読み替えられます。また、「座席案内時に来店客リストと空席状況の両方を参照している」は、＜「座席案内」プロセスは、データストア「来店客リスト」と「空席状況」からデータを入力する＞と読み替えられます。DFDの図記号は、345ページを参照してください。

正解▶問1：ウ　問2：エ

ユーザインタフェース

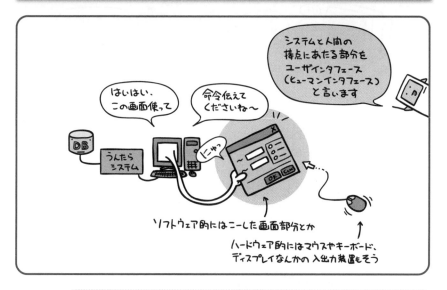

ユーザインタフェースは、システムに人の手がふれる部分。
システムの「使いやすさ」に直結します。

　インタフェースというのは、「あるモノとあるモノの間に立って、そのやり取りを仲介するもの」を示します。つまりシステム開発におけるユーザインタフェースというのは、「システムと利用者 (ユーザ) の間に立って、互いのやり取りを仲介するもの」の意味。

　ユーザからの入力をどのように受け付けるか、ユーザに対してどのような形で情報を表示するか、どのような帳票を出力として用意するか…などなど、これらすべてが、ユーザインタフェースというわけです。

　ユーザが実際にシステムを操作する部分にあたりますから、システムの使いやすさはこの出来に大きく左右されます。したがって、システムの外部設計段階では、「いかにユーザ側の視点に立って、これらユーザインタフェースの設計を行うか」が大事となります。

CUIとGUI

ひと昔前のコンピュータは、電源を入れると真っ黒な画面が出てきて、ピコンピコンとカーソルが点滅しているだけでした。

画面に表示されるのは文字だけで、そのコンピュータに対して入力するのも文字だけ。文字を打ち込むことで命令を伝えて処理させていたのです。

このような文字ベースの方式をCUI（Character User Interface）と呼びます。

現在では、より誰でも簡単に扱えるようにと、「画面にアイコンやボタンを表示して、それをマウスなどのポインティングデバイスで操作して命令を伝える」といった、グラフィカルな操作方式が主流になっています。

このような方式をGUI（Graphical User Interface）と呼びます。

一般的に使用されているWindowsやMac OSといったOSは、ともにGUI方式です。

GUIで使われる部品

GUIでは、次のような部品を組み合わせて操作画面を作ります。
代表的な部品の名前と役割は覚えておきましょう。

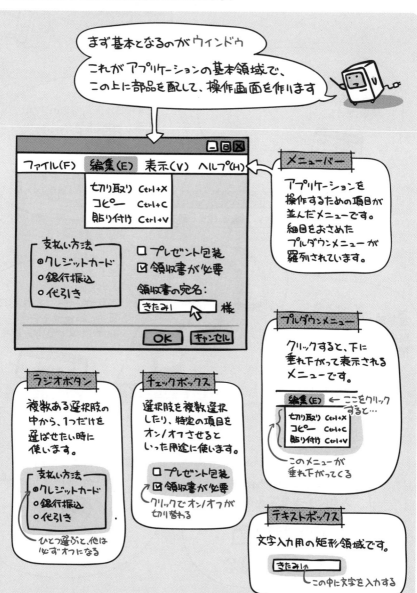

まず基本となるのがウィンドウ

これがアプリケーションの基本領域で、この上に部品を配して、操作画面を作ります

メニューバー

アプリケーションを操作するための項目が並んだメニューです。細目をおさめたプルダウンメニューが羅列されています。

ファイル(F)　編集(E)　表示(V)　ヘルプ(H)

切り取り　Ctrl+X
コピー　　Ctrl+C
貼り付け　Ctrl+V

支払い方法
◉クレジットカード
○銀行振込
○代引き

□プレゼント包装
☑領収書が必要

領収書の宛名:
きたみ　　　様

OK　　キャンセル

プルダウンメニュー

クリックすると、下に垂れ下がって表示されるメニューです。

編集(E)　← ここをクリックすると…

切り取り　Ctrl+X
コピー　　Ctrl+C
貼り付け　Ctrl+V

このメニューが垂れ下がってくる

ラジオボタン

複数ある選択肢の中から、1つだけを選ばせたい時に使います。

支払い方法
◉クレジットカード
○銀行振込
○代引き

ひとつ選ぶと、他は必ずオフになる

チェックボックス

選択肢を複数選択したり、特定の項目をオン/オフさせるといった用途に使います。

□プレゼント包装
☑領収書が必要

クリックでオン/オフが切り替わる

テキストボックス

文字入力用の矩形領域です。

きたみ

この中に文字を入力する

画面設計時の留意点

使いやすいユーザインタフェースを実現するため、画面設計時は次のような点に留意する
必要があります。

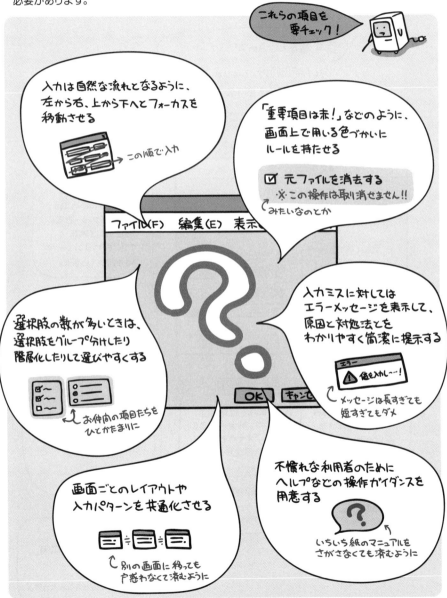

これらの項目を
要チェック！

入力は自然な流れとなるように、
左から右、上から下へとフォーカスを
移動させる

→ この順で入力

「重要項目は赤！」などのように、
画面上で用いる色づかいに
ルールを持たせる

☑ 元ファイルを消去する
 ※この操作は取り消せません!!
↑みたいなのとか

ファイル(F)　編集(E)　表示

選択肢の数が多いときは、
選択肢をグループ分けしたり
階層化したりして選びやすくする

↑お仲間の項目たちを
ひとかたまりに

入力ミスに対しては
エラーメッセージを表示して、
原因と対処法とを
わかりやすく簡潔に提示する

エラー
⚠ 値を入れし〜！

↑メッセージは長すぎても
短すぎてもダメ

OK　キャンセル

画面ごとのレイアウトや
入力パターンを共通化させる

↑別の画面に移っても
戸惑わなくて済むように

不慣れな利用者のために
ヘルプなどの操作ガイダンスを
用意する

↑いちいち紙のマニュアルを
さがさなくても済むように

帳票設計時の留意点

システムの処理結果は、多くの場合帳票として出力することになります。この帳票も、次のような点に留意して設計する必要があります。

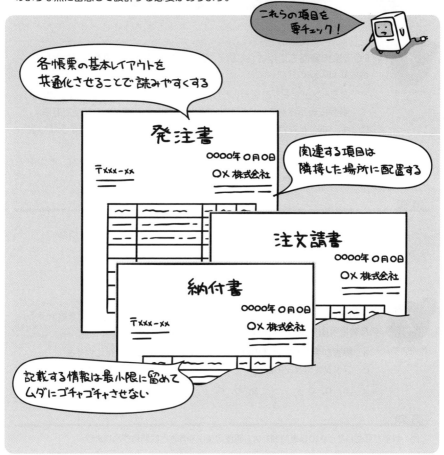

問 1

(IP-H25-S-65)

PCの操作画面で使用されているプルダウンメニューに関する記述として、適切なものはどれか。

ア　エラーメッセージを表示したり、少量のデータを入力するために用いる。

イ　画面に表示されている複数の選択項目から、必要なものを全て選ぶ。

ウ　キーボード入力の際、過去の入力履歴を基に次の入力内容を予想し表示する。

エ　タイトル部分をクリックすることで選択項目の一覧が表示され、その中から一つ選ぶ。

解説

ア　メッセージボックスもしくはダイアログボックスに関する記述です。

イ　チェックボックスに関する記述です。

ウ　オートコンプリートに関する記述です。

エ　プルダウンメニューの例は、351ページにあります。

問 2

(IP-H26-S-32)

次の記述a～dのうち、システム利用者にとって使いやすい画面を設計するために考慮するものだけを全て挙げたものはどれか。

a　障害が発生したときの修復時間　　b　操作方法の覚えやすさ

c　プッシュボタンの配置　　d　文字のサイズや色

ア　a, b, c　　イ　a, b, d　　ウ　a, c, d　　エ　b, c, d

解説

「a　障害が発生したときの修復時間」は、画面の使いやすさとは関係がありません。

正解▶問1：エ　問2：エ

Chapter 10-5 コード設計と入力のチェック

コード設計では、どのようなコード割り当てを行うと効率的にデータを管理できるか検討します。

　コードというのは、氏名や商品名とは別につける識別番号みたいなものです。日常生活においても、社員番号や学生番号、商品型番、書籍のISBNコードなど、意識して探せば同種のものをアチコチで見かけることができるはずです。

　なんでそういった識別番号をコードとして持たせるかというのは、データベースの章でも主キーの説明で述べました。まず第一が、「同じ名前があっても確実に識別するため」という理由ですね。

　でも、実はそれだけじゃないのです。他にも「コードに置きかえることで長ったらしい商品名を入力しなくて済む」であるとか、「コードの割り振り方によって商品の並び替えや分類が簡単に行えるようになる」とか、「入力時の誤りを検出することができる」とか、システムを活用する上で様々な利点があったりするのです。

　ただ、もちろんそれは適正なコード設計が為されてこそ。

　ではコード設計はどのような点に気をつけないといけないのか。そのあたりから見ていくといたしましょう。

コード設計のポイント

コード設計を行う際は、次のようなポイントに留意します。

何をコード化の対象とするのか

←たとえば社員を対象に

どのような規則のコードとするのか

頭2桁を入社年度

080015

後ろ4桁をその年の同期をアイウエオ順にした数にするとか

コードの桁数はいくつとするか

まあ年に4桁みとけば足りるでしょ？

でも年度が2桁ってどうよ？

・・・などなど

コード設計で定めたルールは、運用を開始した後になるとなかなか変更することができません。したがって、システムが扱うであろうデータ量の将来予測などを行って、適切な桁数や割り当て規則などを定める必要があります。

コードの桁数が少ないと・・・

うちみたいな零細は年に2桁も用意してりゃじゅうぶんですわ

社員コード：**0800**
年度 アイウエオ順

か、会社が大成功して今年の新入社員3桁からってるよ・・・

どうしよう・・・

じゃあ多ければ良いのかというと・・・

前回の反省をいかして今度は10桁にしてみましたよ

社員コード：**0800000000**
年度 アイウエオ順

日本の人口からいって、これなら間違いない！

覚えづらいらしくて記入ミス連発で・・・

使えないって怒られた

入力ミスやバーコードの読取りミスを検出するためには、チェックディジットの使用も有効です。

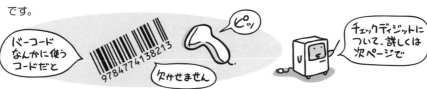

バーコードなんかに使うコードだと

9784774138213

ピッ

欠かせません

チェックディジットについて、詳しくは次ページで

チェックディジット

　チェックディジットというのは、誤入力を判定するためにコードへ付加された数字のことです。

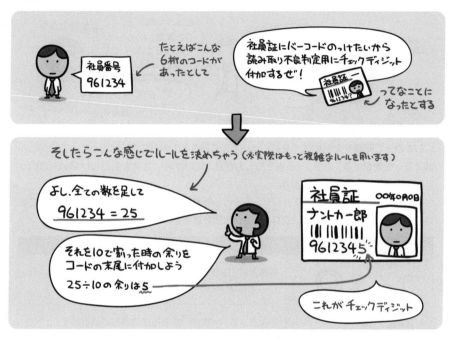

　これをどう活用するかというと…。

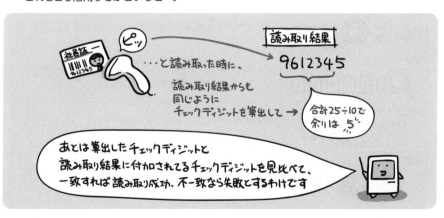

　もちろんチェックディジットの効用は、バーコードの読取り時だけに限るものではありません。人の手による入力作業などでも、誤入力検出に役立ちます。

入力ミスを判定するチェック方法

　誤ったデータや通常では有り得ない入力というのは、システムの誤動作や内部エラーを引き起こす元となります。

　したがって問題を未然に防ぐためには、できる限り入力の時点で「間違った入力に対してはエラーを表示する」とか、「そもそも入力されてはいけない文字を受け付けない」といった対策を施すことが求められます。

　前ページで述べたチェックディジットもそうした対策のひとつですが、入力チェックには他にも様々な種類があります。主なチェック方法を覚えておきましょう。

チェック方法	説明
ニューメリックチェック 0 〜 9	数値として扱う必要のあるデータに、文字など数値として扱えないものが含まれていないかをチェックします。
シーケンスチェック	対象とするデータが一定の順序で並んでいるかをチェックします。
リミットチェック 小 く く 大	データが適正な範囲内にあるかをチェックします。
フォーマットチェック CODE01	データの形式(たとえば日付ならyyyy/mm/ddという形式で…など)が正しいかをチェックします。
照合チェック CODE001 CODE015	登録済みでないコードの入力を避けるため、入力されたコードが、表中に登録されているか照合します。
論理チェック	販売数と在庫数と仕入数の関係など、対となる項目の値に矛盾がないかをチェックします。
重複チェック	一意であるべきコードなどが、重複して複数個登録されていないかをチェックします。

問 1

(IP-H24-S-98改)

多くの市販の書籍には，書籍を識別するためのISBN（International Standard Book Number）コードが付けられている。ISBNコードは，0〜9の数字を使った13桁の記号で構成され，左側から桁を数える。最も左側の桁を1桁目とする。1桁目から12桁目までは，国記号，出版者記号及び書籍固有の記号などが含まれる。ISBNコードの13桁目（最も右側の桁）はチェック数字と呼ばれる桁である。ISBNコードにチェック数字が含まれていることによって得られる効果はどれか。

ア　検査機能が付加されるので，ISBNコードを人が入力する際に，入力ミスが検出しやすくなる。

イ　識別機能が付加されるので，在庫管理システムや書籍検索システムなどにおけるコンピュータ処理の効率が向上する。

ウ　整列機能が付加されるので，客が書店で書籍を探す際に，その書籍を展示してある棚が分かりやすくなる。

エ　分類機能が付加されるので，図書館や学校などが行う書籍管理のための図書分類が明確になる。

解説

本問の「チェック数字」とは、チェックディジットのことです。チェックディジットは、誤入力を見つけるために元のコードに付加された数字です。したがって、ISBNコードにチェック数字を含めるのは、ISBNコードを入力する際に、入力ミスを検出しやすくするためです。

問 2

(AD-H13-A-43)

8けたの口座番号のうち、右端の1けたをチェックディジットとする。このチェックディジットの値は、何によって決まるか。

ア　口座の種類

イ　口座番号の右端1けたを除いた7けた

ウ　顧客の月間取引高

エ　個人顧客か法人顧客かの区分

解説

チェックディジットは、チェックディジットが付加される前の元のコードから作成されます。本問の場合、最初は7けたの口座番号（7桁番号と略します）があり、7桁番号から1けたのチェックディジットを作成し7桁番号の右端に付けて、8けたにしています。

正解 ▶問1：ア　問2：イ

問 3

(IP-H22-A-88)

9けたの数字に対して，次のルールでチェックディジットを最後尾に付けることにした。チェックディジットを付加した10けたの数字として，正しいものはどれか。

ルール1：各けたの数字を合計する。

ルール2：ルール1で得られた数が2けたになった場合には，得られた数の各けたの数字を合計する。この操作を，得られた数が1けたになるまで繰り返す。

ルール3：最終的に得られた1けたの数をチェックディジットとする。

 ア 1234567890 イ 4444444444

 ウ 5544332211 エ 6655333331

解 説

ア ルール1：1+2+3+4+5+6+7+8+9=45   ルール2：4+5=9

  ルール3：9と0は同じではないので、間違いです。

イ ルール1：4+4+4+4+4+4+4+4+4=36 ルール2：3+6=9

  ルール3：9と4は同じではないので、間違いです。

ウ ルール1：5+5+4+4+3+3+2+2+1=29 ルール2：2+9=11 1+1=2

  ルール3：2と1は同じではないので、間違いです。

エ ルール1：6+6+5+5+3+3+3+3+3=37 ルール2：3+7=10 1+0=1

  ルール3：1と1は同じなので、正しいです。

問 4

(AD-H13-A-34)

入力データの値が規定の範囲内かどうかを検査するチェック方法はどれか。

 ア 照合チェック

 イ 重複チェック

 ウ フォーマットチェック

 エ リミットチェック

解 説

 入力データの値が規定の範囲内かどうかを検査するチェック方法は、「リミットチェック」です。「範囲内か否かのリミットをチェックする」と覚えればよいでしょう。

Chapter 10-6 テスト

 作成したプログラムは、テスト工程で各種検証を行い、欠陥（バグ）の洗い出しと改修を行うことで完成に至ります。

　プログラムの中にある、記述ミスや欠陥（仕様間違いや計算式の誤りなど）のことをバグと呼びます。バグとは虫のことです。プログラムの中に小さな虫が入り込み、それが誤動作の原因となって「悩ませる、イライラさせる」といったニュアンスだと思えば良いでしょう。

　プログラムというのは人の手によって書かれたものですから、どうしてもミスをなくすことはできません。したがって、「ミスはある」という前提のもとで、バグを根絶するために検証を繰り返すわけです。これがテスト工程の役割です。

　開発者の中には、この工程を指して「正しいテストは正しい品質のプログラムを生む」と口にする人がいます。事実、前の工程が多少粗雑であっても、このテストさえきっちりと行われていれば、そのテスト範囲の動作は確実に保証されます。逆に、この工程をおざなりにしてしまうと、「どの機能が正常に動くのか」は一切わからないシステムができあがります。

　そんなシステム、怖くて誰も使いたがりませんよね？

　そんなわけで、正しい品質のシステムを提供するために、テストは重要な作業なのです。

テストの流れ

たとえば前ページで「書きましたー」と言ってるシステム。

サーバとクライアントそれぞれで個別のプログラムが動いていて、クライアントの方は次のようなモジュールの組み合わせで作られているとします。

あ、クライアントは各部署に設置する予定で、複数ぶら下がることにしましょうか。

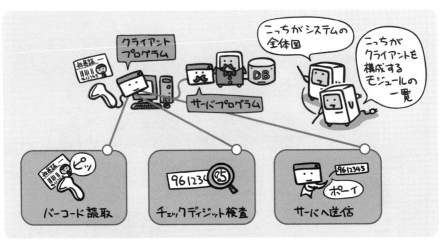

テストはまず、部品単位の信頼性を確保するところからはじまります。

そのために行われるのが単体テストです。このテストでは、各モジュールごとにテストを行って、誤りがないかを検証します。

単体テストが終わると、次に待つのが結合テストです。

結合テストでは複数のモジュールをつなぎあわせて検証を行い、モジュール間のインタフェースが正常に機能しているかなどを確認します。

お次はシステムテスト（総合テストともいいます）。

システムテストはさらに検証の範囲を広げて、システム全体のテストを行います。

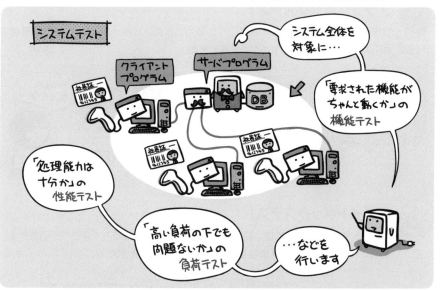

…という案配で、テストは小さい範囲から大きい範囲へと移行していきます。

それぞれのテスト対象と、実施の順番はよく覚えておきましょう。

ブラックボックステストとホワイトボックステスト

単体テストで、モジュールを検証する手法として用いられるのがブラックボックステストとホワイトボックステストです。

ブラックボックステスト

ブラックボックステストでは、モジュールの内部構造は意識せず、入力に対して適切な出力が仕様通りに得られるかを検証します。

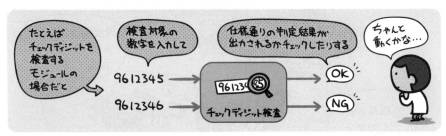

ホワイトボックステスト

ホワイトボックステストでは、逆にモジュールの内部構造が正しく作られているかを検証します。入力と出力は構造をテストするための種(タネ)に過ぎません。

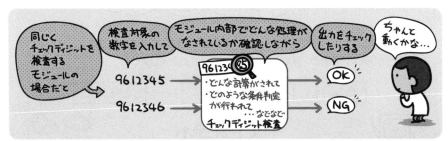

テストデータの決めごと

テストの際に入力として用いるデータは、漫然と決めても効果がありません。ちゃんと、「何を検証するため」に与えるデータなのか、その意味を明確にしておくことが大切です。そのためテストデータを作成する基準として用いられるのが、同値分割と限界値分析です。

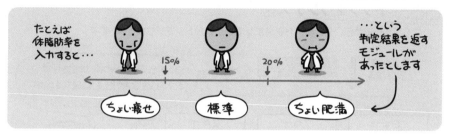

同値分割

同値分割では、データ範囲を種類ごとのグループに分け、それぞれから代表的な値を抜き出してテストデータに用います。

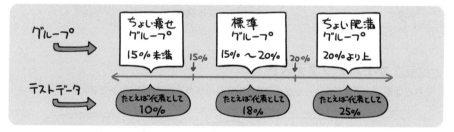

限界値（境界値）分析

限界値分析では、上記グループの境目部分を重点的にチェックします。この方法では、境界前後の値をテストデータに用います。境界値分析とも言います。

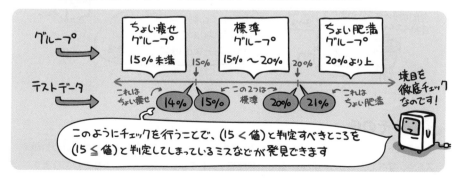

365

トップダウンテストとボトムアップテスト

結合テストでモジュール間のインタフェースを確認する方法には、トップダウンテストやボトムアップテストなどがあります。

トップダウンテスト

上位モジュールから、先にテストを済ませていくのがトップダウンテストです。

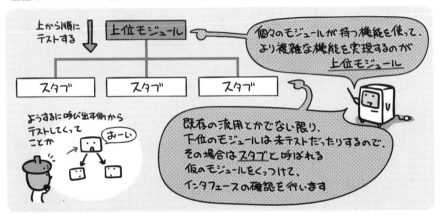

ボトムアップテスト

それとは逆に、下位モジュールからテストを行うのがボトムアップテストです。

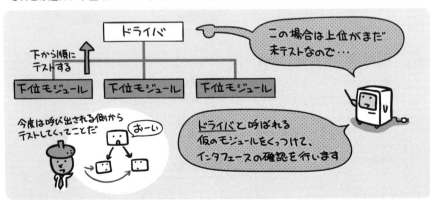

その他

結合テストには他にも、トップダウンテストとボトムアップテストを組み合わせて行う折衷テストや、すべてのモジュールを一気につなげてテストするビックバンテストなどがあります。

リグレッションテスト

リグレッションテスト（退行テスト）というのは、プログラムを修正した時に、その修正内容がこれまで正常に動作していた範囲に悪影響を与えてないか（新たにバグを誘発することになっていないか）を確認するためのテストです。

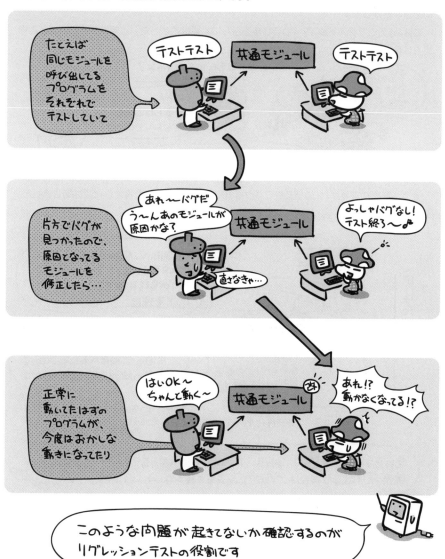

バグ管理図と信頼度成長曲線

さてここで問題です。

テストをしてバグを見つける。修正する。修正した結果新しいバグを生み出してないかを確認する。バグを見つける。修正する…と繰り返しているとなんだか永久にループしてしまいそうな気がします。

では、「ここでテスト終了」「もうじゅうぶんに品質は高まった」と判断するには、どこを見れば良いのでしょうか。

そう、厳密に言えば、「もうこれでバグは100％ありません」と言える指標はありません。そこで用いるのがバグ管理図です。

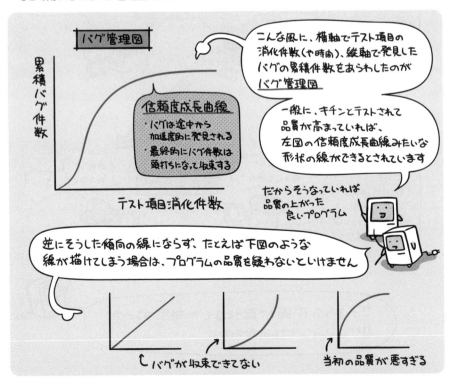

368

このように出題されています

過去問題練習と解説

問 1
(IP-R04-45)

ブラックボックステストに関する記述として，適切なものはどれか。

ア　プログラムの全ての分岐についてテストする。
イ　プログラムの全ての命令についてテストする。
ウ　プログラムの内部構造に基づいてテストする。
エ　プログラムの入力と出力に着目してテストする。

解説

　選択肢ア・イ・ウはホワイトボックステスト、また、選択肢エはブラックボックステストに関する記述です。364ページを参照してください。

問 2
(IP-R05-42)

ソフトウェア開発における，テストに関する記述a ～ cとテスト工程の適切な組合せはどれか。

a　運用予定時間内に処理が終了することを確認する。
b　ソフトウェア間のインタフェースを確認する。
c　プログラムの内部パスを網羅的に確認する。

	単体テスト	結合テスト	システムテスト
ア	a	b	c
イ	a	c	b
ウ	b	a	c
エ	c	b	a

解説

　本問の記述a ～ cのテスト工程名と簡単な説明は、下記のとおりです。
a…システムテスト：本番の運用手順を想定して行われるシステム全体のテスト。"運用予定時間内に処理が終了することを確認する" ことは、システムテストの中で実施される "性能テスト" で行われます（363ページ参照）。
b…結合テスト：複数のモジュールをつなぎ合わせて行われるテスト。本問のbでは、モジュールのことを "ソフトウェア" と呼んでいます。
c…単体テスト：モジュールごとに行われるテスト。なお、通常、1つのプログラムは複数のモジュールから構成されています。本問のcでは、モジュールのことを "プログラム" と呼んでいます。

正解▶問1：エ　問2：エ

システム周りの各種マネジメント

ある課題に対して、チームを編成してコトにあたるのがプロジェクト

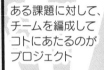

しかしただやみくもに取り組めばいいわけではありません

プロジェクトには当然ながら納期があり

そして多くの場合、悲しいことに予算も限られてます

というわけで、それらを管理する人が必要になる

つまりマネジメントとは「管理する」こと

管理が適切になされるからこそ、課題達成につながるのです

いえいえ、「作る」だけではありません

Chapter 11-1 プロジェクトマネジメント

 このようなプロジェクトマネジメントの技法を体系的にまとめたのが
PMBOK (Project Management Body of Knowledge)です。

PMBOKは、米国のプロジェクトマネジメント協会がまとめたプロジェクトマネジメントの知識体系で、国際的に標準とされているものです。なのでプロジェクトマネジメントといえば、当然テストに出るのもこのPMBOK。

従来、マネジメントといえば「QCD（品質、コスト、納期）」の3つに着目した管理手法が一般的でしたが、PMBOKでは次の10個の知識エリアをもとに管理すべきであるとしています。

作業範囲を把握するためのWBS

WBSとはWork Breakdown Structureの略。プロジェクトに必要な作業や成果物を、階層化した図であらわすものです。PMBOKでいうスコープ管理に活用されます。

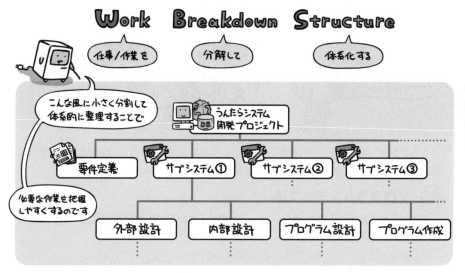

たとえば、いきなり「Googleみたいな検索システムを作れ!」と言われても途方に暮れるしかないですよね?

でも、これ以上ないくらいに作業を細分化することができたとしたら…?

このように、複雑な作業であっても細かい単位に分割していくことで、個々の作業が単純化できて、把握しやすくなるというわけです。

開発コストの見積り

　システム開発の実体は、完全オーダーメイドのソフトウェア開発であることがほとんどです。しかしソフトウェアの世界は「ネジや釘みたいな原価のはっきりした部品」が揃ってるわけじゃないですし、単純に「アレとコレ組み合わせてハイ出来上がり」という作業でもありません。

　そうですね、なので何らかの方法で、あらかじめ必要なコストを算出しなければいけません。そのための見積り手法として代表的なのが次の2つです。

プログラムステップ法

　従来からある見積り手法で、ソースコードの行（ステップ）数により開発コストを算出する手法です。

ファンクションポイント法

　表示画面や印刷する帳票、出力ファイルなど、利用者から見た機能に着目して、その個数や難易度から開発コストを算出する手法です。利用者にとっては、見える部分が費用化されるため、理解しやすいという特徴があります。

. . . .

問 **1**

(IP-R06-36)

プロジェクトに該当する事例として，適切なものだけを全て挙げたものはどれか。

a　会社合併に伴う新組織への移行
b　社内システムの問合せや不具合を受け付けるサービスデスクの運用
c　新規の経理システム導入に向けたプログラム開発
d　毎年度末に実施する会計処理

ア　a, c　　　　イ　b, c　　　　ウ　b, d　　　　エ　c

解説

　プロジェクトとは、特定の目的を達成するために明確な期限が定めて実施されることであり、aとcが、プロジェクトの事例に該当します。これに対し、bとdは、同じことを繰り返し実施するので、定例業務の事例に該当します。

問 **2**

(IP-R04-36)

プロジェクトで作成するWBSに関する記述のうち，適切なものはどれか。

ア　WBSではプロジェクトで実施すべき作業内容と成果物を定義するので，作業工数を見積もるときの根拠として使用できる。
イ　WBSには，プロジェクトのスコープ外の作業も検討して含める。
ウ　全てのプロジェクトにおいて，WBSは成果物と作業内容を同じ階層まで詳細化する。
エ　プロジェクトの担当者がスコープ内の類似作業を実施する場合，WBSにはそれらの作業を記載しなくてよい。

解説

ア　そのとおりです。
イ　WBSには、プロジェクトのスコープ外の作業を含めません。
ウ　WBSは成果物と作業内容を同じ階層まで詳細化しないことがあります。本来は、WBSの最下位の要素は、誰でも明確に理解できる作業になるべきですが、例えば、そのプロジェクトのステークホルダーの全員が理解できる場合、成果物を作るための詳細化された作業ではなく、成果物名や詳細化されていない作業名をWBSの最下位の要素に記述することがあります。
エ　スコープ内の作業は、すべてWBSに記載しなければなりません。

正解 ▶問1：ア　問2：ア

スケジュール管理と
アローダイアグラム

スケジュール管理には、ガントチャートや
アローダイアグラムといった図表が活躍します。

　システム開発というのは、よほどの規模の小さいものでない限り、複数の人間が長期に渡っ
て携わる仕事となります。

　その時大事になってくるのが、「誰が何をいつやるべきか」という情報を、適切に共有でき
ているかってこと。

　ほうっておいても個々が勝手に認識できて動けりゃいいでしょうが、まずもってプロジェ
クトはそんな簡単には動きません。ともすれば、みんながみんなバラバラに動いて崩壊しか
ねないのがチームで作業する怖さなのです。

　そこで管理者さんが、プロジェクトチーム全体を管理するわけですね。なかでも、全体の
歩調をあわせるためには、スケジュール管理は欠かせません。

　「やるべきことをやるべき人がやるべき期間にできているか」

　そんなことを把握して、時には人員を追加したり作業の優先度を見直したり自分の休暇を
削って涙目になったりと、都度適切な対策を行うわけです。

　そのために活用されるのがスケジュール管理をサポートする各種図表たち。上のイラスト
にあるガントチャートの他、以降で詳しくふれるアローダイアグラムなどが代表的です。

アローダイアグラム（PERT図）の書き方

アローダイアグラムは、作業の流れとそこに要する日数とをわかりやすく図にあらわしたものです。PERTという工程管理手法で用いられるPERT図と同じものです。

作業		作業日数	先行作業
A	システム設計	30	－
B	プログラム作成	20	A
C	回線申請設置工事	20	A
D	データベース移行	20	B
E	システムテスト	15	B
F	運用テスト	20	C、D、E

こーいう作業計画が
あったとして…

これをアローダイアグラムで
あらわすとこーなります

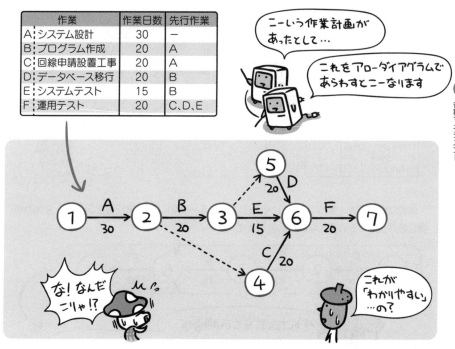

な！なんだ
こりゃ!?

これが
「わかりやすい」
…の？

確かにぱっと見は「なんだこりゃ」なのですが、ちゃんと読めるようになると、「作業の順番は？」「全体の所要日数は？」「どの作業が滞ると全体に影響する？」などなど、色んな事がわかる図になっているのです。

アローダイアグラムは、次の3つの記号を使ってあらわします。

作業の開始と終了を表す記号で、結合点と呼びます。
結合点と結合点の間に書ける矢印（作業）は1本だけで、
丸の中には、先頭から順に番号を記します。

作業をあらわす矢印（アロー）で、線の上に作業名、
線の下に作業日数を記述します。

ダミー作業（作業時間は0）をあらわす矢印です。
結合点と結合点の間には1つの作業しか書けないので、
2つ以上の作業がある場合は、この矢印を使って新しい
（作業開始位置となる）結合点に導きます。

全体の日数はどこで見る?

それでは先ほどのアローダイアグラムを使って、プロジェクト全体に必要な日数はどのようにして求められるかを見てみましょう。

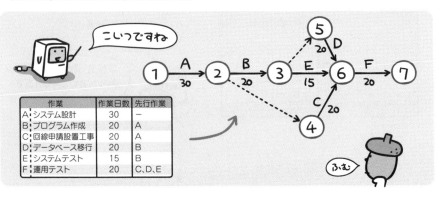

単純に考えると、真ん中をスコンと抜けているルートの、各作業日数を足せば、全体の所要日数が出てくるのではないかと思えます。

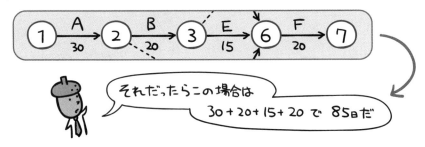

しかしFの作業(運用テスト)は、先行作業であるCとDとEの作業が終わってからでないと開始できません。じゃあ、それらがいつ終わるのかというと…。

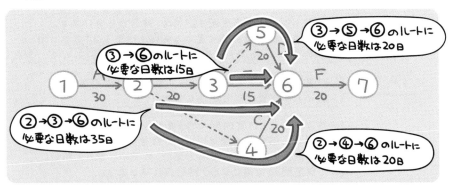

つまり作業日数は、次のルートが一番多く必要となるわけです。

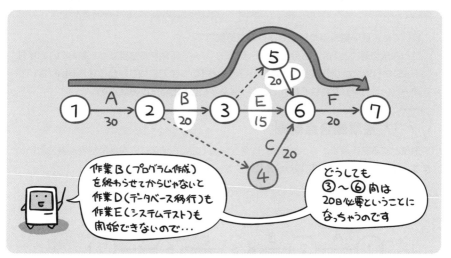

アローダイアグラムで「全体の作業日数」として合計すべきなのは、この「作業日数が一番多く必要となる（これ以上は短縮できない）」ルートなので…。

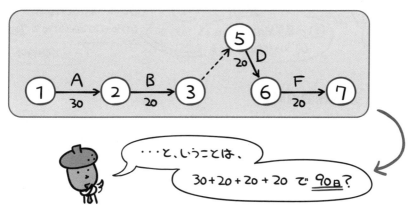

はい、大正解。

このように、アローダイアグラムで全体の所要日数を計算する時は、次の2点に留意して合計を算出します。

- ◎ 各作業に必要な作業日数を順に加算していく。
- ◎ 複数の作業が並行する箇所では、よりタク作業日数がかかる方の数字を採用する。

最早結合点時刻と最遅結合点時刻

続いては、最早結合点時刻と最遅結合点時刻です。

こんな風に書くと「また随分と難しそうな…」なんて印象を持ちますが、なんのことはない「いつから取りかかれますかーという日時」と「いつまでに取りかからなきゃいけないですかーという日時」を難しくかっこ良さげな漢字にしてあるだけの話です。

いつから？ 最早結合点時刻

対象とする結合点で、もっとも早く作業を開始できる日時のことを最早結合点時刻といいます。「いつから次の作業に取りかかれますかー？」と聞いているわけですね。

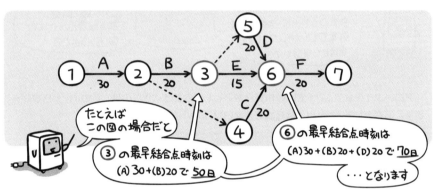

いつまでに？ 最遅結合点時刻

対象とする結合点が、全体に影響を与えない範囲で、もっとも開始を遅らせた日時のことを最遅結合点時刻といいます。「いつまでに作業開始しないとヤバイですかー？」と聞いているわけですね。

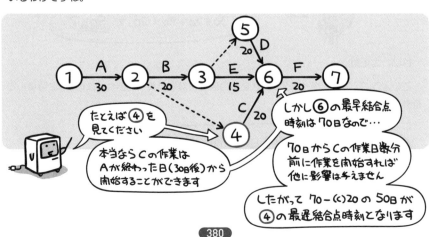

クリティカルパス

ルート上のどの作業が遅れても、それが全体のスケジュールを狂わせる結果に即つながってしまう要注意な経路のことをクリティカルパスと呼びます。クリティカルという言葉には、「重大な、危機的な、危険な」という意味があります。

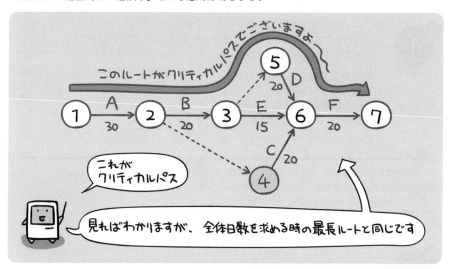

このルートがクリティカルパスでございますよ

これがクリティカルパス

見ればわかりますが、全体日数を求める時の最長ルートと同じです

クリティカルパス上の作業に、日程的な余裕はありません。

その逆に、クリティカルパス以外の作業であれば、多少作業が前後しても、全体スケジュールには影響が出なかったりします。

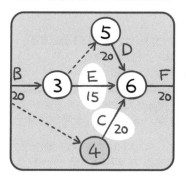

たとえばこの図の場合だと、作業Cや作業Eは、2〜3日くらい遅れても全体の日程には影響しません。（⑥の最遅結合点時刻までに終われば良い）

ちなみに、クリティカルパス上の結合点は、すべて最早結合点時刻と最遅結合点時刻が同じになっているはずです。どいつもこいつも「早めに着手することも、遅らせることもできない結合点」となるわけですね。…怖いですね。

このように出題されています
過去問題練習と解説

問1

(IP-H29-S-48)

プロジェクトで実施する作業の順序設定に関して，次の記述中のa，bに入れる字句の適切な組合せはどれか。

成果物を作成するための作業を，管理しやすい単位に[a]によって要素分解し，それらの順序関係を[b]によって表示する。

	a	b
ア	WBS	アローダイアグラム
イ	WBS	パレート図
ウ	ガントチャート	アローダイアグラム
エ	ガントチャート	パレート図

解説

WBS (Work Breakdown Structure) の説明は、373ページを参照してください。
アローダイアグラムの説明は、377ページを参照してください。
パレート図の説明は、549ページを参照してください。
ガントチャートの説明は、376ページを参照してください。

問2

(IP-H23-S-33)

システム開発プロジェクトにおけるクリティカルパスに関する記述のうち，適切なものはどれか。

ア　開発の遅延を回復するために要員を追加する場合，クリティカルパス上の作業に影響を与えないように，クリティカルパス上にない作業に対して優先的に追加する。

イ　クリティカルパス上の作業が3日前倒しで完了すると，プロジェクトの完了も必ず3日前倒しとなる。

ウ　クリティカルパス上の作業が遅延すると，プロジェクトの完了も遅延する。

エ　プロジェクトにおいてクリティカルパスは一つだけ存在する。

解説

ア　開発の遅延を回復するために要員を追加する場合、クリティカルパス上の作業に対して優先的に追加します。クリティカルパスが、プロジェクト全体のスケジュールの中で最も時間のかかる一連の作業だからです。

イ　クリティカルパス上の作業が3日前倒しで完了した場合でも、プロジェクトの完了も必ず3日前倒しになるとはいえません。クリティカルパスではなかった作業群が、新たなクリティカルパスになる場合があるからです。

ウ　クリティカルパスの説明は、381ページを参照してください。

エ　微妙な選択肢です。基本的に、プロジェクトにおいてクリティカルパスは一つだけ存在します。極まれなケースですが、先行作業と後続作業に依存関係がある作業群の合計日数が最大になるパスが2以上あれば、それらのすべてのパスがクリティカルパスになります。

問3 (IP-H24-S-31)

プロジェクトマネジメントのために作成する図のうち，進捗が進んでいたり遅れていたりする状況を視覚的に確認できる図として，最も適切なものはどれか。

ア　WBS　　イ　ガントチャート　　ウ　特性要因図　　エ　パレート図

解説

ア　WBS（Work Breakdown Structure）は、プロジェクトでやらねばならない作業を示した図です。
イ　ガントチャートは、各作業の作業開始と終了に関する予定と実績を横棒（バー）で示す図です。
ウ　特性要因図は、不具合の原因などを系統的に把握するために書かれた、魚の骨に似た図です。
エ　パレート図は、現象や原因を件数の多い順に棒グラフとして並べ、その累積値を折れ線グラフとして重ね合わせた図です。

問4 (IP-R04-43)

図のアローダイアグラムにおいて，作業Bが2日遅れて完了した。そこで，予定どおりの期間で全ての作業を完了させるために，作業Dに要員を追加することにした。作業Dに当初20名が割り当てられているとき，作業Dに追加する要員は最少で何名必要か。ここで，要員の作業効率は一律である。

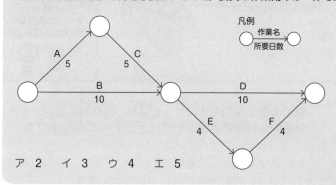

ア　2　　イ　3　　ウ　4　　エ　5

解説

　予定でのクリティカルパスを見つけるために、全パスの合計日数を計算します（作業AをAのように略記し、カッコ内に所要日数を記述します）。

①：A(5)→C(5)→D(10) … 合計日数＝20日　　　②：B(10)→D(10) … 合計日数＝20日
③：A(5)→C(5)→E(4)→F(4) … 合計日数＝18日　　④：B(10)→E(4)→F(4) … 合計日数＝18日

　上記より、日数が最も多い①と②が予定でのクリティカルパスです。作業Bが2日遅れて完了したので、実績での②は、B(12)→D(10) … 合計日数＝22日になり、②が実績でのクリティカルパスです。予定どおりの期間で全ての作業を完了させるためには、クリティカルパス上にある作業Dの所要日数を2日短縮して、8日にしなければなりません。

　作業Dには、当初20名が割り当てられているので、作業Dの実績作業人日数は、10日×20名＝200名日です。作業Dを8日で完了させるには、200名日÷8日＝25名が必要です。したがって、作業Dに追加する要員は、25名－20名＝5名です。

正解▶問1：ア　問2：ウ　問3：イ　問4：エ

ITサービスマネジメント

 顧客の要求を満たすITサービスを、効果的に提供できるよう
体系的に管理する手法がITサービスマネジメントです。

　「こういうシステムが欲しいわ〜」と顧客が言う場合、その多くはシステムそのものではなく、「そのシステムによって実現できるサービス」を求めています。

　だからシステムだけを作って「はいできましたよ」で終わっちゃうとちょっと違う。その運用や管理までを含めて、いかにサービスとして提供するか。また、サービスの水準を、いかに維持し、改善していくかという視点が求められます。

　そこで、ITサービスを提供するにあたっての、管理・運用規則に関するベストプラクティス（最も効率の良い手法・プロセスなどのこと。ようするに成功事例）が、英国において体系的にまとめられました。これをITIL（アイティル: Information Technology Infrastructure Library）と呼びます。

　ITILは大きく分けて、ITサービスの日々の運用に関する作業をまとめたサービスサポートと、長期的な視点でITサービスの計画と改善と図るサービスデリバリの2つによって構成され、ITサービスマネジメントの標準的なガイドラインとして使われています。

SLA (Service Level Agreement)

サービスレベルアグリーメント（SLA）とは、日本語にするとサービスレベル合意書、サービスの提供者とその利用者との間で、「どのような内容のサービスを、どういった品質で提供するか」を事前に取り決めて明文化したものをいいます。

サービス品質の目標設定を、両者合意のもとで行うわけです。

⑪ システム周りの各種マネジメント

この時その項目は、漠然とした表現ではなく、具体的な数値を用いて定量的な判断ができるようにしておく必要があります。「問い合わせに対しては"○時間以内"に返答する」などとするわけですね。

なんでそれが大事なのかというと…

まあそれは極端な話だとしても、表現があいまいでは目標が達成できたかもわかりませんから、困るわけですね。

ちなみに、設定した目標を達成するために、計画－実行－確認－改善というPDCAサイクル（P.538）を構築し、サービス水準の維持・向上に努める活動を、サービスレベルマネジメント（SLM: Service Level Management）といいます。

サービスサポート

ITILの中で、「ITサービスの日々の運用に関する作業」をまとめたものがサービスサポート。次の1機能と5つの業務プロセスによって構成されています。

機能	サービスデスク（ヘルプデスク）	ITサービスを利用する顧客と、ITサービスを提供する組織との間の一元的な窓口として活動する。
プロセス	インシデント管理	発生したインシデントに対し、可能な限り迅速に通常のサービス運用を回復して、ビジネスへの悪影響を最小限に抑える。
	問題管理	インシデントや問題の根本原因を特定し、事業に対する悪影響を最小限に抑制し、また再発を防止する。
	構成管理	構成管理データベースを用いてITサービス提供に必要な構成アイテム（CI）を常に正しく把握し、各プロセスに効果的な情報を提供する。
	変更管理	変更要求（RFC）の内容について、変更に伴う影響を検証してインパクトや優先度の評価を行い、認可又は却下を決定する。
	リリース管理	承認の得られたコンポーネントを、正しい場所に、適切な時期にリリースする。

サービスデスクで利用者の声を受け、一連のプロセスでサービスの運用をサポートしていくわけですね

サービスデリバリ

ITILの中で、「長期的な視点でITサービスの計画と改善を図る」のがサービスデリバリ。次の5つの業務プロセスによって構成されています。

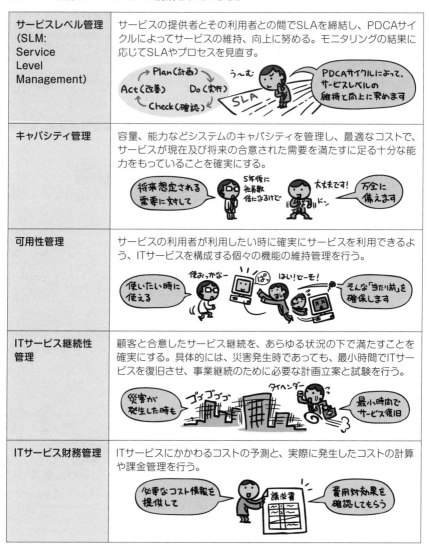

サービスレベル管理 (SLM: Service Level Management)	サービスの提供者とその利用者との間でSLAを締結し、PDCAサイクルによってサービスの維持、向上に努める。モニタリングの結果に応じてSLAやプロセスを見直す。
キャパシティ管理	容量、能力などシステムのキャパシティを管理し、最適なコストで、サービスが現在及び将来の合意された需要を満たすに足る十分な能力をもっていることを確実にする。
可用性管理	サービスの利用者が利用したい時に確実にサービスを利用できるよう、ITサービスを構成する個々の機能の維持管理を行う。
ITサービス継続性管理	顧客と合意したサービス継続を、あらゆる状況の下で満たすことを確実にする。具体的には、災害発生時であっても、最小時間でITサービスを復旧させ、事業継続のために必要な計画立案と試験を行う。
ITサービス財務管理	ITサービスにかかわるコストの予測と、実際に発生したコストの計算や課金管理を行う。

今後のサービス運用計画をどのように講じていくか、これらのプロセスでサポートしていくわけですね

事業継続計画（BCP:Business Continuity Plan）

BCP（Business Continuity Plan）は、直訳すると次のような意味を持ちます。

たとえば、地震等の自然災害、大火災、テロ攻撃などの緊急事態に企業が遭遇した場合において…

そうした事態が発生しても、重要な事業を中断させない、または中断しても可能な限り短い期間で復旧させるための方針、体制、手順等を示した計画のことを事業継続計画（BCP:Business Continuity Plan）と呼びます。

BCPでは、事業継続のために優先させるべきシステムを洗い出し、復旧目標として次の3種を定めます。

目標復旧レベル
(RLO: Recovery Level Objective)

復旧目標とする業務範囲や処理能力などを定めます。

レベルは落ちるけどとりあえずここまで動けばなんとか…

通常の運用レベル

目標復旧レベル

ここでは、「どの程度まで復旧させる必要があるか」

…を決定します

目標復旧時間
(RTO: Recovery Time Objective)

目標復旧レベルまで復旧するのに要する時間を定めます。

通常の運用レベル

障害発生!!

障害発生後どれくらいの時間でシステムを復旧させなきゃいけないか…

目標復旧時間

目標復旧レベル

ここでは

「システムダウンを許容できる時間」…を決定します

目標復旧時点
(RPO: Recovery Point Objective)

どの時点のデータまでは復旧されるべきかを定めます。

定期的にバックアップをとっていても、最後のバックアップから障害発生までの間のデータは失われてしまう…

障害発生!!

Backup Backup Backup

この区間のデータは失われる

ここでは、「どの程度のデータ損失を許容するか」

…を決定します

それによってバックアップの取得間隔を決める

ファシリティマネジメント

「ファシリティ (facility)」とは、設備や施設のこと。

ファシリティマネジメントとは、これらの設備を適切に管理・改善する取り組みのことです。施設管理とも呼ばれます。

UPS (Uninterruptible Power Supply) は無停電電源装置とも言い、外付けバッテリのような使い方のできる装置です。装置内部に有するバッテリに蓄電しておいて、停電などで電力が閉ざされた場合に、接続機器に対して一定時間電力を供給します。

問 1
(IP-R06-44)

提供しているITシステムが事業のニーズを満たせるように，人材，プロセス，情報技術を適切に組み合わせ，継続的に改善して管理する活動として，最も適切なものはどれか。

ア　ITサービスマネジメント
イ　システム監査
ウ　ヒューマンリソースマネジメント
エ　ファシリティマネジメント

解説

　選択肢ア・イ・エの説明は、下記のページを参照してください。
ア　384ページ　　　イ　392ページ　　　エ　390ページ
　選択肢ウのヒューマンリソースマネジメントは、人的資源管理と訳され、人材の採用、教育、評価、配置などを行う管理のことです。
　なお、本問の問題文は、ITサービスマネジメントの説明文としては、わかりにくく不明確であり、消去法によって正解を絞り込みます。

問 2
(IP-R04-44)

ITサービスマネジメントにおけるインシデント管理の目的として，適切なものはどれか。

ア　インシデントの原因を分析し，根本的な原因を解決することによって，インシデントの再発を防止する。
イ　サービスに対する全ての変更を一元的に管理することによって，変更に伴う障害発生などのリスクを低減する。
ウ　サービスを構成する全ての機器やソフトウェアに関する情報を最新，正確に維持管理する。
エ　インシデントによって中断しているサービスを可能な限り迅速に回復する。

解説

　各選択肢は、下記の目的を記述しています（詳しくは386ページを参照してください）。
ア　問題管理　　　イ　変更管理　　　ウ　構成管理　　　エ　インシデント管理

正解 ▶ 問1：ア　問2：エ

Chapter 11-4 システム監査

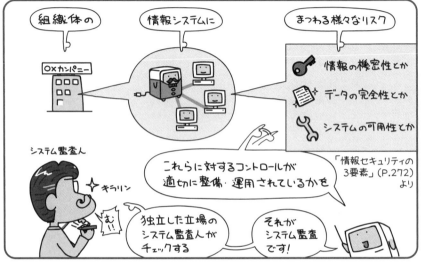

**システム監査人は、検証または評価の結果として、
保証やアドバイスを与えてITガバナンスの実現に寄与します。**

　ITガバナンスとは、経済産業省の定義によると「企業が、ITに関する企画・導入・運営および活用を行うにあたって、すべての活動、成果および関係者を適正に統制し、目指すべき姿へと導くための仕組みを組織に組み込むこと、または、組み込まれた状態」を意味します。

　やたらめったらややこしい感じもいたしますが、元々はコーポレートガバナンス (P.520) から派生したこの言葉。ガバナンスが「統治、またはそのための機構や方法」の意味であることを考えると、ITガバナンスとはざっくり言って「ITシステムを適切に管理・運用するための体制や方法」だと思えば良いでしょう。

　つまりシステム監査というのは、「その体制がちゃんとできてますかー?」と確認するのがお仕事だというわけです。

内部統制

　監査の目的は、内部統制が適切に機能しているかを評価することです。

　内部統制とは、下記の4つの目的が達成できているという合理的な保証を得られるように、業務のやり方を定めて運用するものです。

内部統制の目的
・業務の有効性および効率性
・財務報告の信頼性
・事業活動に関わる法令等の遵守
・資産の保全

> 「統制」は「コントロール」と読み替えた方がわかりやすいかも

　簡単に言うと、不正やミスの発生防止を現場の担当者任せにするのではなく、仕組みとしてそれらを排除できるよう業務を構築するというのが基本的な考え方ですね。

　たとえば次のように業務のルールを定めたりするわけです。

特権ID(システムを自由にいじれるID)は貸し出し&返却履歴と利用ログを管理する

なんでもできるといっても…
これだと悪さしたら
すぐバレるな

財務データの入力結果は、正確性を損ねていないか、原票と照らし合わせてチェックする

入力入力〜
数字をまちがえてないか…
チェックして寄るとするぞ
原票

　この内部統制のうち、情報システムに関するものをIT統制と言います。

> IT統制はこちらの2つに分類できます

業務処理統制

業務を管理するシステムにおいて、承認された業務がすべて正確に処理、記録されることを保証するために、業務プロセスに組み込まれたITによる統制活動

たとえば!
これだけ注文きたよー → はいよー
注文 注文 注文
販売システム　会計システム

コントロールトータルチェックといいます

販売システムから会計システムにデータが受け渡された時、入力と出力の合計値を比較することで、データの正確性と網羅性を確保する

入力フォームは、決められた入力しか受け付けないようにすることで、データの妥当性を確保する

氏名　ナントカ太郎
年齢　25　←数字しか入力できない
性別　男／女／その他　リストから選択するのみ

自由に入力可

バリデーションチェックといいます

全般統制

上記の業務処理統制が有効に機能する環境を保証するための統制活動

システム監査人と監査の依頼者、被監査部門の関係

システム監査人には、独立性をはじめとする次の要素が求められます。

『外観上の独立性』
　システム監査を客観的に実施するために、監査対象から独立していなければならない。監査の目的によっては、被監査主体と身分上、密接な利害関係を有することがあってはならない。

『精神上の独立性』
　システム監査の実施に当たり、偏向を排し、常に公正かつ客観的に監査判断を行わなければならない。

『職業倫理と誠実性』
　職業倫理に従い、誠実に業務を実施しなければならない。

『専門能力』
　適切な教育と実務経験を通じて、専門職としての知識及び技能を保持しなければならない。

システム監査人

『システム監査基準』by 経済産業省 より

つまりシステム監査人は、依頼を受けてシステム監査を行いますが…

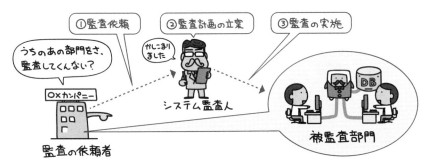

　その存在は独立しているため、実際に業務を変更する権限は持ち合わせていません。システム監査の結果を受けて実際の改善命令を下すのは、監査の依頼組織もしくは被監査部門の役割となります。

システム監査の手順

システム監査は、監査計画に基き、予備調査→本調査→評論・結論という手順で行われます。

監査計画の立案

監査の目的を効率的に達成するための、監査手続の内容とその時期、および範囲などについて適切な計画を立案します。

予備調査

本調査に先立ち、監査対象の実態把握に努めます。
資料の収集やアンケート調査など、被監査部門の実態調査を行い、適切なコントロールがなされているか確認します。

本調査

予備調査で作成した監査手続書に従い、現状の確認と、それを裏付ける監査証拠の収集、証拠能力の評価を行い、監査調書としてまとめます。

評価・結論

監査調書に基づいて、監査対象におけるコントロールの妥当性を評価します。評価結果は監査報告書としてまとめ、その文書内に指摘事項や改善勧告などの監査意見を記します。

システムの可監査性

　情報システムにおける可監査性とは、処理の正当性や内部統制を効果的に監査またはレビューできるようにシステムが設計・運用されていることを指します。

　コントロールとは適正に統制するための仕組みを意味しています。何ごともやりっぱなしはダメ。きちんと業務の内容を検証できるようになってないとアカンわけですね。

　こういった取り組みにより、システムにおいて発生した事柄の過程が確認できること、それをさかのぼって検証できることが大事なわけです。

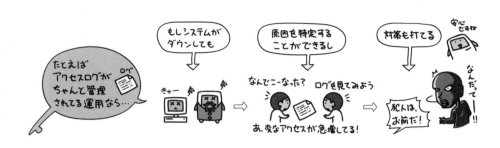

このような、システムにおける事象発生から最終結果に至るまでの一連の流れを、時系列に沿った形で追跡できる仕組みや記録のことを監査証跡と言います。

こうしてシステム監査人が行った監査の実施記録は、監査調書としてまとめられます。

ここには監査意見が記されるわけですが、その場合は必ず根拠となる事実と、その他関連資料が添えられていなくてはなりません。このような、自らの監査意見を立証するために必要な事実を監査証拠と言います。

監査報告とフォローアップ

　システム監査人は、監査報告書の記載事項について責任を負わなければなりません。監査意見には大別すると保証意見と助言意見の2種類があり、当然そのいずれにおいても責を負います。

　ただし前述の通り、システム監査人には実際に業務を変更する権限はありません。被監査部門に対し改善が必要な場合も、システム監査人は改善指導という立場で関わるに留め、改善の実務は被監査側が主体となって行います。

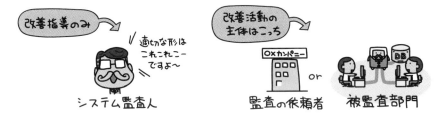

　このように、システム監査人が行う改善指導のことをフォローアップと言います。
　システム監査人は、監査の結果に基づいて適切な措置が講じられるように指導を行い、必要に応じて改善実施状況を確認します。

このように出題されています
過去問題練習と解説

- -

問 1
(IP-R03-49)

ITガバナンスに関する次の記述中のaに入れる，最も適切な字句はどれか。

| a | は，現在及び将来のITの利用についての評価とIT利用が事業の目的に合致することを確実にする役割がある。

ア 株主　　イ 監査人　　ウ 経営者　　エ 情報システム責任者

解説

　393ページに書かれているとおり、「ITガバナンス」は、「ITシステムを適切に管理・運用するための体制や方法」ですので、その整備や維持の役割を担うのは、企業の最高責任者である「経営者」です。

問 2
(IP-R03-38)

システム監査の手順に関して，次の記述中のa，bに入れる字句の適切な組合せはどれか。

システム監査は，
| a | に基づき
| b | の手順に
よって実施しなけ
ればならない。

	a	b
ア	監査計画	結合テスト，システムテスト，運用テスト
イ	監査計画	予備調査，本調査，評価・結論
ウ	法令	結合テスト，システムテスト，運用テスト
エ	法令	予備調査，本調査，評価・結論

解説

　395ページの説明のとおり、システム監査の手順は、監査計画→予備調査→本調査→評価・結論です。

問 3
(IP-R04-53)

a～dのうち，システム監査人が，合理的な評価・結論を得るために予備調査や本調査のときに利用する調査手段に関する記述として，適切なものだけを全て挙げたものはどれか。

a　EA（Enterprise Architecture）の活用
b　コンピュータを利用した監査技法の活用
c　資料や文書の閲覧
d　ヒアリング

ア　a，b，c
イ　a，b，d
ウ　a，c，d
エ　b，c，d

解説

　aのEA（エンタープライズ・アーキテクチャ）は、業務・システム最適化計画もしくは、大企業や政府機関等の業務手順や情報システムの標準化の方法論を指す用語です。EAは、システム監査人が予備調査や本調査のときに利用する調査手段には含まれません。

正解▶問1：ウ　問2：イ　問3：エ

プログラムの作り方

1. コンピュータに
なにかさせたいと
思ったら

2. そのための
ソフトウェアが
必要です

3. ソフトウェアと
いうのは
「プログラム」とも
呼ばれていて…

4. 中身はというと
コンピュータに
作業させる一連の
手順を定めたもの

5. いわば
こと細かに書いた
「おつかいメモ」
みたいなもんだ

6. ただ、私たちが普段
使う言葉で書いても
コンピュータは
読めません

7. しょぼん

8. じゃあ
コンピュータが
理解できる機械語で
書けといっても…

…となる

それで、人間の側も「これならわかる」というレベルの様式で

かつ、機械語に翻訳しやすい形式の言葉を考えた

これがプログラミング言語というものです

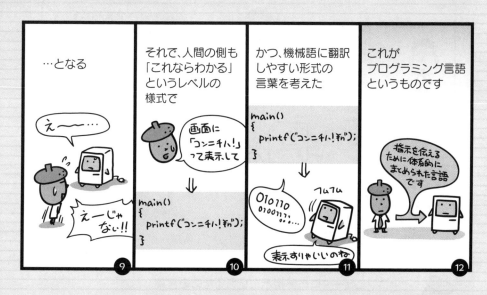

え〜…

えーじゃ ない!!

画面に「コンニチハ!」って表示して

```
main()
{
  printf("コンニチハ!チガ");
}
```

```
main()
{
  printf("コンニチハ!チガ");
}
```

010110 0100111…
…い…

フムフム

表示すりゃいいのね

指示を伝えるために体系的にまとめられた言語です

9　10　11　12

プログラミング言語には、様々な種類があります

各々が各々の特色を生かす形で多彩なプログラムを実現しています

ふ〜〜ん でもなあ

そもそも、コイツがオレらの言葉を理解できれば済む話だよな

C言語　C++　Java　Perl　COBOL　Basic　JavaScript　アセンブラ

で、どれがえらいんだ?

特に上下はないらしーよ

ボタンを押したら新しい画面を向けとか

カチ　OK

キーを押したらその文字を出せとか

ポチ　A

そーいう細かな命令が集まってプログラムができていくのです

おまえだけ結局

機械語しか読めないままってズルくね?

ええ!?

そうきましたか!?

そーだそーだ おーぼーだぞ

え… っちょ…

わーわー　わーわー

へるぷ みーー!!

13　14　15　16

Chapter 12-1　プログラミング言語とは

コンピュータに作業指示を伝えるための言葉、それがプログラミング言語です。

　「コンピュータは機械語しかわかりませんよ」というのは前にも述べた通りです。しかしだからといって私たちが機械語を話すというのも難しい話。英語や中国語ならちょっとがんばってみようかなと思わなくもないですが、機械語は…ねぇ。

　というわけで、「じゃあウチらの作業指示を、機械語に翻訳して伝えればいいんじゃね」というアイデアが生まれることになるわけです。本当なら、そこで日本語がそのまま通じてくれれば話が早いのですが、残念ながら翻訳機もさすがにそこまでは賢くない。

　それなら…と、「機械語に翻訳しやすくて、かつ人間にもわかりやすい中間の言語」が作られました。

　もうおわかりですよね。それがプログラミング言語というわけです。

　私たちの使う言葉に日本語や英語や中国語やギャル語などの様々な言語があるように、プログラミング言語も用途に応じて様々な言語が存在します。代表的なのはC言語やJavaなど。それでは各々の特徴からまずは見ていくといたしましょう。

代表的な言語とその特徴

代表的なプログラミング言語には次のようなものがあります。

シー **C言語** 🖥️	OSやアプリケーションなど、広範囲で用いられている言語です。 　もともとはUNIXというOSの移植性を高める目的で作られた言語なので、かなりハードウェアに近いレベルの記述まで出来てしまう、何でもアリの柔軟性を誇ります。
コ ボ ル **COBOL** 📙	事務処理用に古くから使われていた言語です。 　現在では、新規のシステム開発でこの言語を使うというのはまずなくなりました。ただし、大型の汎用コンピュータなどで古くから使われているシステムでは、過去に作ったCOBOLのシステムが今でも多く稼働しています。そのため、システムの改修などではまだまだ出番の多い言語です。
ジ ャ バ **Java** 🌐	インターネットのWebサイトや、ネットワークを利用した大規模システムなどで使われることの多い言語です。 　C言語に似た部分を多く持ちますが、設計初期からオブジェクト指向(P.406)やネットワーク機能が想定されていたという特徴を持ちます。 　特定機種に依存しないことを目標とした言語でもあるため、Java仮想マシンという実行環境を用いることで、OSやコンピュータの種類といった環境に依存することなく、作成したプログラムを動かすことができます。  Java仮想マシン Java仮想マシンが OS間の違いを吸収するので、 どの環境でも同一の プログラムが動かせます
ベ ー シ ッ ク **BASIC** 🖥️	初心者向けとして古くから使われている言語です。 　簡便な記述方法である他に、書いたその場ですぐ実行して確かめることができるインタプリタ方式(これについては次ページで)が主流という特徴を持ちます。そのため未完成のコードでも、途中まで実行して動作を確認したりしながら開発を進めることができます。
ジャバスクリプト **JavaScript** 📄	主に動的なWebコンテンツ作成のために用いられる言語です。 　インタプリタ方式の、簡便な記述方法によってWebページに組み込まれるスクリプト言語で、入力フォームに書かれた内容のチェックを行ったり、ページの中身を動的に書き換えるといった用途のために、クライアント側で動作します。上述のJavaと似た名前ですが関連性はありません。
パ イ ソ ン **Python** 	人工知能(AI)技術の機械学習(P.265)開発に強いとされている言語です。 　言語仕様が非常にシンプルであるため習得が容易で、機械学習やディープラーニング(深層学習)向けのライブラリが充実していることから、近年のAIブームによって飛躍的に注目度が上がりました。インタプリタ方式のスクリプト言語です。

インタプリタとコンパイラ

さて、プログラムというのは、このプログラミング言語を使って命令をひとつひとつ記述していくことで作られます。ここでちょっと「あれ? どこかで見たような」という図を引っぱり出して復習してみましょう。用語の理解はバッチリですか?

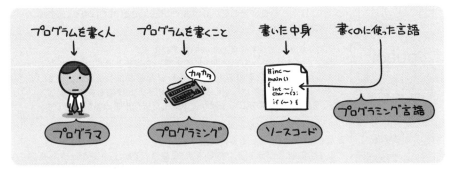

このソースコードを機械語に翻訳することで、プログラムはコンピュータが実行できる形式となるわけです。

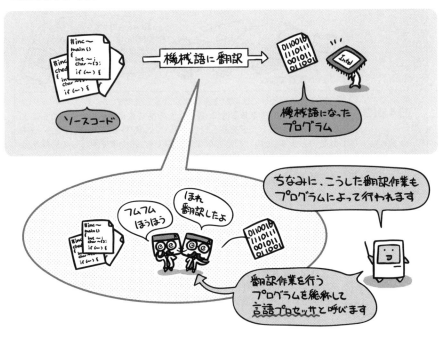

この翻訳には、2種類の方法があります。そう、これまでチラリチラリと登場していたインタプリタ方式やコンパイラ方式というのがそれなのです。

インタプリタ方式

　この方式では、ソースコードに書かれた命令を、1つずつ機械語に翻訳しながら実行します。逐次翻訳していく形であるため、作成途中のプログラムもその箇所まで実行させることができるなど、「動作を確認しながら作っていく」といったことが容易に行えます。

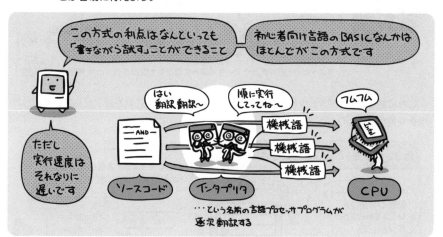

コンパイラ方式

　この方式では、ソースコードの内容を最初にすべて翻訳して、機械語のプログラムを作成します。ソースコード全体を解釈して機械語化するため、効率の良い翻訳結果を得ることができますが、「作成途中で確認のために動かしてみる」といった手法は使えません。

オブジェクト指向プログラミング

従来のプログラミングというのは、手続き型が主流でした。

これに対して、オブジェクトという概念で処理対象を捉え、これを部品化していくことで全体を構成するやり方がオブジェクト指向プログラミングです。

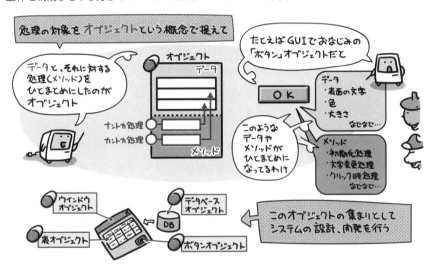

個々の「オブジェクトが持つ性質」を抽象化して定義したものをクラスと言います。このクラスに具体的な属性値を与え、オブジェクトとして実体化させて利用します。

このように、ソフトウェアを部品化して再利用しやすくすることで、開発の生産性向上を図る手法です。

ITパスポート本試験では、アルゴリズム(作業手順のような意味、P.422参照)を問う場合、実際のプログラム言語ではなく、擬似的なプログラム言語を用いた出題が行われます。

この擬似言語は、各問題文中に注記がない限り、以下の記述形式が適用されているものとして読み解く必要があります。

記述形式	説明
○*手続名または関数名*	手続きまたは関数を宣言する。
型名: *変数名*	変数を宣言する。
/* *注釈* */	注釈を記述する。
// *注釈*	
変数名 ← *式*	変数に*式*の値を代入する。
手続名または関数名(*引数*, …)	手続きまたは関数を呼び出し、*引数*を受け渡す。

if (*条件式 1*)
　処理 1
elseif (*条件式 2*)
　処理 2
elseif (*条件式 n*)
　処理 n
else
　処理 n + 1
endif
	選択処理を示す。
	*条件式*を上から評価し、最初に真になった*条件式*に対応する*処理*を実行する。以降の*条件式*は評価せず、対応する*処理*も実行しない。どの*条件式*も真にならないときは、*処理 n + 1* を実行する。
	各*処理*は、0 以上の文の集まりである。
	elseif と*処理*の組みは、複数記述することがあり、省略することもある。
	else と*処理 n + 1* の組みは一つだけ記述し、省略することもある。

while (*条件式*)
　処理
endwhile
	前判定繰返し処理を示す。
	*条件式*が真の間、*処理*を繰返し実行する。
	*処理*は、0 以上の文の集まりである。

do 　*処理* while (*条件式*)	後判定繰返し処理を示す。 *処理*を実行し、*条件式*が真の間、*処理*を繰返し実行する。 *処理*は、0 以上の文の集まりである。

for (*制御記述*)
　処理
endfor
	繰返し処理を示す。
	*制御記述*の内容に基づいて、*処理*を繰返し実行する。
	*処理*は、0 以上の文の集まりである。

※ *斜体文字* 部分は任意の内容で置き換えられます。

細かい書式を覚えても試験以外で使える場面はないので、これらを暗記する必要はありません

実際にこれを用いた問題が出た場合に、なんとなく意味を読み解けるレベルに見慣れておきましょう

変数や個々の制御文(ifやwhile、forなど)については、それぞれ該当する章の中であらためて詳しく紹介します

12 プログラムの作り方

問 1

(IP-H25-A-55)

プログラムの実行方式としてインタプリタ方式とコンパイラ方式がある。図は，データを入力して結果を出力するプログラムの，それぞれの方式でのプログラムの実行の様子を示したものである。a，bに入れる字句の適切な組合せはどれか。

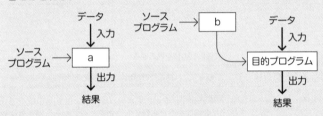

	a	b
ア	インタプリタ	インタプリタ
イ	インタプリタ	コンパイラ
ウ	コンパイラ	インタプリタ
エ	コンパイラ	コンパイラ

解 説

　上図のaのように、ソースプログラムを読み込んで、それに書かれた解釈・命令を実行するソフトウェアを「インタプリタ」といいます。上図のbのように、ソースプログラムから目的プログラム（405ページでは「機械語のプログラム」と呼んでいます）を作成するソフトウェアを「コンパイラ」といいます。

問 2 (IP-H22-A-54)

Java言語に関する記述として，適切なものはどれか。

ア Webページを記述するためのマークアップ言語である。

イ 科学技術計算向けに開発された言語である。

ウ コンピュータの機種やOSに依存しないソフトウェアが開発できる，オブジェクト指向型の言語である。

エ 事務処理計算向けに開発された言語である。

解説

ア Webページを記述するためのマークアップ言語に、HTMLがあります。

イ 科学技術計算向けに開発された言語に、Fortran（フォートラン）があります。

ウ OSの上にJava仮想マシンと呼ばれるソフトウェアを稼働させ、Javaはその上で実行されます。Java仮想マシンがコンピュータの機種やOSの差を埋めてくれるので、Javaはコンピュータの機種やOSに依存しません。

エ 事務処理計算向けに開発された言語に、COBOL（コボル）があります。

問 3 (IP-R06-88)

JavaScriptに関する記述として，適切なものはどれか。

ア Webブラウザ上に，動的な振る舞いなどを組み込むことができる。

イ Webブラウザではなく，Webサーバ上だけで動作する。

ウ 実行するためには，あらかじめコンパイルする必要がある。

エ 名前のとおり，Javaのスクリプト版である。

解説

ア その通りです。403ページを参照してください。JavaScriptは、クライアントPCやスマホのWebブラウザ上で動作します。

イ JavaScriptは、Webサーバではなく、Webブラウザ上だけで動作します。

ウ JavaScriptは、インタプリタ方式（405ページ参照）を採用しているため、コンパイルしなくても実行できます。

エ JavaScriptは、Javaとの関連はありません。

変数は
入れ物として使う箱

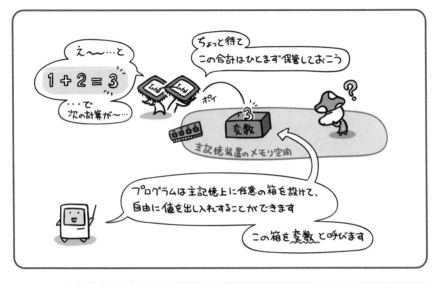

 変数はメモリの許す限りいくつでも使うことができます。
個々の変数には、名前をつけて管理します。

　複雑な処理を実現する上で欠かせないのが変数の存在です。

　たとえば「入力された数字に1を加算する」という処理を考えてみましょう。さて、「入力された数字」というのは具体的にいくつでしょうか？

　…わかんないですよね。いくつの数字が入力されるかわかんないから、「入力された数字に」としてあるんですものね。

　そんなわけでプログラム的には、これは「入力された数字+1」としか書きようがないわけです。そうしておいて、実際の入力があった時に、「入力された数字」の部分を入力と置きかえて計算するしかないのですね。

　変数というのはつまりこれ。メモリ上に箱を設けて名前をつけて、「この名前の箱はこの値と見なして処理に使うね」と化けさせることのできるモノなのです。

　手順を示す際に、総称を仮の名前として用いることは、私たちの日常生活でもよくあることです。たとえば「訪問者が来たらこのベルを鳴らす」といったようなことですね。もちろん「仮の名前」というのはこの場合「訪問者」のこと。変数は、この「訪問者」にあたる使い方を、プログラムの中でさせてくれる便利なやつなのです。

たとえばこんな風に使う箱

　こういったものはなかなか文字だけじゃわかりづらいと思うので、単純な例を用いて実際に変数を使ってみることにしましょう。たとえば…そうですね、ドングリとキノコに好きな数字を言ってもらって、その合計に1を加算してみるとしましょうか。

① ドングリとキノコの言った数字を、「numDonguri」「numKinoko」と名付けた
　 変数にそれぞれ代入する。

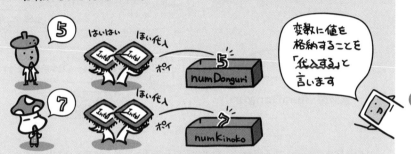

② 「numDonguri」と「numKinoko」の合計を算出して、その値を「numGoukei」に
　 代入する。

③ 「numGoukei」に1を足して、その数を「numGoukei」自身に代入する。

　いかがですか？ 少しはイメージできるようになりましたでしょうか。変数というのはただの箱に過ぎませんから、「自分自身に1足した数を自分自身に代入する」という処理も当然アリなわけです。

　ちなみに変数には、数値以外にも、文字をはじめとする様々なデータを格納することができます。

擬似言語における変数の宣言と代入方法

擬似言語では、こうした変数を次のように宣言して用います。

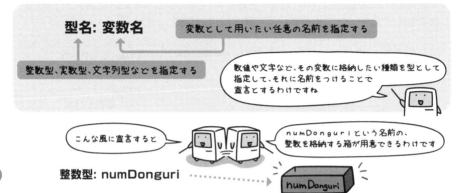

この変数に値を代入する場合は、次のように←を使って代入式をあらわします。

変数名 ← 式 　式の結果が、変数に代入される

たとえば1ページ前のイラストにあるこのやりとりは…

式であらわすと次のようになるわけですね。

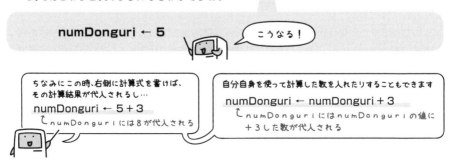

問 1
(IP-H22-S-53)

変数AとBに格納されているデータを入れ替えたい。データを一時的に格納するための変数をTMPとすると，データが正しく入れ替わる手順はどれか。ここで "x ← y" は，yのデータでxの内容を置き換えることを表す。

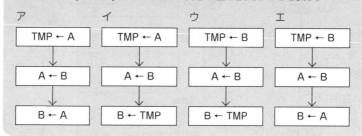

ア	イ	ウ	エ
TMP ← A	TMP ← A	TMP ← B	TMP ← B
A ← B	A ← B	A ← B	A ← B
B ← A	B ← TMP	B ← TMP	B ← A

解 説

　本問のような変数値の変わっていく過程を追いかける問題を「トレース問題」といいます。トレース問題は、変数に具体的な値が設定されていると仮定して、変数に格納された値の変化を追いかけます。この解説では、変数Aに5、変数Bに8が設定してあると仮定してみます。下図では、カッコ内に変数値を示します。

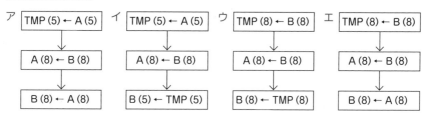

ア	イ	ウ	エ
TMP (5) ← A (5)	TMP (5) ← A (5)	TMP (8) ← B (8)	TMP (8) ← B (8)
A (8) ← B (8)	A (8) ← B (8)	A (8) ← B (8)	A (8) ← B (8)
B (8) ← A (8)	B (5) ← TMP (5)	B (8) ← TMP (8)	B (8) ← A (8)

　変数Aと変数Bの値が正しく入れ替わっているのは、選択肢イです。

正解 ▶ 問1：イ

構造化プログラミング

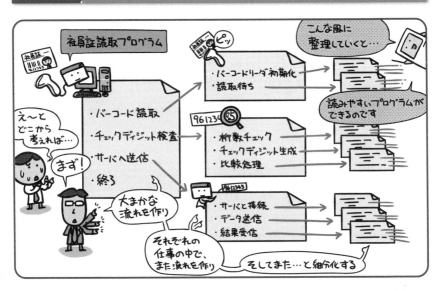

構造化プログラミングは、プログラムを機能単位の部品に
分けて、その組み合わせによって全体を形作る考え方です。

　長い文章を、何の章立ても決めずにひと息で書こうとすると、往々にして「あれ？ 何を書きたかったんだっけか」なんて迷走する結果になりがちです。

　プログラミングもこれは同じ。ましてやプログラムの場合は「○○の場合は××をせよ」なんて条件分岐が色々出てきますから、アッチへ飛んだりコッチへ飛んだりと、後から読むのすら難しい…「そもそも本当に完成するのこれ？」といった、難物ソースコードいっちょあがりとなる可能性も否定できません。

　それを避けようと生まれたのが構造化プログラミング。

　この手法では、一番上位のメインプログラムには、大まかな流れだけが記述されることになります。当然それだけじゃ完成しませんから、大まかな流れのひとつひとつを、サブルーチンという形で別のモジュールに切り出してやる。このサブルーチンも、内部は大まかな流れを記述して、その詳細はサブルーチンで…と切り出していく。

　このように少しずつ処理を細分化していくと、各階層ごとの流れがキチンと整理されることになります。結果、効率よく、ミスの少ないプログラムが出来上がるというわけです。

制御構造として使う3つのお約束

構造化プログラミングでは、原則的に次の3つの制御構造だけを使ってプログラミングを行います。

いえいえそんなことはありません。プログラミングというと、いかにも「複雑な処理が記述されている小難しい文書」みたいなイメージがありますが、実は紐解くとこれだけ単純な構造を組み合わせたものがほとんどだったりするのです。

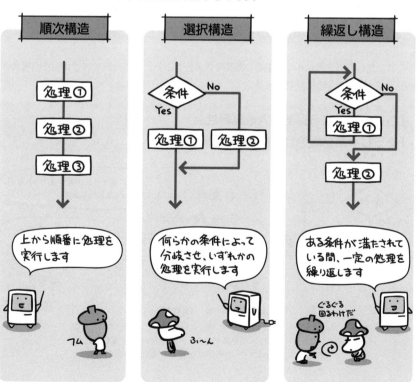

if 〜 endif で選択構造をあらわす

　擬似言語における選択構造は、if文で表現します。if文は、「もし〜○○ならば処理Aを実行せよ」という内容をあらわすものです。処理というのは、0以上の文の集まりです。

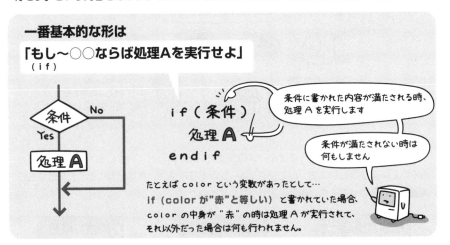

一番基本的な形は

「もし〜○○ならば処理Aを実行せよ」
(i f)

```
if（条件）
　処理A
endif
```

条件に書かれた内容が満たされる時、処理 A を実行します

条件が満たされない時は何もしません

たとえば color という変数があったとして…
if (color が "赤" と等しい) と書かれていた場合、
color の中身が "赤" の時は処理 A が実行されて、
それ以外だった場合は何も行われません。

　これに対して、「そうじゃない場合は処理Bを実行せよ」という分岐を付け足したい場合は、elseを使って次のように記述します。

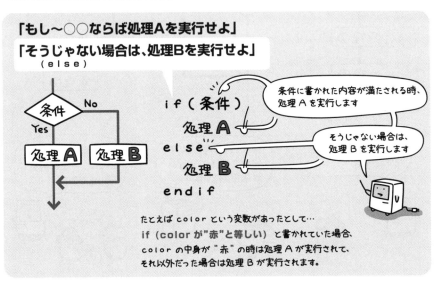

「もし〜○○ならば処理Aを実行せよ」
「そうじゃない場合は、処理Bを実行せよ」
(e l s e)

```
if（条件）
　処理A
else
　処理B
endif
```

条件に書かれた内容が満たされる時、処理 A を実行します

そうじゃない場合は、処理 B を実行します

たとえば color という変数があったとして…
if (color が "赤" と等しい) と書かれていた場合、
color の中身が "赤" の時は処理 A が実行されて、
それ以外だった場合は処理 B が実行されます。

さらに複雑な分岐を表現することもできます。

elseではなくelseifを用いることで、「そうじゃない場合」にさらに条件付けをして、「そうじゃなくて□□の場合は…」という分岐を作ることができます。

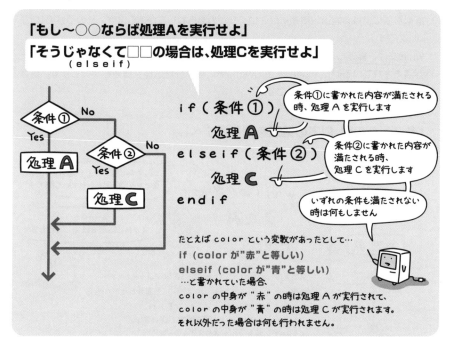

「もし～○○ならば処理Aを実行せよ」
「そうじゃなくて□□の場合は、処理Cを実行せよ」
(elseif)

if（条件①）

処理A

elseif（条件②）

処理C

endif

条件①に書かれた内容が満たされる時、処理Aを実行します

条件②に書かれた内容が満たされる時、処理Cを実行します

いずれの条件も満たされない時は何もしません

たとえば color という変数があったとして…
if （color が"赤"と等しい）
elseif （color が"青"と等しい）
　…と書かれていた場合、
color の中身が"赤"の時は処理A が実行されて、
color の中身が"青"の時は処理C が実行されます。
それ以外だった場合は何も行われません。

elseifはいくつでも羅列することができますし、elseと組み合わせることも可能です。

その場合の評価順序は次の通りになります。

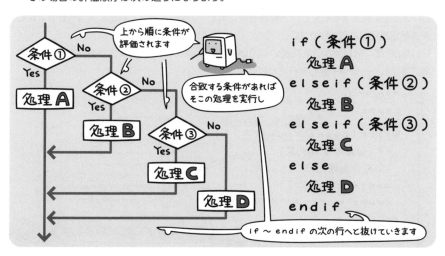

上から順に条件が評価されます

合致する条件があればそこの処理を実行し

if（条件①）

処理A

elseif（条件②）

処理B

elseif（条件③）

処理C

else

処理D

endif

if ～ endif の次の行へと抜けていきます

while 〜 endwhile で
前判定の繰返し構造をあらわす

擬似言語における繰返し構造には、いくつかのあらわし方があります。そのうちの1つがwhile文です。

　while文は、繰返しに入る前に指定された条件を判定します。判定結果が真である間（条件が満たされている間）、while 〜 endwhile間に書かれた処理を繰返し実行します。処理というのは、0以上の文の集まりです。

「条件が真の間、以下の処理を繰り返すべし」

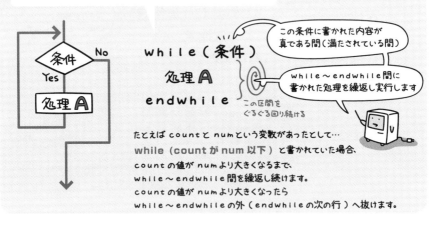

　while 〜 endwhileは上にも書いてある通り前判定です。ここで言う前判定とは、「繰返しに入る前に判定するね」という意味を指します。つまり、繰返し構造に入ろうとする度に条件判定が行われるわけです。

　したがって、はじめから条件式の判定が偽となる（満たされない）状態であった場合、その間に書かれた処理は一度も実行されません。

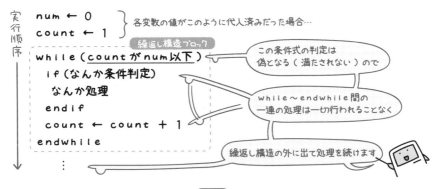

do ～ while で 後判定の繰返し構造をあらわす

擬似言語における繰返し構造の、もう1つのあらわし方がdo ～ while文です。

do ～ while文は、繰返しに入った後に指定された条件を判定します。判定結果が真である間(条件が満たされている間)、do ～ while間に書かれた処理を繰返し実行します。処理というのは、0以上の文の集まりです。

「条件が真の間、以上の処理を繰り返すべし」

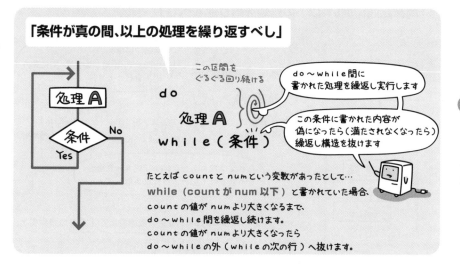

この区間をぐるぐる回り続ける

do ～ while間に書かれた処理を繰返し実行します

この条件に書かれた内容が偽になったら(満たされなくなったら)繰返し構造を抜けます

たとえば count と num という変数があったとして…
while (count が num 以下) と書かれていた場合、
count の値が num より大きくなるまで、
do ～ while 間を繰返し続けます。
count の値が num より大きくなったら
do ～ while の外 (while の次の行) へ抜けます。

do ～ whileは上にも書いてある通り後判定です。ここで言う後判定とは、「繰返しに入った後に判定するね」という意味を指します。つまり、繰返し構造に入って処理を一度行う度に条件判定が行われるわけです。

したがって、はじめから条件式の判定が偽となる(満たされない)状態であった場合でも、その間に書かれた処理は必ず一度は実行されます。

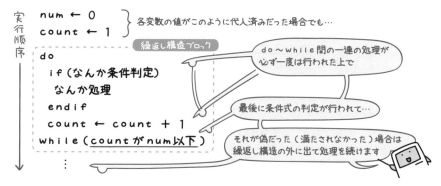

各変数の値がこのように代入済みだった場合でも…

do ～ while 間の一連の処理が必ず一度は行われた上で

最後に条件式の判定が行われて…

それが偽だった (満たされなかった) 場合は繰返し構造の外に出て処理を続けます

for 〜 endfor で繰返し構造をあらわす

擬似言語における繰返し構造の、さらにもう1つのあらわし方がfor文です。

for文は、制御記述の内容に従って、for 〜 endfor間に書かれた処理（0以上の文の集まり）を繰返し実行します。制御記述には、初期化式、繰返し条件式、変化式の3つを組み合わせて書くようになっており、これによって「どのように繰返すか」をコントロールします。

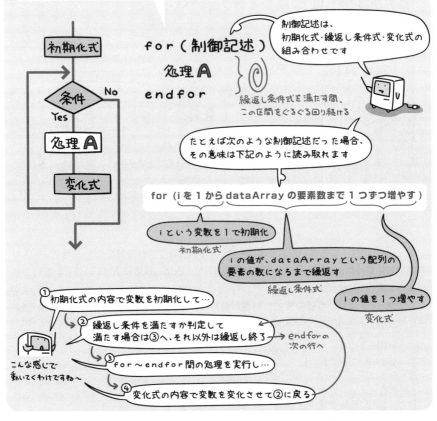

「制御記述に従い、以下の処理を繰り返すべし」

for 〜 endforによる繰返し構造は、初期化を行った次のタイミングで条件判定が行われます（上の図でいう②のフキダシ）。

したがって、初期化後すでに条件式の判定が偽となる（満たされない）状態であった場合、for 〜 endforの間に書かれた処理は一度も実行されません。

問 1

(AD-H16-A-21)

プログラムの制御構造のうち，while-do型の繰返し構造はどれか。

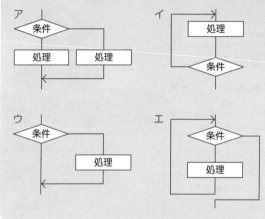

解説

　以下の説明では、条件が真の場合は下に進み、偽の場合は横に進むものと仮定します。

ア　これは、条件が真のときにある処理を実行し、偽のときに別の処理を実行する選択構造です。

イ　これは、do-while型の繰返し構造です。条件の真・偽の前に処理があるため、少なくとも1回は処理を実行する点が、選択肢エと異なる点です。

ウ　これは、条件が偽のときに処理を実行し、真のときは何も実行しない選択構造です。

エ　これは、条件が真のときに繰り返し処理を実行し、偽のときに繰り返しを終了する繰返し構造です。このように、最初に繰り返しをするか否かの条件を判定する繰返し構造を、while-do型といいます。

正解 ▶ 問1：エ

アルゴリズムと
フローチャート

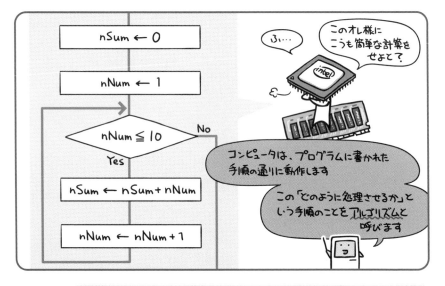

**コンピュータは、プログラムに書かれた
アルゴリズム（作業手順）にのっとって動作します。**

　コンピュータは、様々な作業を肩代わりしてくれる頼れるアンチクショウですが、その反面「言われたこと以外は一切いたしません」という困ったコンチクショウでもあります。そのため、コンピュータに何か依頼したい場合は、「これこれこーしてあーしてそーするのですよ」と1から10まで事細かに指示しなきゃいけません。

　この時、「どのように処理をさせると機能を満たすだろうか」とか、「どのような手順で処理をさせるのが効率的だろうか」とか、色々やり方を考えるわけです。そうして、固まった処理手順を元に、プログラムが書き起こされる。

　この処理手順がアルゴリズムです。アルゴリズムさえきっちり固まっていれば、プログラムなんてのは、あとはそれをプログラミング言語に置きかえていくだけ。だからプログラミングの肝は、「アルゴリズムをしっかり考えること」だと言っても過言ではありません。

　このアルゴリズムをわかりやすく記述するために用いられるのがフローチャート（流れ図）です。読んで字のごとく、処理の流れをあらわす図になります。

フローチャートで使う記号

フローチャートでは、次のような記号を使って、処理の流れをあらわします。

記号	説明
（角丸長方形）	処理の開始と終了をあらわします。
（長方形）	処理をあらわします。
（矢印）	処理の流れをあらわします。処理の流れる方向が、上から下、左から右という原則から外れる場合は矢印を用いて明示します。
（ひし形）	条件によって流れが分岐する判定処理をあらわします。
（台形）	繰り返し（ループ）処理の開始をあらわします。
（逆台形）	繰り返し（ループ）処理の終了をあらわします。

開始
食う
遊ぶ
寝る
終了

ちなみにオレの1日のフローはこんな感じ！

もうちょっと人生まともに考えろよそれ

ここでちょっと構造化プログラミングのお約束を思い出してみましょう。

原則は「順次、選択、繰返しという3つの制御構造だけを使う」なので、アルゴリズムをあらわすフローチャートも、基本的には次の構造を組み合わせて処理の流れを表現する…ということになります。

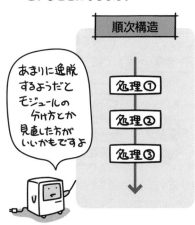

あまりに逸脱するようだとモジュールの分け方とか見直した方がいいかもですよ

順次構造

処理①
処理②
処理③

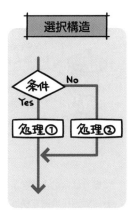

選択構造

条件 → No
Yes
処理① 処理②

繰返し構造

条件 → No
Yes
処理①
処理②

試しに1から10までの合計を求めてみる

それでは練習として、「1から10までの数を合計する」という処理のフローチャートを考えてみましょう。

たとえばどんな処理になると思いますか?

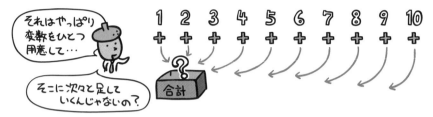

はい大正解! じゃあその場合どんなフローチャートが出来上がるでしょうか。

そうですね、確かにこのフローチャートでも合計は求められますが、アルゴリズム的にはかなりイケてません。

見れば同じような足し算が延々繰り返されています。この部分に繰返し構造を使ってスッキリさせましょう。

…というわけで、スッキリさせてみたのが次の図です。

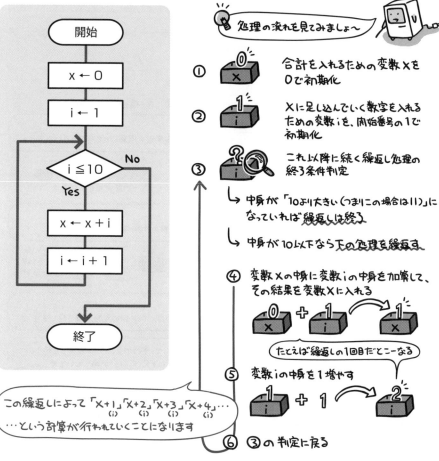

処理の流れを見てみましょ〜

① 合計を入れるための変数xを0で初期化

② xに足し込んでいく数字を入れるための変数iを、開始番号の1で初期化

③ これ以降に続く繰返し処理の終了条件判定

↳ 中身が「10より大きい(つまりこの場合は11)」になっていれば繰返しは終了

↳ 中身が10以下なら下の処理を繰返す

④ 変数xの中に変数iの中身を加算して、その結果を変数xに入れる

たとえば繰返しの1回目だとこーなる

⑤ 変数iの中身を1増やす

⑥ ③の判定に戻る

この繰返しによって「x+1」「x+2」「x+3」「x+4」…
　　　　　　　　　　(i)　(i)　(i)　(i)
…という計算が行われていくことになります

　これで、お題の「1から10までの数の合計」を算出することができます。変数iの中身が11となって繰返し処理を終了した時には、計算結果である55という数字が、変数xの中に入っていることでしょう。

　ちなみにこのアルゴリズム自体は数値を変えても有効です。なのでiの初期値や繰返しの終了条件判定に用いる数字を変えてやるだけで、「1から100の合計は?」とか、「10から200の合計は?」なんて計算にも対応することができます。

ほら — 結果は同じでも、絶対こっちの方がいいじゃん!

うむぅ…

でもこの計算自体、本当は…
(開始番号＋終了番号)×((終了番号－開始番号+1)÷2)
…って式ひとつで終わりなんだけどね

まぁ練習だし

ええぇ〜!!

擬似言語であらわすとこうなります

　せっかくなので、擬似言語を使って前ページのフローチャートを記述してみましょう。アルゴリズムをプログラミング言語で表現する練習です。

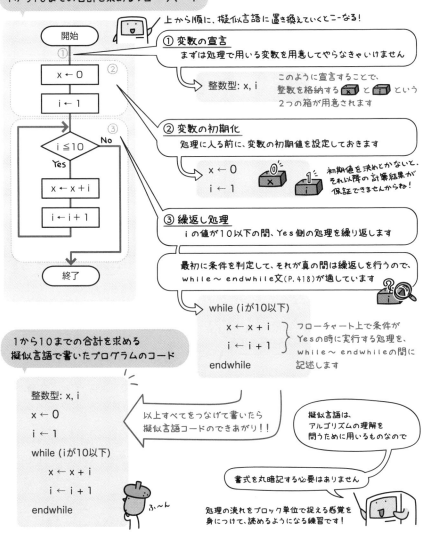

1から10までの合計を求めるフローチャート

上から順に、擬似言語に置き換えていくとこーなる！

① 変数の宣言
まずは処理で用いる変数を用意してやらなきゃいけません

整数型: x, i

このように宣言することで、整数を格納する □ と □ という2つの箱が用意されます

② 変数の初期化
処理に入る前に、変数の初期値を設定しておきます

x ← 0
i ← 1

初期値を求めとかないと、それ以降の計算結果が保証できませんからね！

③ 繰返し処理
i の値が10以下の間、Yes側の処理を繰り返します

最初に条件を判定して、それが真の間は繰返しを行うので、while～endwhile文(P.418)が適しています

while (iが10以下)
　x ← x + i
　i ← i + 1
endwhile

フローチャート上で条件がYesの時に実行する処理を、while～ endwhileの間に記述します

1から10までの合計を求める擬似言語で書いたプログラムのコード

```
整数型: x, i
x ← 0
i ← 1
while (iが10以下)
    x ← x + i
    i ← i + 1
endwhile
```

以上すべてをつなげて書いたら擬似言語コードのできあがり！！

擬似言語は、アルゴリズムの理解を問うために用いるものなので

書式を丸暗記する必要はありません

処理の流れをブロック単位で捉える感覚を身につけて、読めるようになる練習です！

ふ～ん

問 1

(IP-R03-74)

流れ図Xで示す処理では，変数iの値が，1→3→7→13と変化し，流れ図Yで示す処理では，変数iの値が，1→5→13→25と変化した。図中のa，bに入れる字句の適切な組合せはどれか。

	a	b
ア	$2i + k$	$k:1, 3, 7$
イ	$2i + k$	$k:2, 2, 6$
ウ	$i + 2k$	$k:1, 3, 7$
エ	$i + 2k$	$k:2, 2, 6$

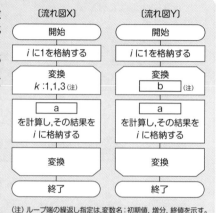

〔流れ図X〕

```
   開始
     ↓
i に1を格納する
     ↓
   変換
  k:1,1,3 (注)
     ↓
     a
を計算し，その結果を
  i に格納する
     ↓
   変換
     ↓
   終了
```

〔流れ図Y〕

```
   開始
     ↓
i に1を格納する
     ↓
   変換
     b     (注)
     ↓
     a
を計算し，その結果を
  i に格納する
     ↓
   変換
     ↓
   終了
```

(注) ループ端の繰返し指定は，変数名：初期値，増分，終値を示す。

解説

　本問の図には、「ループ端の繰返し指定は，変数名：初期値，増分，終値を示す」という(注)がありますので、流れ図Xの「変換」の開始ループ端の「k:1，1，3」は、「kという変数の初期値は1、ループを1周するごとに、kを1つずつ増加し、kが3になるまでループ内を繰り返して、kが4になったら、開始ループ端から抜けて終了する」という意味になります。

(1) 流れ図Xのトレース

　空欄aを、「$2i + k$としたケース」と「$i + 2k$としたケース」の、流れ図Xの空欄aの直後の変数kとiの値は、右表のとおりです。

k	空欄aを2i+kとしたケースのi	空欄aをi+2kとしたケースのi
1	2×1+1=3	1+2×1=3
2	2×3+2=8	3+2×2=7
3	2×8+3=19	7+2×3=13

　問題文は、「流れ図Xで示す処理では，変数iの値が，1→3→7→13と変化し」としているので、上表より、空欄aは「$i + 2k$」になり、正解の選択肢の候補はウとエに絞られます。

(2) 流れ図Yのトレース

　空欄bを、「k:1，3，7としたケース」と「k:2，2，6としたケース」の、流れ図Yの空欄aの直後の変数kとiの値は、右表のとおりです。

空欄bをk:1, 3, 7としたケース		空欄bをk:2, 2, 6としたケース	
k	i	k	i
1	1+2×1=3	2	1+2×2=5
4	3+2×4=11	4	5+2×4=13
7	11+2×7=25	6	13+2×6=25

　問題文は、「流れ図Yで示す処理では，変数iの値が，1→5→13→25と変化した」としているので、上表より、空欄bは「k:2，2，6」になり、正解は選択肢エです。

正解 ▶ 問1：エ

代表的なアルゴリズム

 探索は、箱の中から特定のデータを見つけ、
整列は、箱の中のデータを並べ替えるアルゴリズムです。

　前節でやった「合計の算出」もそうなのですが、アルゴリズムにはある種お約束的に使われる処理というのが多数存在します。高度で難しいものから、単純で基礎的なものまで様々あるわけです。

　さて、そんなアルゴリズムたちの中で、「合計の算出」と並ぶほどに基礎的で、しかも単純なものに「探索」や「整列」といった処理があります。

　目的のデータを探し当てたり、データを並べ替えたりする処理ですね。

　この2つの処理。私たちは、日常生活の中でならさほど意識することなくそれらを行っているはずです。棚の中から目的のものを取り出したり、名刺を五十音順に並べ替えたりとか、ごくごく自然にやっていますよね?

　じゃあ、それってどんなアルゴリズムになるんでしょうか。

　「探索」と「整列」という基礎的なアルゴリズムを知ることは、「代表的なアルゴリズムだから知っておく」というだけでなく、自身の頭の中にある処理を、どのように「アルゴリズムとして分解するのか」という練習という意味でも役立ちます。

データの探索（二分探索法）

　さて、それではまず探索のアルゴリズムから見ていきましょう。「探索」というと難しそうに聞こえますが、要は検索のことです。複数あるデータの中から、目的のデータを検索する時のアルゴリズムということですね。

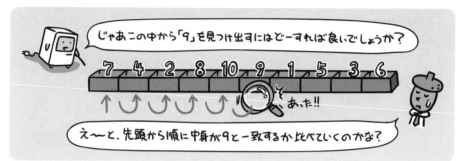

　はい、正解です。

　ただ、あらかじめデータが「昇順に並んでいる」「降順に並んでいる」といった規則性を持つ場合は、二分探索法というもっと効率の良い方法を採ることもできます。

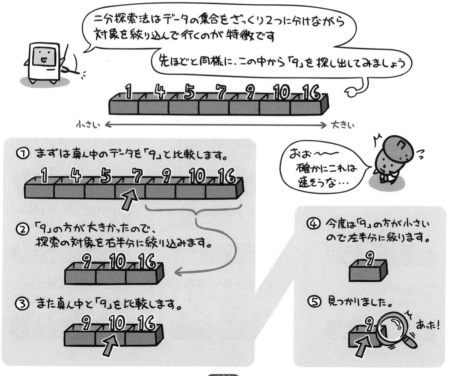

データの整列（バブルソート）

続いては整列です。整列というのは、データを昇順や降順に並べ替えることですね。整列の場合は、バブルソートというアルゴリズムがもっとも単純なやり方になります。

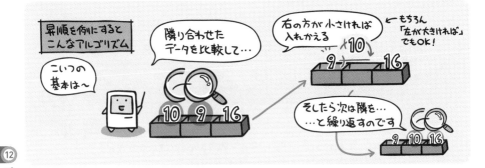

それでは実践。次のデータの並びを、バブルソートを使って昇順に並び替えてみましょう。

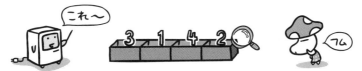

① まずは先頭の2つを比較

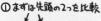

② 右側の方が小さかったので入れかえる

③ 続いて、さらに隣と比較

④ 右側の方が大きかったのでそのまま

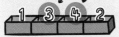

⑤ 続いて、さらに隣を比較

⑥ 右側の方が小さかったので入れかえる

⑦ これで一番右側の数字が確定となる

⑧ もう1回先頭から比較開始、右が大きいのでそのまんま

⑨ 続いて、さらに隣を比較

⑩ 右が小さかったので入れかえ、ここの数字も確定する

⑪ もう1回先頭から比較開始、右が大きいのでそのまんま

⑫ こうして全ての数字が確定したら、並べ替え終る！

問 1

(IPSY-41)

5個のデータ列を次の手順を繰り返して昇順に整列するとき，整列が完了するまでの手順の繰返し実行回数は幾つか。

〔整列前のデータの並び順〕

5, 1, 4, 3, 2

〔手順〕

(1) 1番目のデータ>2 番目のデータならば，1番目と2番目のデータを入れ替える。

(2) 2番目のデータ>3 番目のデータならば，2番目と3番目のデータを入れ替える。

(3) 3番目のデータ>4 番目のデータならば，3番目と4番目のデータを入れ替える。

(4) 4番目のデータ>5 番目のデータならば，4番目と5番目のデータを入れ替える。

(5) 一度も入替えが発生しなかったときは，整列完了とする。
　　入替えが発生していたときは，(1) から繰り返す。

ア 1　　イ 2　　ウ 3　　エ 4

解説

　この手順は、バブルソートを説明しています。〔手順〕(1) 〜 (5) を1回実行すると、「1，4，3，2，5」になります。〔手順〕(1) 〜 (5) をもう1回実行すると「1, 3, 2, 4, 5」になり、さらにもう1回実行すると「1, 2, 3, 4, 5」になり、昇順に整列されます。ただし、入替えをしましたので〔手順〕(5) にしたがって、もう1回 (1) から繰り返します。したがって、合計4回の繰返しを実行します。

正解 ▶ 問1：エ

データの持ち方

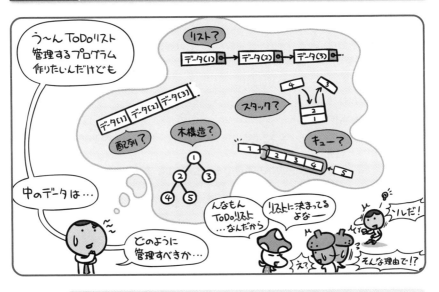

「プログラムの中でどのようにデータを保持するか」は、
アルゴリズムを考える上で欠かせない検討項目です。

　「データは変数という入れ物に放り込むことができる」というのは前に触れました。デー
タ単体としてみればそれで話は終わるのですが、困ったことにデータというのは「集まって
意味を成す」というものが非常に多いわけです。そしてもっと言えば、そうした「データの
集まり」を処理するためにコンピュータを使うというのもすごく多い。

　たとえば「住所」というデータをたくさん集めることになる住所録。たとえば「予定」デー
タがずらずら並んだスケジューラ。そしてイラストにあるような「やらなきゃいけない項目」
をいっぱい集めたToDoリストなんかもすべてそうですよね。

　これらのデータを、どのような形でメモリ上に配置するか。ずらりと並べればいいのか、
それとも階層管理しなきゃダメなのかそれとも…。

　こうした、「データを配置する方法」を指してデータ構造と呼びます。

　アルゴリズムの善し悪しは、プログラムの特性にあったデータ構造が採られているか否か
に大きく左右されます。

配列

メモリ上の連続した領域に、ずらりとデータを並べて管理するのが配列です。

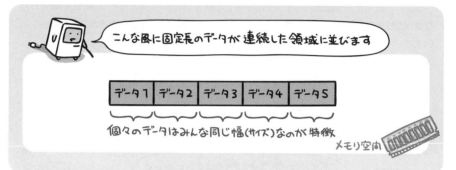

上図のように、配列では同じサイズのデータ（を入れる箱）が連続して並ぶことになるわけですが、その利点として添字があります。

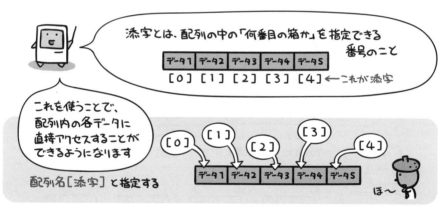

ただし最初に固定サイズでまとめてごっそり領域を確保してしまうため、データの挿入や削除などは不得手です。したがって、データの個数自体が頻繁に増減する用途には、あまり適していると言えません。

リスト

データとデータを数珠繋ぎにして管理するのがリスト（線形リスト）です。

リストの扱うデータには、ポインタと呼ばれる番号がセットになってくっついています。これはメモリ上の位置をあらわす番号で、「次のデータがメモリのどこにあるか」を指し示しています。

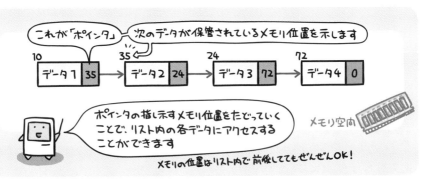

リストの特徴はその柔軟さです。ポインタさえ書きかえればいくらでもデータをつなぎ替えることができるので、データの追加・挿入や、削除などがとても簡単に行えます。

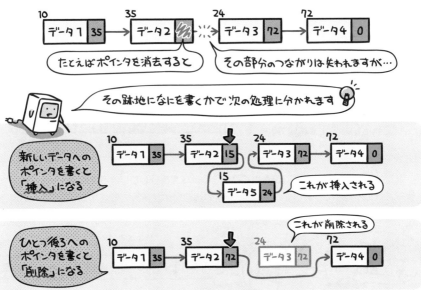

ただし、リストはポインタを順にたどらなければいけないため、配列みたいに「添字を使って個々のデータに直接アクセスする」ような使い方はできません。

木（ツリー）構造

　ツリー状に分岐した階層構造の中に、データを格納して管理するのが木（ツリー）構造です。分岐箇所を節と呼び、この節点を上の階層から順にたどっていくことで、データを取り出すことができます。

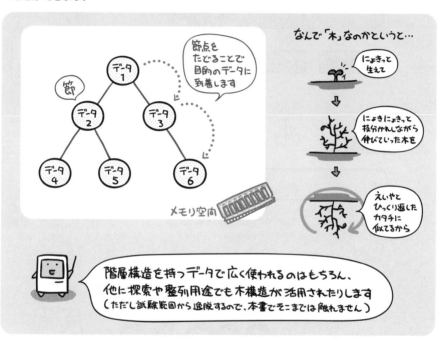

　木構造については、これまでにもいくつか本書内で実例が出ていますので、それを紹介した方が話が早いでしょう。

　ハードディスクなど補助記憶装置のファイルシステム（P.99）や、インターネットのドメイン名（P.245）などは、いずれも木構造を用いて管理されています。

キューは待ち行列とも言われ、最初に格納したデータから順に処理を行う、先入れ先出し（FIFO: First In First Out）方式のデータ構造です。

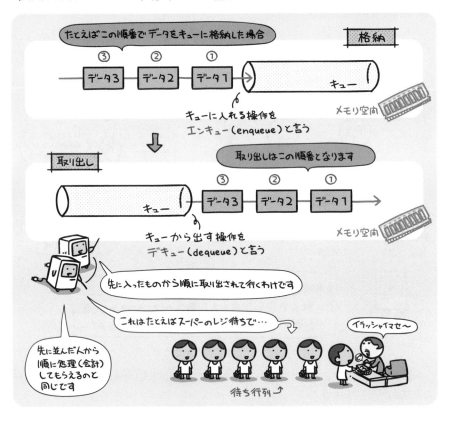

キューは、入力されたデータがその順番通りに処理されなければ困る状況で使われます。身近な例をあげると、次の処理では、いずれもキューが利用されています。

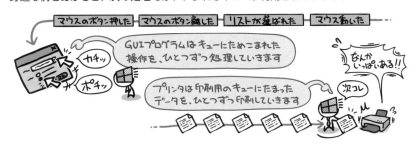

スタック

スタックはキューの逆で、最後に格納したデータから順に処理を行う、後入れ先出し（LIFO: Last In First Out）方式のデータ構造です。

プログラムが、呼び出したサブルーチンの処理終了後に元の場所へ戻れるのは、「サブルーチン実行後どこに戻るのか」がスタックとして管理されているからです。

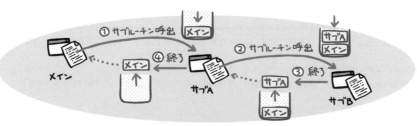

このように出題されています
過去問題練習と解説

問 1
(IP-R04-90)

ディレクトリ又はファイルがノードに対応する木構造で表現できるファイルシステムがある。ルートディレクトリを根として図のように表現したとき、中間ノードである節及び末端ノードである葉に対応するものの組合せとして、最も適切なものはどれか。ここで、空のディレクトリを許すものとする。

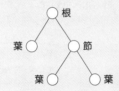

	節	葉
ア	ディレクトリ	ディレクトリ又はファイル
イ	ディレクトリ	ファイル
ウ	ファイル	ディレクトリ又はファイル
エ	ファイル	ディレクトリ

解説

　ディレクトリの下に、ディレクトリ又はファイルを置けますし、最下位にディレクトリを置くこともできます。したがって、ディレクトリは、節と葉の両方になれます。これに対し、ファイルの下には、何も置けません。したがって、ファイルは節にはなれず、葉だけになれます。

問 2
(IP-R01-A-62)

下から上へ品物を積み上げて、上にある品物から順に取り出す装置がある。この装置に対する操作は、次の二つに限られる。

PUSH x：品物xを1個積み上げる。
POP：　　一番上の品物を1個取り出す。

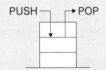

　最初は何も積まれていない状態から開始して、a, b, cの順で三つの品物が到着する。一つの装置だけを使った場合、POP操作で取り出される品物の順番としてあり得ないものはどれか。

ア　a, b, c　　　イ　b, a, c　　　ウ　c, a, b　　　エ　c, b, a

解説

ア　PUSH a → POP (aを取り出す) → PUSH b →POP (bを取り出す) → PUSH c →POP (cを取り出す) で可能です。　　イ　PUSH a → PUSH b → POP (bを取り出す) → POP (aを取り出す) → PUSH c → POP (cを取り出す) で可能です。　　ウ　不可能です。　　エ　PUSH a → PUSH b → PUSH c → POP (cを取り出す) → POP (bを取り出す) → POP (aを取り出す) で可能です。

正解▶問1：ア　問2：ウ

擬似言語問題を読み解こう

まずは「何をするためのコードなのか」を理解してから、処理の流れをブロック単位にしてざっくり読み解きましょう

　プログラミングを行う際、「何をするためのコードなのか」を考えずにいきなり書き始めることはありません。そりゃそうです。何を作るか決めないと、書き始めようがないですからね。まず「何をする?」があって、次に「どういう処理の流れで実現できる?」があって、そしたら次は「それをどう書く?」がやってくる。

　本試験では、この「何をする? (=プログラムの仕様)」は問題文として与えられています。ついでに「どういう処理の流れで実現できる? (=アルゴリズム)」もほぼほぼ完成したソースコードとして与えられていて、一部だけが伏せられてる。

　その伏せ字部分を「どう書いたと思う?」って聞かれるわけですね。

　だから、プログラムの仕様を問題文から読み取り、そのために必要なアルゴリズムをなんとなーくでもいいから想像して、その答え合わせのつもりで与えられたソースコードと比較してみれば、自ずと伏せ字部分の中身が推測できる作りになっています。まさに、アルゴリズムを考える力を問うているわけです。

　本節では、「何をするためのコードなのか」を読み取って、そこから全体の流れを考えて、そして個別のコードに落とし込む手順を、サンプル問題を用いて練習してみましょう。

「何をするためのコード?」かを考えて処理の流れを予測してみよう

擬似言語問題を読み解く題材には、独立行政法人情報処理推進機構 (IPA)が公開している次のサンプル問題を用います。本章で学んだ変数、制御構造、配列あたりの知識を思い出して下さい。

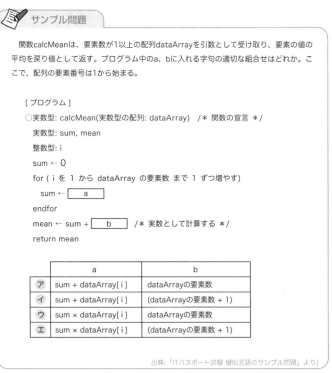

サンプル問題

関数calcMeanは、要素数が1以上の配列dataArrayを引数として受け取り、要素の値の平均を戻り値として返す。プログラム中のa、bに入れる字句の適切な組合せはどれか。ここで、配列の要素番号は1から始まる。

[プログラム]
○実数型: calcMean(実数型の配列: dataArray)　/* 関数の宣言 */
　実数型: sum, mean
　整数型: i
　sum ← 0
　for (i を 1 から dataArray の要素数 まで 1 ずつ増やす)
　　sum ← ⬚ a ⬚
　endfor
　mean ← sum ÷ ⬚ b ⬚　/* 実数として計算する */
　return mean

	a	b
ア	sum + dataArray[i]	dataArrayの要素数
イ	sum + dataArray[i]	(dataArrayの要素数 + 1)
ウ	sum × dataArray[i]	dataArrayの要素数
エ	sum × dataArray[i]	(dataArrayの要素数 + 1)

出典: 「ITパスポート試験 擬似言語のサンプル問題」より)

まずは読み解くにあたり、このプログラムが「何をするためのコードなのか」を考えます。

この段階では、まだソースコードを読む必要はありません。問題文をよく読んで、プログラムに求められる機能 (仕様といいます)を注意深く読み取ります。今回の場合、大事なのは「関数calcMeanは〜」に続く下記の文ですね。

要素数が1以上の配列dataArrayを引数として受け取り、要素の値の平均を戻り値として返す。

プログラムの仕様を示す表現は慣れないと面食らうかもしれませんが、落ち着いて読めば、「平均を求めて返してくれる関数ですよ〜」と書かれているに過ぎません。

あ、関数というのは、一連の処理に名前をつけて切り出したものです。

関数は、処理をさせるにあたって何らかの値を渡す必要がある場合は引数として渡します。一方、関数が何か値を返す場合は戻り値として受け取ります。

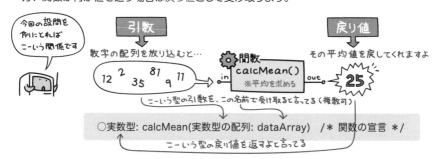

関数については、表計算ソフトの章でも説明が出てきます (P.149)。関数を使う側の視点で見れば同じ用途なので、あわせて読むと理解の助けになるでしょう。

それでは関数calcMeanの気持ちになって、「平均を求める処理」を頭で思い浮かべてみましょう。

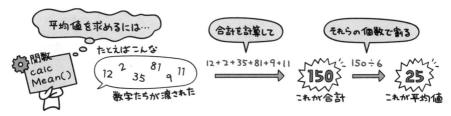

この流れが、すなわち関数calcMeanが行うべき処理の中身というわけですね。

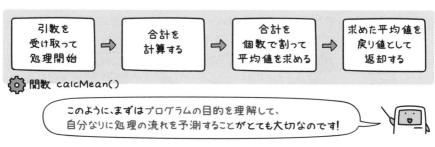

それでは続いて、予測した処理の流れを頭に浮かべながら、ソースコードを意味のあるブロック単位に分割してみましょう。

ここで大事なのは、頭から1行ずつ詳細に読めることではありません。全体の流れがどのような構成で作られているか、ブロック単位でアバウトに把握することが目的です。

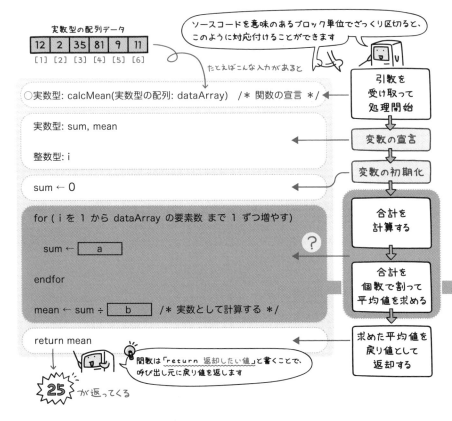

これでとりあえず頭と終わりはわかりました。あと、全体の流れもなんとなくわかりましたね。

そう、ざっくり区切っただけだと、「合計の計算〜個数で割って平均値を求める」あたりの処理がまだ不透明です。上図で「？」になっている 濃い網掛け部分 のブロックですね。

ではそこをもう少し解析して、ちゃんと区切りましょう。

まず着目すべきは、最後の「return mean」という行。ここは、平均値を戻り値として返している箇所です。つまり、自ずと「変数meanには平均値が入っている」ことがわかります。

平均値というのは、合計を個数で割ることで求めますよね？

…と考えると、どうやら1つ手前の下記の行が、その計算に該当しそうです。

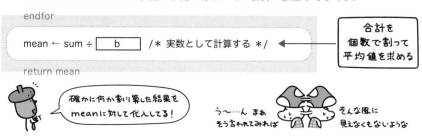

そうすると、その手前までが合計を計算するブロックにあたるというわけです。おそらく変数sumには合計が入っているんでしょう。それっぽい名前ですしね。

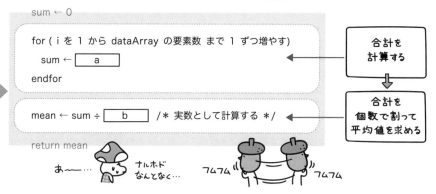

…という感じで区切るのは終了。これで、全体の流れと、それぞれのブロックで何を行っているのかを、把握することができました。

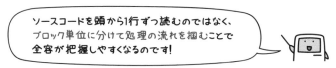

そしたら次は最後のステップ。個々のブロックに着目して、その中の処理を詳細に読み解きましょう。

各ブロックに着目して、コードを詳細に読み解こう

　全体をおおまかにブロック化できたら、必要な時に必要なブロックを解析します。こうすると、一度に考えなければならない場所を極力小さくできるので、「あっちもこっちも考えてたら頭がパニックに〜」みたいなことが避けられるんですね。

　必ずしも「これが正しい読み方！」というわけではありませんし、今回の題材は非常に短いコードなので実感が得にくいかもしれません。でも、慣れてしまえば殊更意識する必要もなく「全体のロジックを俯瞰する目」と「個別の実装（実際に書かれているコード）を見る目」が使い分けできるようになるのでおすすめの読み方です。

　では、「合計を計算する」ブロックと「合計を個数で割って平均値を求める」ブロックの2箇所を見ていきましょう。

どのように合計を求めているか？

```
for ( i を 1 から dataArray の要素数 まで 1 ずつ増やす)
    sum ←      a
endfor
```

　このブロックでは、引数で渡された配列データdataArrayの合計を計算しています。ちなみにそれって、どうやって計算すると思いますか？

　そうなんですよね。for文とwhile文という違いはありますけど、実はこの「合計を計算する」処理は、P.424以降でやった、「1から10までの合計を求めてみる」のとほぼ同じアルゴリズムなのです。

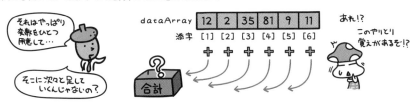

今回の場合、for文でループするのは、変化させたiの値そのものを合計したいのではありません。ここで合計を求めたいのは、あくまでも配列データの中身です。

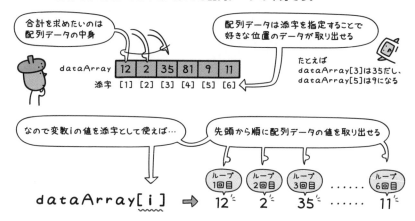

したがって、これをsumに足していってやれば、ループが終わった時には合計がsumの中に入ってますよとなるはずです。

どのように平均値を求めているか？

合計を個数で割って平均値を求める

mean ← sum ÷ [b] /* 実数として計算する */

こっちはもう、ブロックと言いつつ1行しかなくて、かつブロックの説明文がそのまんま過ぎですね。

合計を個数で割ったら平均値になるんだから…

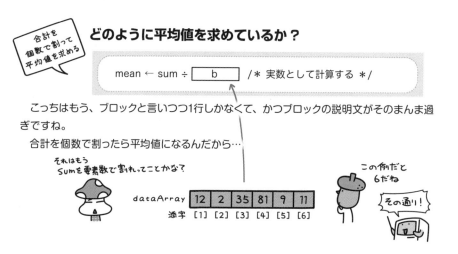

それでは最後に、サンプル問題の解答チェックといきましょう。

問題は、下記のa欄とb欄に入るものを問うていて…

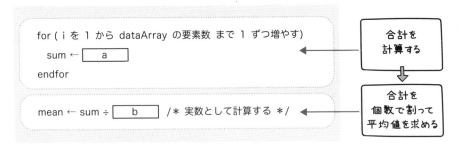

```
for ( i を 1 から dataArray の要素数 まで 1 ずつ増やす)
    sum ←     a
endfor
```

```
mean ← sum ÷    b      /* 実数として計算する */
```

合計を
計算する

合計を
個数で割って
平均値を求める

そのために与えられた選択肢は下記の4パターン。実際は、a欄用に2つの選択肢、b欄用に2つの選択肢という組合せです。

	a	b
ア	sum + dataArray[i]	dataArrayの要素数
イ	sum + dataArray[i]	(dataArrayの要素数 + 1)
ウ	sum × dataArray[i]	dataArrayの要素数
エ	sum × dataArray[i]	(dataArrayの要素数 + 1)

ではまず、合計を計算するfor文ループ内のa欄から。

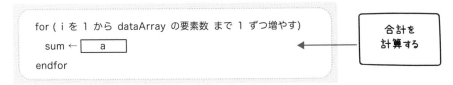

```
for ( i を 1 から dataArray の要素数 まで 1 ずつ増やす)
    sum ←     a
endfor
```

合計を
計算する

a欄用に与えられた選択肢は下記の2つです。どちらだと思いますか？

足し算
sum + dataArray[i]   OR   かけ算   sum × dataArray[i]

合計…だもん
こっち
そりゃまあ、足し算の方だよね
前ページでやったし

うんうん

大正解！

では平均値を求める行のb欄はどうでしょう。

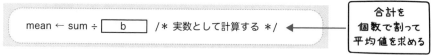

```
mean ← sum ÷  [ b ]    /* 実数として計算する */
```

合計を
個数で割って
平均値を求める

b欄用に与えられた選択肢は下記の2つ。どちらでしょう?

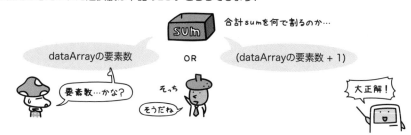

合計sumを何で割るのか…

dataArrayの要素数　　OR　　(dataArrayの要素数 + 1)

要素数…かな?　　そっち　　そうだね　　大正解!

…というわけで、それらの組合せに該当する選択肢アが本問の正解となります。

	a	b
ア	sum + dataArray[i]	dataArrayの要素数
イ	sum + dataArray[i]	(dataArrayの要素数 + 1)
ウ	sum × dataArray[i]	dataArrayの要素数
エ	sum × dataArray[i]	(dataArrayの要素数 + 1)

　ちなみに、「自分でソースコードを読み解く」「自分でソースコードを書く」というわけじゃなくて、単に試験問題を解くというだけであれば、ソースコードの個別の行まで詳細に読み解く必要はまずありません。

え!?　　え っ!?　　そーなの!?　　あ〜…まあ　　そうですね

　コードをブロック化して大まかな流れが見えてしまえば、その時点で解答の選択肢を見るとだいたい予測がついてしまうものなんですね。たとえば今回の場合は、「足し算なのかかけ算なのか」「要素数なのか要素数+1なのか」だったわけですが…

合計を求めます!　　何の処理ブロックなのかわかっていれば…

繰り返すのは足し算? それともかけ算?

平均値を求めます!　　だいたい推測できる選択肢になってる

要素の数で割る? それ+1で割る?

　試験時間は限られていますから、そういうところで時短を図るのも大切です。
　自分がどの程度までのアバウトさでコードを読み解けば解答に至れるのか、何度か解いてみて感触を掴むと良いでしょう。

このように出題されています
過去問題練習と解説

問 **1**

(IP-R04-78)

関数checkDigitは，10進9桁の整数の各桁の数字が上位の桁から順に格納された整数型の配列originalDigitを引数として，次の手順で計算したチェックデジットを戻り値とする。プログラム中のaに入れる字句として，適切なものはどれか。ここで，配列の要素番号は1から始まる。

〔手順〕
　(1) 配列originalDigitの要素番号1〜9の要素の値を合計する。
　(2) 合計した値が9より大きい場合は，合計した値を10進の整数で表現したときの各桁の数字を合計する。この操作を，合計した値が9以下になるまで繰り返す。
　(3) (2)で得られた値をチェックデジットとする。

〔プログラム〕
```
○整数型: checkDigit (整数型の配列:originalDigit)
整数型: i, j, k
j ← 0
for ( i を1からoriginalDigitの要素数まで1ずつ増やす)
  j ← j + originalDigit[i]
endfor
while ( j が9より大きい)
  k ← j ÷ 10の商   /* 10進9桁の数の場合, jが2桁を超えることはない */
     a
endwhile
return  j
```

ア　j ← j − 10 × k
イ　j ← k + (j − 10 × k)
ウ　j ← k + (j − 10) × k
エ　j ← k + j

───── 解 説 ─────

　本文でやったのと同じく、まずは「何をするためのコードなのか」をしっかり問題文から読み取りましょう。
　この問いでは、「関数checkDigitは、10進9桁の整数を配列として受け取り、計算したチェックディジットを戻り値として返す」プログラムだと述べています。

じゃあ、チェックディジットはどうやって計算するのかというと、それは[手順]として示されている通り。「配列の全要素の合計を計算」して、「計算結果が2桁以上(9より大きい)場合は、各桁を合計することを繰り返す」わけです。したがって、関数calcDigitが行うべき処理の中身は、次のような流れになることが予測できます。

それでは上の予測に基づいて、ソースコードをブロック単位にわけてみましょう。

ブロック番号	コード	処理の中身
1	○整数型：checkDigit（整数型の配列:originalDigit)	引数を受け取って処理開始
2	整数型：i, j, k	変数の宣言
3	j ← 0	変数の初期化

4	for (i を1からoriginalDigitの要素数まで1ずつ増やす)
	　　j ← j + originalDigit[i]
	endfor
		配列の全要素の合計を求める

5	while (j が9より大きい)
	　　k ← j ÷ 10の商
	　　/* 10進9桁の数の場合，j が2桁を超えることはない */
	　　　　　a
	endwhile
		計算結果が9以下になるまで各桁の合算を繰り返す

6	return　j	計算結果(チェックディジット)を戻り値として返却する

　まずわかることが1つ。最終行であるブロック6で「return j」とありますから、変数jはチェックディジットを意味しています。

　次に、ブロック4で行われた処理の結果として、この時点でjには引数で渡された9桁の数字をすべて合算した数字が入っていることもわかります。これが「9より大きい」場合、ブロック5のwhile文で、変数jの各桁を合算する処理が行われるわけですね(そしてその結果が依然として9より大きい場合はwhile文のループが繰り返される)。

　これらのことから、while文の中身は「変数jの各桁を合算すること」だとわかります。

　さて、それではwhile文の中身を1行ずつ追っていきましょう。

　1行目の「k ← j ÷ 10の商」は、jを10で割り算した商をkに代入しています。たとえばjが81ならkには8、jが53ならkには5が入ります。つまり10の位がkには入るわけです。

　そしたら、このkに対して、jの1の位を足し算すれば、各桁の合算が求められますよね?

　では、jの1の位はどうやって取り出せるでしょうか。10の位の数字はkに入っているわけですから、たとえばjが81であっても、jが53であっても、k×10をjから引き算してやれば、1の位だけが残ります。

　したがって、10の位であるkと、1の位である (j - k × 10) を合算してjに代入する式が、空欄aに入るというわけです。つまり「j ← k + (j - 10 × k)」の選択肢イが正解となります。

正解 ▶ 問1：イ

Chapter 13 システム構成と故障対策

1
インターネットは
なんで小さなネット
ワークの集合体か、
ご存じですか？

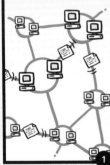

2
実はあれって、
元々は軍事目的の
ネットワークだと
言われてるのです

3
どっかの拠点に
爆弾落とされても、
寸断されることなく
稼働できるように…

4
そんな考え方が
ああいう分散型の
ネットワークを
生み出しました

壊れたとこを
迂回して

通信を
続ける

5
そんな風に、
でっかいシステムは
立派であるほど
利用者が多いほど

お仕事 お仕事〜

あーはいはい
仕事仕事

6
それが
使えなくなった時の
ダメージも大きく
なるもんだから

え!? 仕事できないよ!?

やったー休みだー

7
単に
システムが動けば
それでいい…

帳簿管理
システムです

ちゃんと
動いたよ

8
だけじゃなく

ふっ

ガン

あまいな

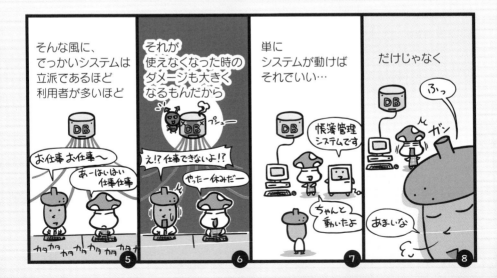

コンピュータを働かせる カタチの話

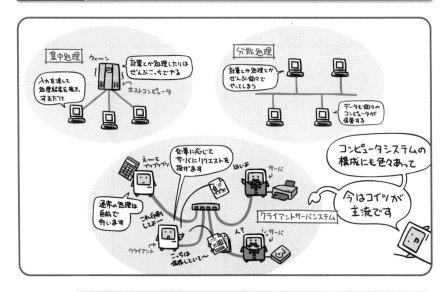

 集中処理、分散処理、クライアントサーバシステムなど、
コンピュータが組み合わさって働くカタチは様々です。

　ネットワークの章で取り上げた「クライアントとサーバ」(P.200) の話を覚えているでしょうか。ネットワークにより、複数のコンピュータが組み合わさって動く処理形態には種類があるんですよーという内容でした。

　さて、「ネットワークを介して複数のコンピュータが組み合わさって動く図」とはつまり、企業内で働くコンピュータシステムの話でもあったわけです。

　処理形態のひとつである集中処理は、セキュリティ確保や運用管理が簡単な反面、システムの拡張が大変であったり、ホストコンピュータの故障が全システムの故障に直結するという弱点がありました。分散処理はその逆で、システムの拡張は容易だし、どこかが故障しても全体には影響しない。けれどもその反面、セキュリティの確保や運用管理に難がありました。

　今はそれらのいいとこ取りをしたクライアントサーバシステムが主流となっています。基本的には分散処理なのですが、ネットワーク上の役割を2つに分け、集中して管理や処理を行う部分をサーバとして残しているところが特徴です。

シンクライアントとピアツーピア

クライアントサーバシステムの中で、特にサーバ側への依存度を高くしたのがシンクライアントです。

シンクライアントにおけるクライアント側の端末は、入力や表示部分を担当するだけで、情報の処理や保管といった機能はすべてサーバに任せます。

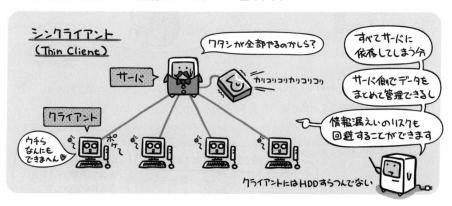

一方、完全な分散処理型のシステムとしてはピアツーピアがあります。これは、ネットワーク上で協調動作するコンピュータ同士が対等な関係でやり取りするもので、サーバなどの一元的に管理する存在を必要としません。

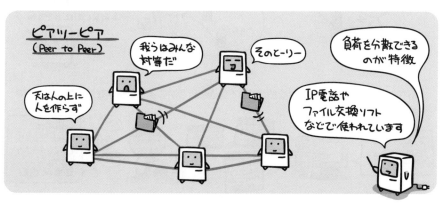

オンライントランザクション処理とバッチ処理

システムの稼働形態として、要求に対して即座に処理を行い、結果が反映されるものをオンライントランザクション処理といいます。

一方、「別にそーんなリアルタイムに反映しなくてもいいしー」という処理の場合は、一定期間ごとに処理を取りまとめて実行します。これをバッチ処理といいます。

ちなみに、普段コンピュータを使っていて普通に行う次のような操作を対話型処理と呼びます。

クラスタリングシステム

クラスタリングとは、複数のコンピュータをネットワーク上で結合させることで、ひとつの
システムとして構築する技術です。この技術を用いて構成されるシステムがクラスタリング
システム (クラスタシステムとも言う) です。

クラスタリングシステムの運用形態は、負荷分散クラスタ、HAクラスタ、HPCクラスタ
などに大別されます。

負荷分散クラスタ

複数のコンピュータに処理を分散させることで、1台あたりの負荷を低く抑えるシステム
構成です。たとえば、アクセス数の多い商用のWebサイトなどで用いられています。

HA(High Availability)クラスタ

High Availabilityとは「高可用性」の意味。稼働中のコンピュータに障害が発生した場合、
待機していた別のコンピュータが速やかに処理を引き継ぐことで、停止時間を最小限に
抑える(可用性を高く保つ)システム構成です。

HPC(High Performance Computing)クラスタ

膨大な計算量を要するようなひとつの処理を分割し、複数のコンピュータが並行して処
理にあたることで、全体の処理速度を高めるシステム構成です。

これら各クラスタの特徴は、「ああそういうものがあるんだ」
くらいに軽くおさえておけば十分です

スケールアップとスケールアウト

　システムの処理能力をもっと向上させたい!という場合、そのアプローチとしてスケールアップとスケールアウトという2つの手法が考えられます。特徴は次の通りです。

スケールアップ

「サーバ自身の性能をより高いものに交換する」ことにより、システムの処理能力を高めること。

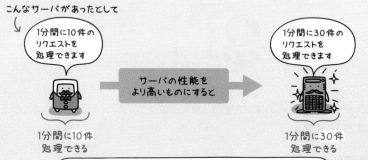

こんなサーバがあったとして

1分間に10件の
リクエストを
処理できます

1分間に30件の
リクエストを
処理できます

サーバの性能を
より高いものにすると

1分間に10件
処理できる

1分間に30件
処理できる

性能を上げたことで、システムの処理能力が上がっています

スケールアウト

「システムを構成するサーバの台数を増やす」ことにより、システムの処理能力を高めること。

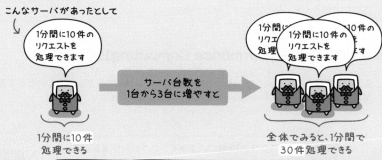

こんなサーバがあったとして

1分間に10件の
リクエストを
処理できます

1分間に10件の
リクエストを
処理できます

1分間に10件の
リクエストを
処理できます

サーバ台数を
1台から3台に増やすと

1分間に10件
処理できる

全体でみると、1分間で
30件処理できる

1分間に処理できる数が増え、全体の処理能力が上がっています

グリッドコンピューティング

　グリッドコンピューティングとは、小型のパソコンから大型コンピュータに至るまで、インターネットなどのネットワーク上にある複数のプロセッサに処理を分散して、大規模な処理を行う方式です。

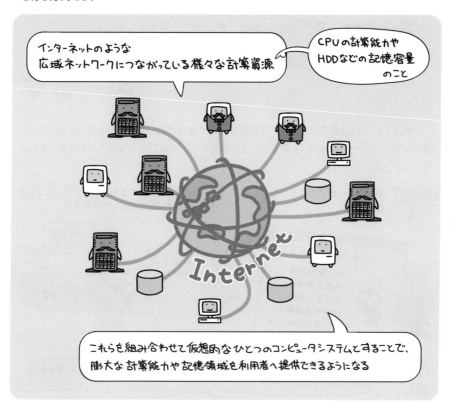

SOA（サービス指向アーキテクチャ： Service Oriented Architecture）

SOAとは、次の言葉の略称です。

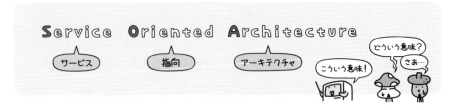

　これは「ドーンと1個のシステム」を構築するんではなくて、個々の機能を「サービスというコンポーネント化（部品化）」をして、それを組み合わせることでシステムを構築しましょうよという考え方です。

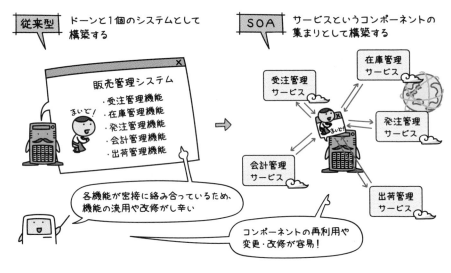

　このような構成とすることで、「ビジネス変化に対応しやすくする」などの効果が期待できるわけです。

このように出題されています
過去問題練習と解説

問 1

(IP-H30-A-94)

バッチ処理の説明として，適切なものはどれか。

ア　一定期間又は一定量のデータを集め，一括して処理する方式

イ　データの処理要求があれば即座に処理を実行して，制限時間内に処理
　　結果を返す方式

ウ　複数のコンピュータやプロセッサに処理を分散して，実行時間を短縮
　　する方式

エ　利用者からの処理要求に応じて，あたかも対話をするように，コン
　　ピュータが処理を実行して作業を進める処理方式

解説

ア　バッチ処理の説明です。

イ　オンライントランザクション処理の説明です。

ウ　並列処理（もしくは分散処理）の説明です。

エ　会話型（もしくは対話型）処理の説明です。

問 2

(IP-R05-70)

Webサービスなどにおいて，信頼性を高め，かつ，利用者からの多量のア
クセスを処理するために，複数のコンピュータを連携させて全体として一つ
のコンピュータであるかのように動作させる技法はどれか。

ア　クラスタリング

イ　スプーリング

ウ　バッファリング

エ　ミラーリング

解説

ア　クラスタリング … 455ページを参照してください。

イ　スプーリング … スループットを高めるため、主記憶装置と低速の入出力装置とのデータ転送を、
磁気ディスクを介して行うことです。プリンタへの出力を一時的に磁気ディスクやSSDに保存す
るスプーリングが代表的です。

ウ　バッファリング … 周辺機器やソフトウェアの間でデータを授受するときに、一時的にバッファメ
モリなどにデータを保管し、処理速度や転送速度の差を調整することです。

エ　ミラーリング … 何かを複製することです。1例として、"ハードディスクのミラーリング"（120ペー
ジ参照）が挙げられます。

正解 ▶ 問1：ア　問2：ア

Chapter 13-2 システムの性能指標

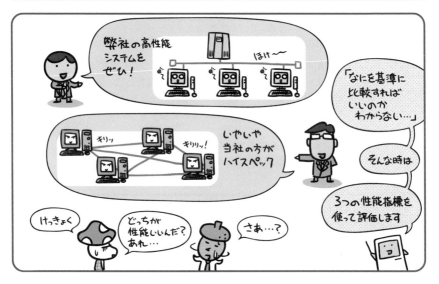

 システムの性能を評価する指標には、スループット、レスポンスタイム、ターンアラウンドタイムがあります。

　システムには様々な構成の仕方があるもんですから、そこに使われる機材だけを比較して一概に性能を論じることはできません。とはいえ、何らかの指標がないと、「このシステムは早いのか遅いのか」がわかりませんし、導入検討に際して「高いのか安いのか」という判断もしかねます。

　そこでシステム全体の性能を評価するモノサシとして、スループット、レスポンスタイム、ターンアラウンドタイムといった指標が用いられています。端的に言うと「どれだけの量の仕事を、どれだけの時間でこなせるか」という内容をあらわす指標たちで…と、長くなるので詳しくは次ページ以降でふれていきますね。

　ちなみに、こうした処理性能を評価する手法としてベンチマークテストがあります。これは、性能測定用のソフトウェアを使って、システムの各処理性能を数値化するものです。これですべての機能が網羅できて評価が完了する…というわけではないですが、傾向をつかむ一定の目安として役立てることができます。

スループットはシステムの仕事量

スループットというのは、単位時間あたりに処理できる仕事（ジョブ）量をあらわします。この数字が大きいほど「いっぱい仕事できるぞ!」ってことなので、当然性能は上ということになります。

…と言われても、なんか漠然としすぎていてイメージしづらいですよね。

スループットと仕事の関係は次のような感じです。どのような処理が入るとスループットが低下するのかとあわせておさえておきましょう。

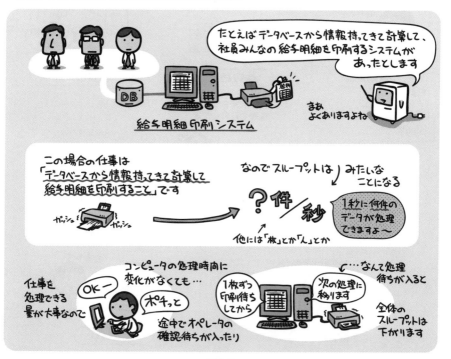

レスポンスタイムとターンアラウンドタイム

さて、続いてはレスポンスタイムとターンアラウンドタイムです。

こっちはちょっと大げさなシステムを題材にした方がイメージしやすくなります。次のような例を用いて考えてみるとしましょう。

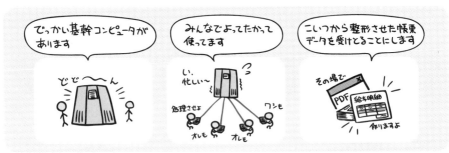

処理の流れはというとこんな感じ。

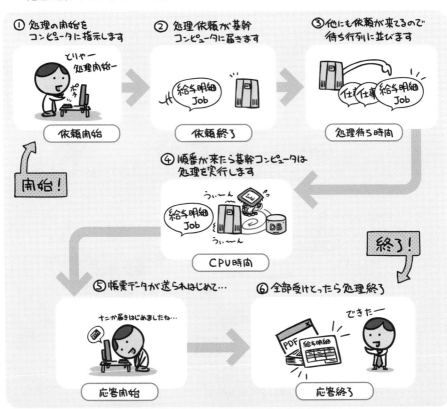

こうした一連の処理の中で、レスポンスタイムというのは「コンピュータに処理を依頼し終えてから、実際になにか応答が返されてくるまでの時間」を指しています。

つまりは下図というわけですね。

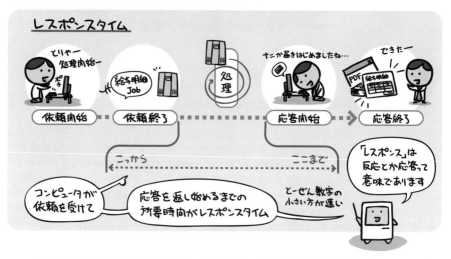

一方、ターンアラウンドタイムの方は、「コンピュータに処理を依頼し始めてから、その応答がすべて返されるまでの時間」を指します。

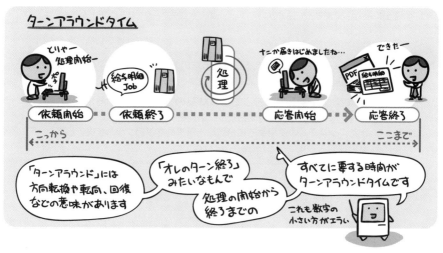

「システムの応答時間が重視されるオンライントランザクション処理」ではレスポンスタイムが、「一連の処理をひとまとめにして実行するバッチ処理」ではターンアラウンドタイムが、それぞれ性能を評価する指標として用いられます。

なにかと混同されやすい両者ですが、「レスポンス」「ターンアラウンド」といった用語の意味に着目すれば、自ずと示すところが見えてくるはずです。

- -

問 1

(IP-H29-S-77)

ベンチマークテストに関する記述として，適切なものはどれか。

ア　システム内部の処理構造とは無関係に，入力と出力だけに着目して，様々な入力条件に対して仕様どおりの出力結果が得られるかどうかを試験する。

イ　システム内部の処理構造に着目して，分岐条件や反復条件などを網羅したテストケースを設定して，処理が意図したとおりに動作するかどうかを試験する。

ウ　システムを設計する前に，作成するシステムの動作を数学的なモデルにし，擬似プログラムを用いて動作を模擬することで性能を予測する。

エ　標準的な処理を設定して実際にコンピュータ上で動作させて，処理に掛かった時間などの情報を取得して性能を評価する。

解説

ア　ブラックボックステストに関する記述です。　　イ　ホワイトボックステストに関する記述です。
ウ　シミュレーションに関する記述です。　　エ　ベンチマークテストに関する記述です。

問 2

(IP-H22-A-86)

システムの性能を評価する指標と方法に関する次の記述中のa～cに入れる字句の適切な組合せはどれか。

利用者が処理依頼を行ってから結果の出力が終了するまでの時間を
　a　タイム，単位時間当たりに処理される仕事の量を　b　という。
また，システムの使用目的に合致した標準的なプログラムを実行してシステムの性能を評価する方法を　c　という。

	a	b	c
ア	スループット	ターンアラウンド	シミュレーション
イ	スループット	ターンアラウンド	ベンチマークテスト
ウ	ターンアラウンド	スループット	シミュレーション
エ	ターンアラウンド	スループット	ベンチマークテスト

解説

　利用者が処理依頼を行ってから結果の出力が終了するまでの時間を「ターンアラウンドタイム」、単位時間当たりに処理される仕事の量を「スループット」といいます。また、システムの使用目的に合致した標準的なプログラムを実行してシステムの性能を評価する方法を「ベンチマークテスト」といいます。

問 3

(AD-H20-S-12)

あるジョブのターンアラウンドタイムを解析したところ，1,350秒のうちCPU時間が2/3であり，残りは入出力時間であった。1年後はデータ量の増加が見込まれているが，CPU時間は性能改善によって当年比80%に，入出力時間は当年比120%になることが予想される。このとき，ジョブのターンアラウンドタイムは何秒になるか。ここで，待ち時間，オーバヘッドなどは考慮しないものとする。

ア　1,095　　イ　1,260　　ウ　1,500　　エ　1,665

解説

問題の条件にしたがって、下記のように計算します。

(1) 現状のCPU時間と入出力時間

問題文は、「1,350秒のうちCPU時間が2/3であり，残りは入出力時間であった」としています。
したがって、CPU時間が2/3、入出力時間が1/3になります。これを秒数に換算すると、
　CPU時間 ＝ 1,350秒 × 2/3 ＝ 900秒
　入出力時間 ＝ 1,350秒 × 1/3 ＝ 450秒　　になります。

(2) 1年後のCPU時間と入出力時間

問題文は、「1年後はデータ量の増加が見込まれているが，CPU時間は性能改善によって当年比80%に，入出力時間は当年比120%になることが予想される」としています。
したがって、1年後のCPU時間、入出力時間は、
　CPU時間 ＝ 900秒 × 0.8 ＝ 720秒 … ①
　入出力時間 ＝ 450秒 × 1.2 ＝ 540秒 … ②　　と計算されます。

(3) 1年後のターンアラウンドタイム

上記の (2) より、1年後のターンアラウンドタイムは、
　①＋② ＝ 720秒 ＋ 540秒 ＝ 1,260秒　になります。

正解▶問1：エ　問2：エ　問3：イ

システムを止めない工夫

企業内のシステムでは、障害が発生した時にも
業務を継続できるような信頼性が、強く求められます。

　本章の冒頭マンガでも書いたように、企業内のシステムというのは「単に動けばそれでいい」ではなくて、「動き続けることが大事」という視点が求められることになります。だって皆さん、このシステムによって仕事を進めるわけですから、いくら便利なシステムでも…いや、便利なシステムであればあるほど、止まってしまった時の損失は大きくなっちゃうわけですよね。

　仮にシステムが止まったことで、社員さん1,000人分の仕事がストップしちゃったとしましょう。当然止まってる間の人件費はただの無駄。それが止まっている時間に比例してズンズンズンズン積み重なっていくと考えると…。

　恐ろしいですよね。しかも人件費なんて、生じるであろう損失のごく一部でしかありません。

　じゃあどうしようかと。それも冒頭マンガに書きました。そう、「まったく同じシステムがもう1つ別にあればいい」なのです。仕事で使うシステムのように「止まってはいけない」ものに対しては、2組のシステムを用意するなどして、信頼性を高める手法が用いられます。

デュアルシステム

2組のシステムを使って信頼性を高めますよという時に、「金に糸目はつけませんよガハハハハ」という選択がデュアルシステムです。

この構成では、まったく同じ処理を行うシステムを2組用意します。

デュアルシステムでは、2組のシステムが同じ処理を行いながら、処理結果を互いに付き合わせて誤動作してないか監視しています。

いずれかが故障した場合には異常の発生した側のシステムを切り離し、残る片方だけでそのまま処理を継続することができます。

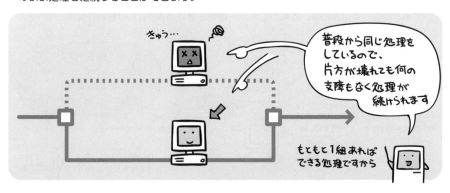

デュプレックスシステム

　一方、「さすがに丸ごと2組を、まったく同じ用途で動かしてられるほどブルジョワじゃねーぜ」というのがデュプレックスシステムです。

　2組のシステムを用意するところまでは同じですが、正常運転中は片方を待機状態にしておく点が異なります。

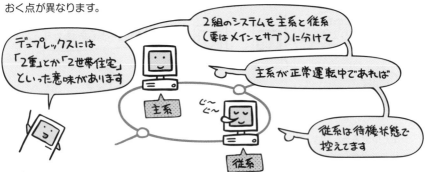

　デュプレックスシステムでは、主系が正常に動作してる間、従系ではリアルタイム性の求められないバッチ処理などの別作業を担当しています。

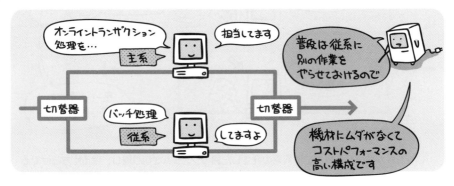

　主系が故障した場合には、従系が主系の処理を代替するように切り替わります。

13
システム構成と故障対策

デュプレックスシステムにおける従系システムの待機方法には、次の2つのパターンがあります。

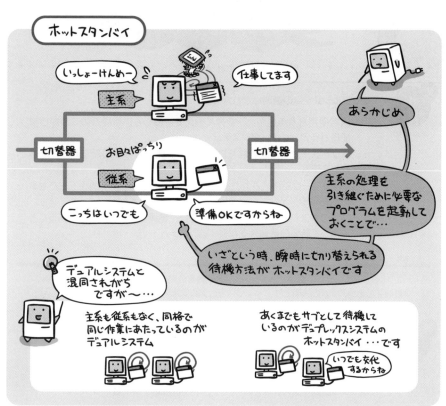

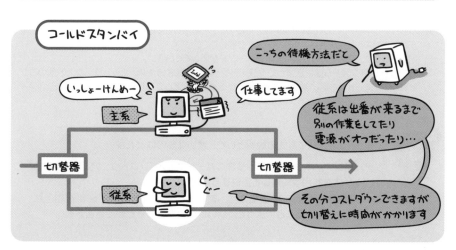

問 1

(IP-H24-A-57)

デュアルシステムの説明はどれか。

ア 通常使用される主系と，故障に備えて待機している従系の二つから構成されるコンピュータシステム

イ ネットワークで接続されたコンピュータ群が対等な関係である分散処理システム

ウ ネットワークで接続されたコンピュータ群に明確な上下関係をもたせる分散処理システム

エ 二つのシステムで全く同じ処理を行い，結果をクロスチェックすることによって結果の信頼性を保証するシステム

解 説

ア デュプレックスシステムの説明です。　イ 水平機能分散システムの説明です。

ウ 垂直機能分散システムの説明です。　エ デュアルシステムの説明です。

問 2

(IP-H29-A-87)

通常使用される主系と，その主系の故障に備えて待機しつつ他の処理を実行している従系の二つから構成されるコンピュータシステムはどれか。

ア クライアントサーバシステム　　イ デュアルシステム

ウ デュプレックスシステム　　エ ピアツーピアシステム

解 説

ア クライアントサーバシステムの説明は、452ページを参照してください。

イ デュアルシステムの説明は、467ページを参照してください。

ウ デュプレックスシステムの説明は、468ページを参照してください。

エ ピアツーピアシステムは、定まったクライアント、サーバを持たず、ネットワーク上の他のコンピュータ（ノードとも言います）に対して、クライアントとしてもサーバとしても働くようなノードの集合によって構成されるシステムです。

問 3

(IP-H26-S-56)

ホットスタンバイ方式の説明として，適切なものはどれか。

ア インターネット上にある多様なハードウェア，ソフトウェア，データの集合体を利用者に対して提供する方式

イ 機器を2台同時に稼働させ，常に同じ処理を行わせて結果を相互にチェックすることによって，高い信頼性を得ることができる方式

ウ　予備機をいつでも動作可能な状態で待機させておき，障害発生時に直ちに切り替える方式

エ　予備機を準備しておき，障害発生時に運用担当者が予備機を立ち上げて本番機から予備機へ切り替える方式

解説

ア　クラウドコンピューティングの説明です。　　イ　デュアルシステムの説明です。
ウ　ホットスタンバイ方式の説明です。　　　　　エ　コールドスタンバイ方式の説明です。

問 4 (IP-H27-A-82)

2系統の装置から成るシステム構成方式a～cに関して，片方の系に故障が発生したときのサービス停止時間が短い順に左から並べたものはどれか。

a　デュアルシステム
b　デュプレックスシステム（コールドスタンバイ方式）
c　デュプレックスシステム（ホットスタンバイ方式）

ア　aの片系装置故障，cの現用系装置故障，bの現用系装置故障
イ　bの現用系装置故障，aの片系装置故障，cの現用系装置故障
ウ　cの現用系装置故障，aの片系装置故障，bの現用系装置故障
エ　cの現用系装置故障，bの現用系装置故障，aの片系装置故障

解説

a デュアルシステム … 2系列のコンピュータが同時に動作しているので、片方が故障しても残った方で処理を継続できます。したがって、aの片系装置故障の場合、サービス停止時間は、"0"です。

b デュプレックスシステム（コールドスタンバイ方式）… 同じ構成のシステムを2系統用意しておき、片方（ここでは現用系といいます）を動作させ、もう片方（ここでは予備系といいます）は動作させずに待機状態にしておきます。現用系に障害が発生すると、★予備系を立ち上げ、予備系に処理を切り替えます。

c デュプレックスシステム（ホットスタンバイ方式）… 上記のデュプレックスシステム（コールドスタンバイ方式）とほぼ同じですが、上記★の下線部が"すでに立上っている予備系に、瞬時に、処理を切り替えます"に代わります。しかし、わずかであっても切り替え時間は必要ですので、サービス停止時間が"0"とはいえません。

上記の説明より、サービス停止時間は、下記の不等号の式で表現されます。

aの片系装置故障の場合…"0" ＜ cの現用系装置故障の場合…"0"ではないが、わずかな時間 ＜ bの現用系装置故障の場合…予備系を立ち上げるためのホットスタンバイ方式よりも長い時間

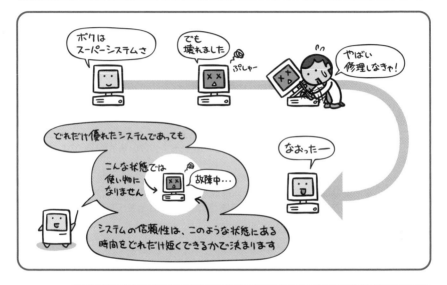

 システムの信頼性は、故障する間隔や、その修復時間から
求められる稼働率によって評価されます。

素晴らしいシステムがあったとします。機能はバッチリで動作も速い。なにもかもが要望通りで、みんなが満足するシステムです。ただ一点だけ問題があって、やたらとコイツは故障しやすい。しかもいったん壊れたら復旧がえらく大変で、数日使えないなんてざら。そんなシステムがあったとします。

さて、そのシステムに、安心して仕事を任せられるでしょうか。

…任せられないですよね。いつ壊れるかもわかったもんじゃない上に、いつ復旧できるかもわからんシステムです。あてにしていたら痛い目を見るに決まってます。

つまり、どれだけ機能面で優れたシステムであったとしても、「故障しやすく」「復旧に時間がかかる」システムは信頼性が低いと言えるわけです。

稼働率というのは、そうしたトラブルのない、無事に使えていた期間を割合として示すものです。稼働率の計算に用いる平均故障間隔（MTBF）や平均修理時間（MTTR）などとともに、信頼性をあらわす指標として用いられています。

平均故障間隔 (MTBF：Mean Time Between Failure)

まずはじめに平均故障間隔 (MTBF) から。

これは故障と故障の間隔をあらわすものです。つまりは「故障してない期間＝問題なく普通に稼働できている時間」のことを示します。

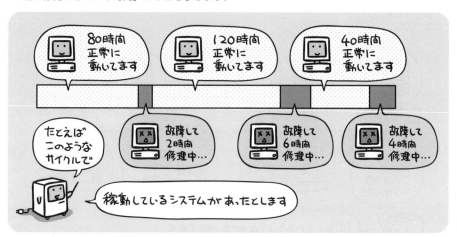

この図の中で、「問題なく普通に稼働できている時間」というのは次の3つ。

"平均" 故障間隔なので、これらの平均を求めます。

$$\frac{80時間＋120時間＋40時間}{3} = 80時間$$

平均故障間隔は、「だいたい平均するとこれぐらいの間隔でどこかしらが故障する」という目安に用いることのできる指標値です。上の例だと80時間。当然、この間隔が大きくなればなるほど「信頼性の高いシステムだ」と言えます。

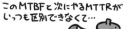

このMTBFと次にやるMTTRがいつも区別できなくて…

うん
うん

略語じゃなくて元の言葉 (Between Failure) で覚えれば混じる心配はないはずですが、どうしてもダメな場合は、「MTBFのFは普通 (Futsu-) に動いてる時間を示すF」と覚えてしまいましょ〜

13

システム構成と故障対策

続いては平均修理時間 (MTTR) です。

これも読んで字のごとく、修理に必要な時間をあらわすものです。つまりは「一度故障すると、修理時間としてこれぐらいはシステムが稼働できませんよー」という時間を示しているわけですね。

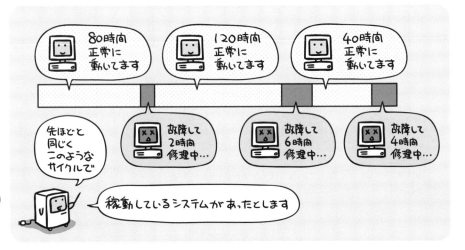

この図の中で、「修理に要している時間」というのは次の3つ。

"平均"修理時間なので、これらの平均を求めます。

$$\frac{2時間＋6時間＋4時間}{3} = 4時間$$

平均修理時間は、「だいたい平均するとこれぐらいの時間が、故障した際の復旧時間として必要です」という目安に用いることのできる指標値です。上の例だと4時間。これが短いほど「保守性の高いシステム (保守がしやすいという意味) だ」と言えます。

13
システム構成と故障対策

システムの稼働率を考える

それでは最後に、システムの稼働率です。

稼働率というのは、システムが導入されてからの全運転時間の中で、「正常稼働できていたのはどれくらいの割合か」をあらわすものです。

当然この数字が100%に近いほど、「品質の高いシステムだ」ということになります。

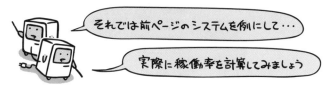

それでは前ページのシステムを例にして…

実際に稼働率を計算してみましょう

さて、稼働率というのは「正常稼働していた割合」ですから、全運転時間で稼働時間を割れば求めることができます。

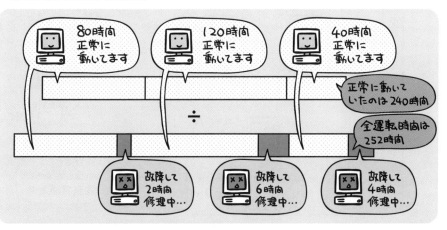

80時間 正常に動いてます

120時間 正常に動いてます

40時間 正常に動いてます

正常に動いていたのは240時間

÷

全運転時間は252時間

故障して2時間修理中…

故障して6時間修理中…

故障して4時間修理中…

これって、平均故障間隔（MTBF）と平均修理時間（MTTR）の時にやった計算をはめこむと、次のように考えることができるんですよね。

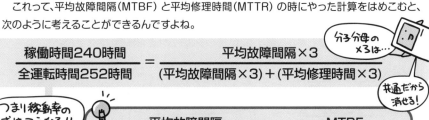

$$\frac{稼働時間240時間}{全運転時間252時間} = \frac{平均故障間隔 \times 3}{(平均故障間隔 \times 3) + (平均修理時間 \times 3)}$$

分子分母の×3は…

共通だから消せる！

つまり稼働率の式はこうなる！！

$$\frac{平均故障間隔}{平均故障間隔 + 平均修理時間} = \frac{MTBF}{MTBF + MTTR}$$

…というわけで、この例における稼働率は、80時間÷（80時間＋4時間）という式でも求めることができます。いずれの式でも、答えは約95%です。

直列につながっているシステムの稼働率

システムが複数のシステムによって構成されている場合、それぞれの稼働率は前ページの式で求められますが、「全体の稼働率は?」となると話は少し違ってきます。

複数のシステムをつなぐ方法には、直列接続と並列接続があります。

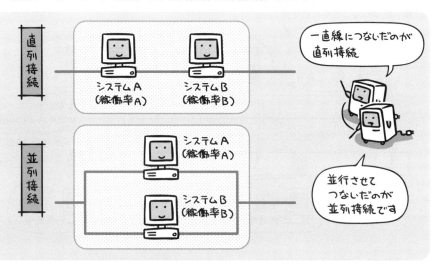

直列接続では、片方のシステムに生じたトラブルであっても、システム全体に影響が及びます。したがっていずれかが故障すると、そのシステムは正常稼働できません。

…というわけで、直列接続されたシステムの組み合わせを考えると、次のようになる。

直列接続でシステム全体が正常稼働できるのは、両方のシステムが問題なく動作している場合だけです。じゃあその確率はというと…。

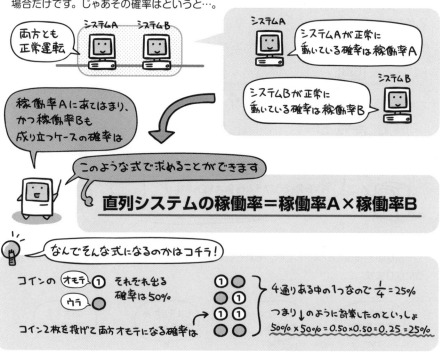

直列システムの稼働率＝稼働率A×稼働率B

たとえば、稼働率0.90のシステムを2つ直列につないだ場合、全体の稼働率は下記となります。

0.90×0.90＝0.81＝81%

並列につながっているシステムの稼働率

続いて今度は、並列につながっているシステムの稼働率を見てみましょう。

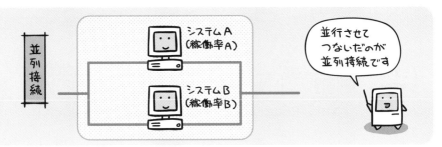

並列接続では、片方のシステムが故障した場合も、残る片方のシステムで稼働し続けることができます。

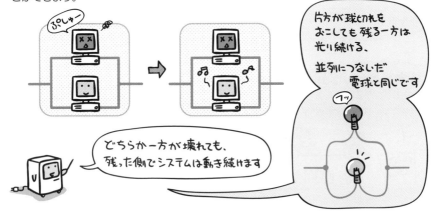

そんな並列接続のシステムでは、それぞれの稼働状況による組み合わせを考えると次のようになります。

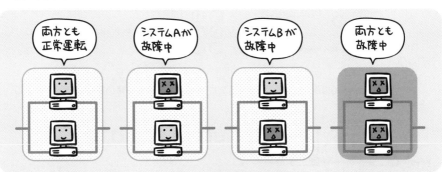

つまり並列接続のケースでシステム全体が停止してしまうのは、両方のシステムがともに故障してしまった場合だけ…ということになります。

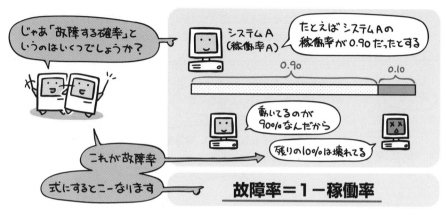

じゃあ「故障する確率」というのはいくつでしょうか？

たとえばシステムAの稼働率が0.90だったとする

システムA（稼働率A）

0.90　0.10

動いてるのが90%なんだから

残りの10%は壊れてる

これが故障率

式にするとこーなります

故障率＝1－稼働率

そして、「両方のシステムがともに故障してしまった」確率はというと、これは直列接続でやった時と同じ式が使えるわけですね。

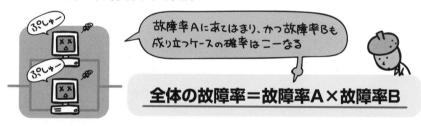

故障率Aにあてはまり、かつ故障率Bも成り立つケースの確率はこーなる

全体の故障率＝故障率A×故障率B

全体の故障率がわかってしまえば後はカンタン。

それ以外が「システム全体の稼働率」ってことになりますから、故障率を求めた時の逆をやってあげれば良いのです。

全体の故障率　　全体の稼働率

…というわけでこの式

並列システムの稼働率＝1－全体の故障率

たとえば、稼働率0.90のシステムを2つ並列につないだ場合、全体の稼働率は次のようになります。

$$1-((1-0.90)\times(1-0.90))=1-(0.10\times0.10)=1-0.01$$
$$=0.99=99\%$$

「故障しても耐える」という考え方

　稼働率100%、すごく信頼できる超絶安心耐久システム…というのがあれば理想的ですが、「形あるものいつかは壊れる」が世の理。というわけで、いつかは必ず故障して泣き濡れる日がやってきます。

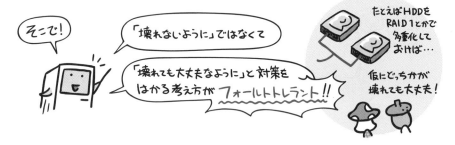

　このフォールトトレラントを実現する方法には、次のようなものがあります。
それぞれの特徴をおさえておきましょう。

フェールセーフ

　故障が発生した場合には、安全性を確保する方向で壊れるよう仕向けておく方法です。
　このようにすることで、障害が致命的な問題にまで発展することを防ぎます。
　「故障の場合は、安全性が最優先」とする考え方です。

13

システム構成と故障対策

フェールソフト

故障が発生した場合にシステム全体を停止させるのではなく、一部機能を切り離すなどして、動作の継続を図る方法です。これにより、障害発生時にも、機能は低下しますが処理を継続することができます。

「故障の場合は、継続性が最優先」とする考え方です。

説明はコチラ

実例はアキラ

ジェット機はエンジン1個壊れても飛び続けることができるんですよとか

カチッ

停電したらバッテリー運転に切り替わるんですよ～とか

「たかがメインカメラをやられただけだ」と言って動き続けるロボットとか

この後ソフト制御で自動運転させるとこがシビれるんすよね

ズドドド

フールプルーフ

すさまじく直訳すれば「バカにも耐える」です。「人にはミスがつきもの」という視点に立ち、操作に不慣れな人が扱っても、誤動作しないよう安全対策を施しておくことです。

「意図しない使い方をしても、故障しないようにする」という考え方です。

説明はコチラ

実例はアキラ

電子レンジはドアを閉めないと加熱できないとか

⊕⊖の向きがあってないと入らない電池ボックスとか

フタが開いてると回転しない洗濯機とか

流れるプールに挑戦だー!!

…あれ?動かない

　一方、品質管理などを通じてシステム構成要素の信頼性を高め、故障そのものの発生を防ごうという考え方もあります。こちらはフォールトアボイダンスといいます。

バスタブ曲線

　機械や装置というのは、いつか必ず壊れるもの。そうした故障の発生頻度と時間の関係をグラフにすると次のような傾向を示します。

　これをバスタブ曲線といいます。

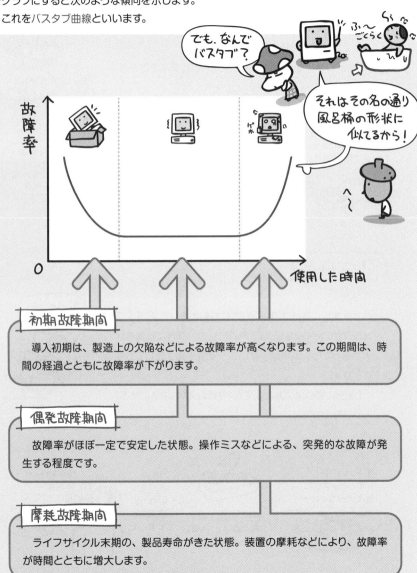

初期故障期間

　導入初期は、製造上の欠陥などによる故障率が高くなります。この期間は、時間の経過とともに故障率が下がります。

偶発故障期間

　故障率がほぼ一定で安定した状態。操作ミスなどによる、突発的な故障が発生する程度です。

摩耗故障期間

　ライフサイクル末期の、製品寿命がきた状態。装置の摩耗などにより、故障率が時間とともに増大します。

システムに必要なお金の話

システムを評価するにあたってお金の話は避けられません。どれだけ便利な超高性能システムだったとしても、それを導入したがために破産して会社がなくなってしまっては意味がないからです。

システムに必要となる、これらのコストをすべてひっくるめて、TCOと呼びます。

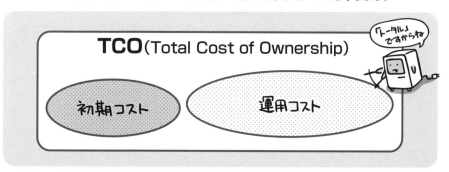

問 1

(IP-R06-67)

図に示す2台のWebサーバと1台のデータベースサーバから成るWebシステムがある。Webサーバの稼働率はともに0.8とし、データベースサーバの稼働率は0.9とすると、このシステムの小数第3位を四捨五入した稼働率は幾らか。ここで、2台のWebサーバのうち少なくとも1台が稼働していて、かつ、データベースサーバが稼働していれば、システムとしては稼働しているとみなす。また、それぞれのサーバはランダムに故障が起こるものとする。

ア 0.04
イ 0.58
ウ 0.86
エ 0.96

解説

(1) 2台のWebサーバの稼働率
　2台のWebサーバ (1台の稼働率は0.8) は並列につながれているので、それらの稼働率は、1－((1－0.8) × (1－0.8)) = 0.96 (★) です (この計算式は、479ページを参照してください)。

(2) Webシステム全体の稼働率
　並列につながっている2台のWebサーバとデータベースサーバ (稼働率は0.9) は直列につながっているので、それらの稼働率は、0.96 (★) × 0.9 = 0.864 (●) です (この計算式は、477ページを参照してください)。0.864 (●) の小数第3位を四捨五入した稼働率は、0.86です。

問 2

(IP-R05-93)

フールプルーフの考え方を適用した例として、適切なものはどれか。

ア HDDをRAIDで構成する。

イ システムに障害が発生しても、最低限の機能を維持して処理を継続する。

ウ システムを二重化して障害に備える。

エ 利用者がファイルの削除操作をしたときに、"削除してよいか"の確認メッセージを表示する。

解説

　選択肢ア～エは、下記の各用語を適用した例です。
ア フォールトトレラント (480ページ参照)　　注：RAID0を除く
イ フェールソフト (481ページ参照)
ウ デュアルシステム (467ページ参照)
エ フールプルーフ (481ページ参照)

正解▶問1：ウ　問2：エ

転ばぬ先のバックアップ

 人為的なミスをも含む様々なトラブルからデータを守るには、
バックアップをとっておくことが有効です。

　HDDを多重化するなどして機械的な故障に備えたとしても、人為的なミスによってファイルを消失するリスクは避け得ません。たとえば「あ、間違えてファイル消しちゃった」とか「しまった、別のファイル上書きしちゃった」とかいったことですね。

　そういった諸々のリスクからデータを守ってくれるのがバックアップ。

　バックアップを行う際は、以下の点に留意する必要があります。

●定期的にバックアップを行うこと

　バックアップが存在しても、それが1年前とかの古いデータでは意味がありません。データの更新頻度にあわせて適切な周期でバックアップを行うことが必要です。

●バックアップする媒体は分けること

　元データと同じ記憶媒体上にバックアップを作ってしまうと、その媒体が壊れた時にはバックアップごとデータが失われてしまい意味がありません。

●業務処理中にバックアップしないこと

　処理中のデータをバックアップすると、データの一貫性が損なわれる恐れがあります。

バックアップには、フルバックアップ、差分バックアップ、増分バックアップという3種類の方法があります。これらを組み合わせることで、効率良くバックアップを行うことができます。

フルバックアップ

保存されているすべてのデータをバックアップするのがフルバックアップです。1回のバックアップにすべての内容が含まれているので、障害発生時には直前のバックアップだけで元の状態に戻せます。

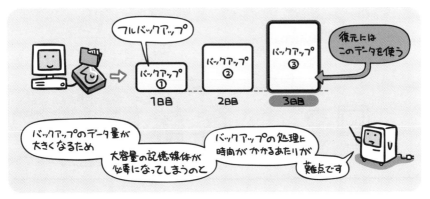

差分バックアップ

前回のフルバックアップ以降に作成、変更されたファイルだけをバックアップするのが差分バックアップです。障害発生時には、直近のフルバックアップと差分バックアップを使って元の状態に戻せます。

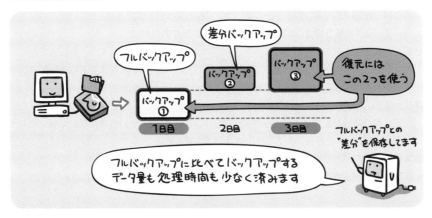

増分バックアップ

　バックアップの種類に関係なく、前回のバックアップ以降に作成、変更されたファイルだけをバックアップするのが増分バックアップです。障害発生時には、元の状態に復元するために、直近となるフルバックアップ以降のバックアップがすべて必要となります。

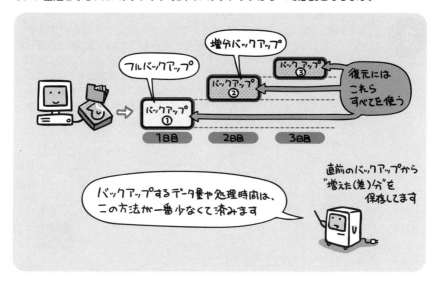

問 1

(AD-H17-S-38)

ある部署では，サーバのディスクにあるファイルを業務終了時点でバックアップしている。土曜日と日曜日は一切の業務を行わないので毎週金曜日に全バックアップ（すべてのファイルをバックアップする）をしており，そのほかの平日は差分バックアップ（全バックアップ以降に更新されたすべてのファイルをバックアップする）をしている。水曜日の朝にサーバを起動しようとしたところ，ハードディスクが故障していることが判明した。最新状態へ復旧するために必須の最少のバックアップファイルの組合せはどれか。

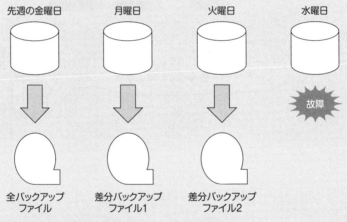

ア　火曜日に作成した差分バックアップファイル2
イ　全バックアップファイル
ウ　全バックアップファイルと火曜日に作成した差分バックアップファイル2
エ　全バックアップファイルと月曜日に作成した差分バックアップファイル1と火曜日に作成した差分バックアップファイル2

問題文は、「差分バックアップ（全バックアップ以降に更新されたすべてのファイルをバックアップする）」としています。したがって、差分バックアップファイル2には、月曜日と火曜日の更新部分がバックアップされています。水曜日の朝にサーバを起動しようとしたところ、ハードディスクが故障していることが判明したので、先週の金曜日に取得した全バックアップファイルと火曜日に作成した差分バックアップファイル2をリストアすると最新状態に復旧できます。

正解▶問1：ウ

情報システムは、すでに企業の土台を支える重要なインフラ部分です

しかしそもそも「企業」とはなんなのでしょうか？

情報システムはあくまでもインフラ

じゃあインフラとして、「なに」をお手伝いする？

でも、企業というものがどのように意志決定するのか

なにを目的として活動するのか

それらがわからないと「仕事」のカタチが見えません

つまり業務分析も問題解決もできません

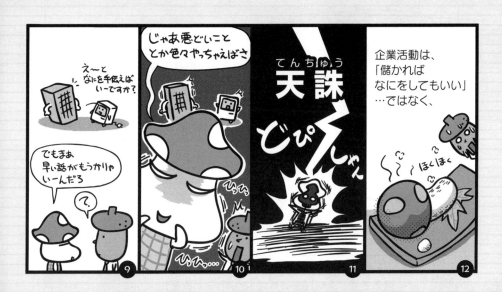

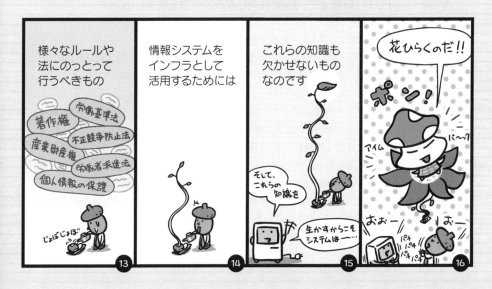

企業活動と組織のカタチ

近年では、「人」「モノ」「金」という3大資源に「情報」を加えて、経営の4大資源と見なします。

よく言われる経営資源が、「人」「モノ」「金」という3つです。

「人」は企業を支える人材であり、すなわち社員を指しています。「モノ」は商品であったり工場であったりの他、企業活動に欠かせないオフィスやパソコンや電話機などもそう。これらがないと仕事が回らないですからね。

そして「金」。言うまでもなく必要です。人を雇うにも、モノを生み出すにも、お金がなくちゃはじまりません。いわば企業の血液と言っていいものです。

そこに近年加わったのが「情報」です。「情報」とは、顧客情報や営業手法、市場調査の結果など、企業が正確な判断を下すために必要となる様々なデータのこと。そういえば、「情報戦略」というような、「情報○○」的な言葉もすっかり今ではお馴染みになりました。

このように、今や企業が競争力を保つためには、「いかに情報を吸い上げ、判断して、すみやかに実行できる組織とするか」…という視点が不可欠となっているのです。

代表的な組織形態と特徴

企業内の組織形態としては、次のものが代表的です。

職能別組織

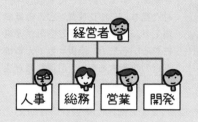

開発や営業といった仕事の種類・職能によって部門分けする組織構成です。

事業部制組織

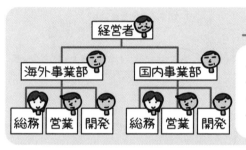

取り扱う製品や市場ごとに、独立性を持った事業部を設ける組織構成です。事業部単位で必要な職能部門を持つため、各々が独立した形で経営活動を行うことができます。

プロジェクト組織

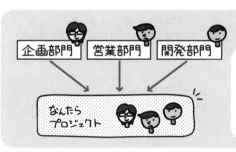

プロジェクトごとに、各部門から必要な技術や経験の保有者を選抜して、適宜チーム編成を行う組織構成です。

マトリックス組織

事業部と職能別など、2系統の所属をマス目状に組み合わせた組織です。命令系統が複数できてしまうため、混乱を生じることがあります。

社内カンパニー制組織

事業部制組織よりもさらに独立性を高め、事業分野ごとに仮想的な会社と見なして独立採算をとる組織構成です。より広い範囲で権限が委譲されているため、投資判断や人事権などの決裁権も有し、迅速な意思決定が可能です。

ただし、個別の会社と見なすといっても、それはあくまでも社内に限られた話。法的には同じ会社として扱われますし、会計処理上も同様です。

社内ベンチャー制組織

プロジェクトを準独立的な事業として遂行し、その成果に対して全面的な責任を負う起業者としての権限と責任を与えられる組織構成です。

独立した別会社のような形態で業務を行うことから、一見「社内カンパニー制」と同じように見えますが…

ちがうの？

事業として確立されたものを個別の会社と見なす社内カンパニー制に対して、こちらは新規事業の開拓を目的とした、より小規模な取り組みです

事業の芽を育てるのが目的

CEOとCIO

　米国型企業における役職として、日本においても少しずつ馴染みのある言葉となってきたのがCEO（Chief Executive Officer）です。最高経営責任者などと訳されます。

　企業の所有者である株主の信任により、経営の責任者として決定権を委任された存在で、企業戦略の策定や経営方針の決定など、企業経営における意志決定の責任を負います。

　一方、情報システム戦略を統括する最高責任者がCIO（Chief Information Officer）です。最高情報責任者や情報システム担当役員などと訳されます。

　日本ではまだ今ひとつポピュラーではないですが、IT技術の必要性が高まるにつれて、存在感を増してきている役職です。

　経営戦略に基づいた情報システム戦略の策定と、その実現に関する責任を負います。

技術経営とイノベーション

技術経営 (MOT: Management Of Technology) という言葉があります。これは、科学的知識や工学的知識をはじめとする技術的な知識を、どのようにして経営に生かすかを体系化したものです。

技術経営ではこのように、技術力をベースにイノベーション（技術革新）を創出し、企業の成長力へと結びつけます。

このイノベーションには、大きく分けて次の2つがあります。

プロダクトイノベーション

革新的な新商品を開発することにより、他社との差別化を図ります。

たとえばAppleのiPhoneや…

検索サイトをはじめとするGoogleの各種サービスなど

プロセスイノベーション

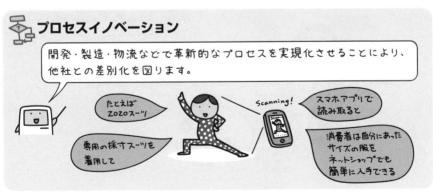

開発・製造・物流などで革新的なプロセスを実現化させることにより、他社との差別化を図ります。

たとえばZOZOスーツ

専用の採寸スーツを着用して

Scanning!

スマホアプリで読み取ると

消費者は自分にあったサイズの服をネットショップでも簡単に入手できる

BI（Business Intelligence）

　企業内の情報システムにおいて蓄積される、膨大な業務データを分析・加工することにより、そこから得られる知見をもとに経営や業務に関する意思決定を支援する手法をBI（Buisiness Intelligence）と言います。

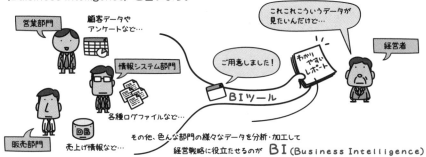

　そのために用いるソフトウェアが、BIツール（もしくはBIシステム）です。

　BIツールは、業務データの分析結果をわかりやすく可視化することによって、データサイエンティストなど専門家の力を借りることなく、経営者や現場社員が意志決定できるように支援します。

エンタープライズアーキテクチャ
(EA: Enterprise Architecture)

　組織全体の業務と情報システムを分析、整理することで「全体最適化」を図る設計・管理手法がエンタープライズアーキテクチャ（EA）です。この手法では、ビジネス、データ、アプリケーション、テクノロジという4つの体系を分析して可視化します。

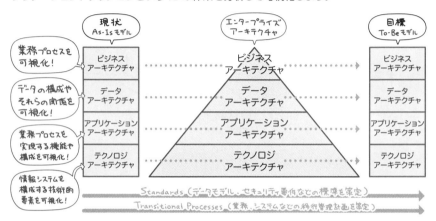

　全体最適化とは何かというと…

　各部門の情報システムを、こうした4つの体系によって横断的に分析、整理することで、組織全体のあるべきシステム像を把握することができるわけです。

　EAで用いられる、「現状」と「あるべき姿」とを比較して分析する手法を、ギャップ分析と言います。

BPO (Business Process Outsourcing)

BPOとは、次の言葉の略称です。

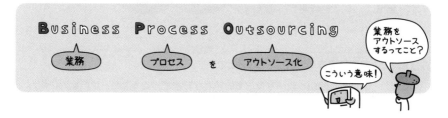

上でドングリが言っている通り、「業務のアウトソース化」なのですが、業務の一部ではなく、特定部門の業務プロセスを丸ごと外部へ委託してしまうところに特徴があります。

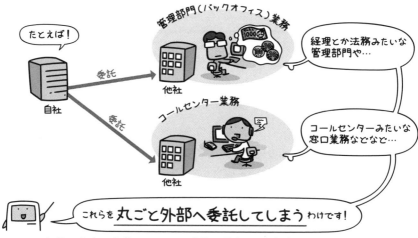

社員が本来の事業のコアとなる業務に集中できる利点がありますし、委託した業務についても、それらを専任とするプロの手に任せることができるため、社内で賄っていた時より業務品質の向上が期待できます。

このように出題されています
過去問題練習と解説

問 1
(IP-H27-S-26)

職能別組織を説明したものはどれか。

ア ある問題を解決するために必要な機能だけを集めて一定の期間に限って結成し，問題解決とともに解散する組織

イ 業務を専門的な機能に分け，各機能を単位として構成する組織

ウ 製品，地域などを単位として，事業の利益責任をもつように構成する組織

エ 製品や機能などの単位を組み合わせることによって，縦と横の構造をもつように構成する組織

解説

ア プロジェクト組織の説明です。　　イ 職能別組織の説明です。
ウ 事業部制組織の説明です。　　エ マトリックス組織の説明です。

問 2
(IP-R05-07)

経営戦略に基づいて策定される情報システム戦略の責任者として，最も適切なものはどれか。

ア CIO

イ 基幹システムの利用部門の部門長

ウ システム開発プロジェクトマネージャ

エ システム企画担当者

解説

CIO（Chief Information Officer：最高情報システム責任者）は、情報管理・情報システムの統括を含む、戦略立案と執行を行う責任者です。

問 3
(IP-R06-06)

技術戦略の策定や技術開発の推進といった技術経営に直接の責任をもつ役職はどれか。

ア CEO　　　　イ CFO　　　　ウ COO　　　　エ CTO

解説

ア CEO（Chief Executive Officer：最高経営責任者）　　イ CFO（Chief Financial Officer：最高財務責任者）　　ウ COO（Chief Operating Officer：最高執行責任者）　　エ CTO（Chief Technology Officer：最高技術責任者）

なお、本問の問題文に記述されている"技術"を、CTOの"T"⇒"Technology"と結びつけて覚えておくとよいでしょう。

正解 ▶問1：イ　問2：ア　問3：エ

電子商取引
(EC：Electronic Commerce)

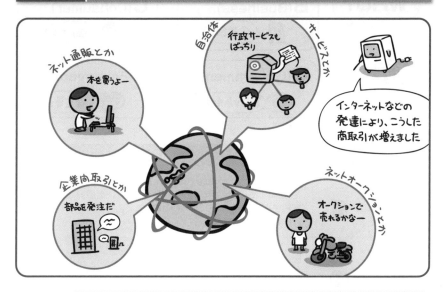

ネットワークなどを用いた電子的な商取引のことを
EC（Electronic Commerce）と呼びます。

　従来の紙ベースな取引だと、発注や受注に対して必ずなんらかの伝票がついてまわりました。発注書や受注書、納品書、検収書などなど、こうした文書をファックスしたり郵送したりして、取引を行っていたわけです。

　当然手間もかかりますし、先方に到着するまでのタイムラグも発生します。そして、紙の伝票ではそのまま社内システムに流し込むこともできません。いくら社内の受発注システムが整備されていたとしても、紙で発注を受けている限りは、誰かがそれを手入力してやらねば駄目だったわけです。

　このやり取りを電子化したものがEC（Electronic Commerce）です。

　注文を電子的なデータとして受けてしまえば、そのまま社内システムに流し込んで処理することができます。ネットワークならやり取りは一瞬ですから、タイムラグもありません。伝票の保管コストや入力コストなど様々なコストも削減できます。

　ECであれば実際の店舗を構えるよりも安く開業できるとあって、インターネットの普及とあわせて、広い範囲で活用されるようになっています。

取引の形態

ECには、「誰」と「誰」が取引するかによって、様々な形態があります。

 WHO?

B(Business)
 企業です

C(Consumer)
個人です

G(Government)
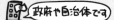 政府や自治体です

E(Employee)
従業員です

形態	説明
B to B	Business to Businessの略。 企業間の取引を示します。商取引のために、組織間で標準的な規約を定めてネットワークでやり取りすることをEDI(Electronic Data Interchange)と呼びます。
B to C	Business to Consumerの略。 企業と個人の取引を示します。オンラインショッピングなどが該当します。
C to C	Consumer to Consumerの略。 個人間の取引を示します。ネットオークションによる個人売買などが該当します。
B to E	Business to Employeeの略。 企業と社員の取引を示します。企業が自社の従業員向けに提供するサービスなどが該当します。
G to B	Government to Businessの略。 政府や自治体と企業間の取引を示します。官公庁が物品や資材の調達を行う電子調達や、電子入札などが該当します。
G to C	Government to Consumerの略。 政府や自治体と個人間の取引を示します。行政サービス(住民票や戸籍謄本等)の電子申請などが該当します。

EDI (Electronic Data Interchange)

ECにおいて円滑に取引を行うためには、交換されるデータ形式の統一化と機密保持が欠かせません。そこで出てくる用語がEDIです。

EDIとはElectronic Data Interchangeの略で、日本語にすると「電子データ交換」という意味になります。

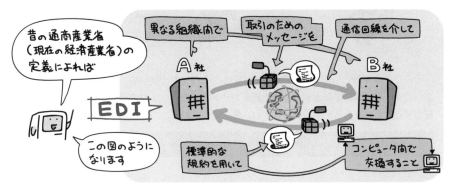

上の定義ではEDIに必要な取り決めとして、情報伝達規約、情報表現規約、業務運用規約、取引基本規約の4階層が定められています。

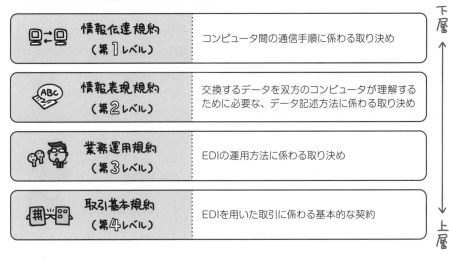

情報伝達規約（第1レベル）	コンピュータ間の通信手順に係わる取り決め
情報表現規約（第2レベル）	交換するデータを双方のコンピュータが理解するために必要な、データ記述方法に係わる取り決め
業務運用規約（第3レベル）	EDIの運用方法に係わる取り決め
取引基本規約（第4レベル）	EDIを用いた取引に係わる基本的な契約

下層 ↑ 上層 ↓

カードシステム

ECを利用するにあたり、問題になってくるのが決済手段です。

そこで決済手段として重宝されるのがクレジットカードをはじめとする様々なカードシステムです。現在は、従来主流であった磁気カード方式から、より偽造に強く、多くの情報を記録することのできるICカード方式へと、順次切り替わりつつあります。

名称	説明
クレジットカード	買い物時点ではカードを提示するだけに留め、後日決済を行う後払い方式のカードです。 提示するカードは、カード会社と会員との契約に基づいて発行されたものです。買い物時点では現金を支払わずに、後日カード会社と会員との間で決済を行います。
デビットカード	買い物代金の支払いを、銀行のキャッシュカードで行えるようにしたものです。 手持ちのキャッシュカードを使って、銀行口座からリアルタイムに代金を直接引き落として決済することができます。

耐タンパ性

ハードウェアなどに対して、外部から不正に行われる内部データの改ざんや解読、取り出しなどがされづらくなっている性質を耐タンパ性と言います。

tamper
（許可なくいじる、改ざんする）

tamper（タンパ）とはこのような意味の英単語

これに耐える性質なので「耐タンパ性」なわけです

たとえば！

ふっふっふっ、このICカード

Suica

内部のデータを…

分解して読み出し機器で中の信号を解析すれば

悪さできそう！

不正に解読しようとする行為を検知したら…

あれ？何も入ってない？

ICチップ内の保存情報を自動的に消去する

など

…というように、簡単に言ってしまえば、外部からの攻撃に対する耐性度合いをあらわします。

例に挙げたICカードの他にも、IoTデバイス（P.262）など様々な機器で、セキュリティへの取り組みとして耐タンパ性の向上は無視できません。

分解が困難な作りになっていて

Credit

無理に行うと内部の回路が破壊されてしまう

光センサーが入っていて

ケースが開けられたら内部情報を消去する

中のチップが暗号化されていて

読み出しても解読ができない

などなどなど…

すごいね！スパイ映画みたいだ！

耐タンパ性は、「内部の解析（解読）を困難にする」ことや、「外部からの干渉を受けると内部破壊を起こす」などの取り組みによって向上させることができます

なので問題に出てきたら、そういう選択肢を選びましょうね

ロングテール

　従来型の店舗を考えた場合、商品の売上というのは一般的に「上位20％の商品が売上の80％を占める」という法則が当てはまります。

　これをパレートの法則といいます。

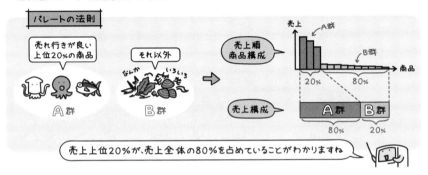

　ただしこれがインターネット上の店舗の場合、商品の陳列に物理的な制約がありません。したがって、どこまでも品数を増やすことができちゃいます。

　そうすると、1つ1つはあまり売れない商品たちでも、それらの売上を合計した時に、全体の中に占める割合が無視できないほど大きくなります。

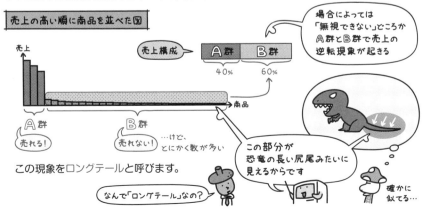

　この現象をロングテールと呼びます。

シェアリングエコノミー

シェアリングエコノミーとは、インターネットを介して個人が保有する遊休資産(モノや場所、スキルなど)の貸し借りなどを仲介するサービスのことです。

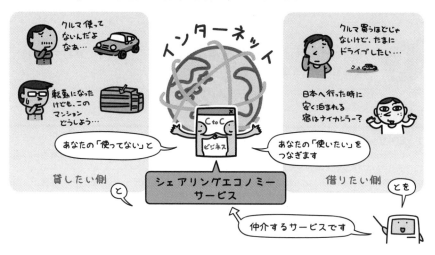

貸す側は遊休資産からの収入を得ることができ…

借りる側は所有にまつわるコストを負担することなく必要な時に利用できる…

…と、双方にメリットがあるわけです。

問 1

(IP-R02-A-27)

企業間で商取引の情報の書式や通信手順を統一し，電子的に情報交換を行う仕組みはどれか。

　ア　EDI　　　　イ　EIP　　　　ウ　ERP　　　　エ　ETC

解説

ア　EDI (Electronic Data Interchange) の説明は、503ページを参照してください。

イ　EIP (Enterprise Information Portal) は、様々な社内システムを効率よく利用できるように、それらへのアクセス手段をまとめたものです。

ウ　ERP (Enterprise Resource Planning) は、財務データ・人事データ・在庫データ・生産データ・物流データ・販売データなど企業が蓄積する情報を統一的に管理し、企業活動の効率を最大限に高めるシステム（もしくはソフトウェア）のことです。

エ　ETC (Electronic Toll Collection) は、高速道路や有料道路の料金所のゲートが、自動車や自動二輪に搭載した車載器と無線通信を行い、車種や通行区間を判別して、自動的に料金を支払って、自動車や自動二輪を止めずに、料金所を通行するためのシステムです。

問 2

(IP-R05-57)

IoTデバイスにおけるセキュリティ対策のうち，耐タンパ性をもたせる対策として，適切なものはどれか。

　ア　サーバからの接続認証が連続して一定回数失敗したら，接続できないようにする。

　イ　通信するデータを暗号化し，データの機密性を確保する。

　ウ　内蔵ソフトウェアにオンラインアップデート機能をもたせ，最新のパッチが適用されるようにする。

　エ　内蔵ソフトウェアを難読化し，解読に要する時間を増大させる。

解説

ア　一定回数続けてログインに失敗した場合に、一時的にログイン不能にする仕組みを "アカウントロック" と言います。

イ　無線LANにおいて、通信するデータを暗号化し、データの機密性を確保する仕組みに、WPA2やWPA3があります。

ウ　公開済みの OS（基本ソフトウェア）やアプリケーションソフトウェアなどで発見された脆弱性や問題点を解消するためのプログラムを "セキュリティパッチ" といいます。

エ　耐タンパ性の説明は、505ページを参照してください。

経営戦略と自社のポジショニング

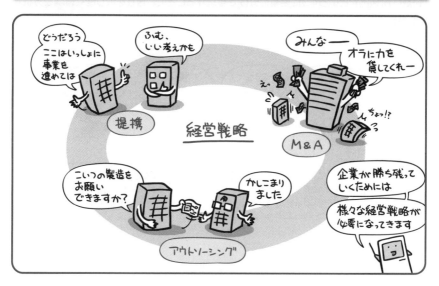

 企業同士が提携して共同で事業を行うことを
アライアンスと言います。

どうにも世の中は資本主義の競争社会さんですから、自社がいかに勝ち抜いていくかなんてことを、日々考えなきゃいけません。

これは自社単独では厳しいな…という時には、企業同士で提携を結びます。技術提携とか資本提携とかはよく耳にする言葉ですし、生産設備を提携したりとか、販売網を提携したりなんてのもよくあることです。

一方、「新しい市場に切り込みたいんだけど、どーにもノウハウがなくてねぇ」なんて時、素早く事業を立ち上げる技として丸ごと他社を買い取ってしまうのがM&A。他にも「限られた自社の経営資源を効率よく本業へ集中させるため」として、それ以外の部分を他社に業務委託するアウトソーシングなんてのもあります。

いずれも市場の中で競争力を高め、確固たるポジションを築いていくための経営戦略というやつですが、ポジションの確立という意味では、自社の製品・サービスを利用した顧客の、満足度を高めるための取り組みも欠かすことができません。

顧客満足度の向上は、自社製品へのリピーターが増えることにもつながります。

SWOT分析

　自社の強みと弱みを分析する手法としてSWOT分析があります。

　この手法は、自社の現状を「強み（Strength）」「弱み（Weakness）」「機会（Opportunity）」「脅威（Threat）」という4つに要素に分けて整理することで、自社を取り巻く環境を分析するものです。

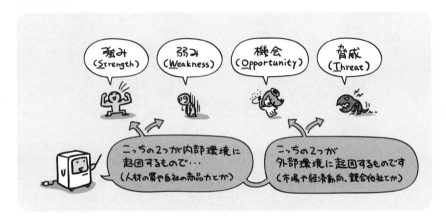

　4つの要素は、次の図に示すような関係となります。

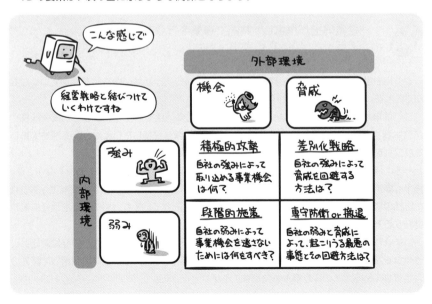

プロダクトポートフォリオマネジメント（PPM : Product Portfolio Management）

プロダクトポートフォリオは、経営資源の配分バランスを分析する手法です。

この手法では、縦軸に市場成長率、横軸に市場占有率（シェア）をとり、自社の製品やサービスを「花形」「金のなる木」「問題児」「負け犬」という4つに分類して、資源配分の検討に使います。

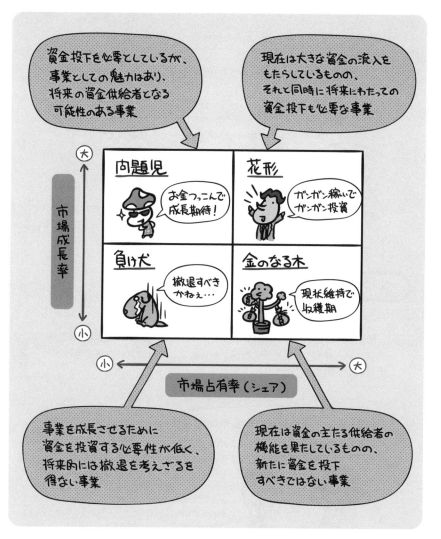

コアコンピタンスとベンチマーキング

　企業活動を改善する指標となるのが、コアコンピタンスと、ベンチマーキングです。コアコンピタンスとは自社の強みを指す言葉であり、ベンチマーキングは「他社の強みを参考にしちゃえ!」というものです。

コアコンピタンス

　他社には真似のできない、その企業独自のノウハウや技術などの強みのこと。
　これを核として注力する手法をコアコンピタンス経営という。

ベンチマーキング

　経営目標設定の際のベストな手法を得るために、最強の競合相手または先進企業と比較することで、製品、サービス、および実践方法を定性的・定量的に測定すること。

コトラーの競争地位戦略

1980年にアメリカの経営学者フィリップ・コトラーが提唱した理論に、競争地位戦略があります。市場シェアの観点から企業を4つに類型化して、それぞれが選択するべき戦略目標をあらわしたものです。

類型ごとの詳細はというと、こんな感じ。

リーダ戦略
市場において最大のシェアを持つリーディングカンパニー。
業界の牽引役として、需要を開拓し、市場全体の拡大を目指します。

チャレンジャ戦略
業界の2番手、3番手にあたる企業。リーダに挑戦してトップを狙うと同時に、リーダとの差別化を図りシェアの拡大を目指します。

フォロワ戦略
業界の2番手、3番手にあたる企業ですが、リーダに挑戦するのではなく、その模倣をすることで、開発コストを抑えながら収益向上を図ります。

ニッチャ(ニッチ)戦略
市場全体におけるシェアは高くないものの、小規模な市場に特化することで独自の地位を獲得し、他にはない価値を提供する企業です。こうした小規模な市場のことを隙間市場(ニッチ市場)と呼びます。

CRM (Customer Relationship Management)

顧客情報などを分析することで営業戦略に生かすのがリレーションシップマーケティング。そのマネジメント手法がCRM (Customer Relationship Management) です。

CRMでは、顧客の情報を管理・分析して適切な営業戦略を実施することにより、顧客ロイヤリティの獲得と、顧客生涯価値の最大化を目指します。

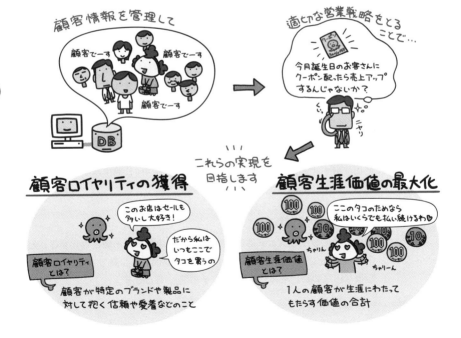

このように出題されています
過去問題練習と解説

問 1
(IP-R02-A-21)

横軸に相対マーケットシェア，縦軸に市場成長率を用いて自社の製品や事業の戦略的位置付けを分析する手法はどれか。

ア　ABC分析　　　　　　　イ　PPM分析
ウ　SWOT分析　　　　　　エ　バリューチェーン分析

解説

PPM (Product Portfolio Management) 分析の説明は、511ページを参照してください。

問 2
(IP-R03-23)

プロダクトポートフォリオマネジメントは，企業の経営資源を最適配分するために使用する手法であり，製品やサービスの市場成長率と市場におけるシェアから，その戦略的な位置付けを四つの領域に分類する。市場シェアは低いが急成長市場にあり，将来の成長のために多くの資金投入が必要となる領域はどれか。

ア　金のなる木　　イ　花形　　ウ　負け犬　　エ　問題児

解説

問題文の「市場シェアは低いが急成長市場にあり」が本問のヒントであり、「市場占有率が小、市場成長率が大」の当該領域は「問題児」です (511ページ参照)。

問 3
(IP-H31-S-10)

企業経営で用いられるベンチマーキングの説明として，適切なものはどれか。

ア　PDCAサイクルを適用して，ビジネスプロセスの継続的な改善を図ること
イ　改善を行う際に，比較や分析の対象とする最も優れた事例のこと
ウ　競合他社に対する優位性を確保するための独自のスキルや技術のこと
エ　自社の製品やサービスを測定し，他社の優れたそれらと比較すること

解説

ベンチマーキングの説明は、512ページを参照してください。

正解▶問1：イ　問2：エ　問3：エ

問 4
(IP-H29-A-29)

自社が保有する複数の事業への経営資源の配分を最適化するために用いられるPPMの評価軸として，適切なものはどれか。

ア　技術と製品
イ　市場成長率と市場シェア
ウ　製品と市場
エ　強み・弱みと機会・脅威

解説

　511ページにあるとおり、PPM（プロダクトポートフォリオマネジメント）の評価軸は、市場成長率と市場シェア（占有率）です。

問 5
(IP-R05-11)

IoTやAIといったITを活用し，戦略的にビジネスモデルの刷新や新たな付加価値を生み出していくことなどを示す言葉として，最も適切なものはどれか。

ア　デジタルサイネージ
イ　デジタルディバイド
ウ　デジタルトランスフォーメーション
エ　デジタルネイティブ

解説

ア　デジタルサイネージ … 駅、店頭、施設などに設置される、ディスプレイなどの映像表示機器を使って、情報を発信するシステム。主に広告媒体として利用されているので、"電子看板"だと思って構いません。

イ　デジタルディバイド … インターネット、パソコン、スマートフォンのようなIT（情報通信技術）を使える人と使えない人の間に生ずる格差。

ウ　デジタルトランスフォーメーション … デジタル技術の活用による新たな商品・サービスの提供、新たなビジネスモデルの開発を通して、社会制度や組織文化なども変革していくような取組み。Digital Transformationが、"DX"と略されることも多いです。

エ　デジタルネイティブ … 子供の頃からパソコン、スマートフォン、インターネットが普及している環境で育った世代。

正解 ▶ 問4：イ　問5：ウ

外部企業による労働力の提供

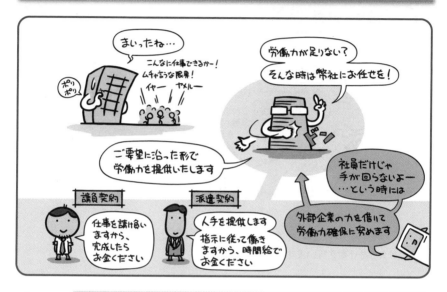

**外部企業による労働力の提供形態には、
請負と派遣があります。**

　請負は、仕事を外部の企業にお願いして、その成果に対してお金を支払う労働契約です。「これ作ってー」とお願いして成果を受け取るだけですから、請け負った先がどんな体制で仕事をしてるかなんて発注元は知りません。したがって、誰が仕事に従事してるかとか、いつからいつ何の仕事をやるべきか、なんてことも、発注元が口出しすることではありません。

　一方派遣はというと、人材派遣会社にお願いして自分のところに人を出してもらう労働契約です。なのでこちらは仕事の成果ではなくて、「派遣されてきている」こと自体に対してお金を支払うことになります。労働力の提供、確保という意味では、こちらの方がより近いと言えますね。

　仕事の量には波があるのが普通ですが、社員はそれに応じて手軽に増減させる…というわけにはいきません。したがって、こういった外部の労働力によって、足りない部分を補うというわけなのです。

　ちなみに本試験の中では、提供形態ごとの「指揮命令系統がどこに属しているか」という点が特に問われます。それについては、次ページでより詳しく見ておきましょう。

請負と派遣で違う、指揮命令系統

請負と派遣、それぞれの指揮命令系統は次のようになっています。派遣の場合、指揮命令権を持つのが、雇用関係にある会社ではないところが特徴です。

請負会社A社に雇われているA助さんは、A社の指揮のもとで、B社から請け負った仕事を行います。

派遣会社C社に雇われているC助さんは、D社の指揮のもとで、D社の仕事を行います。

問 1

(IP-H27-A-03)

請負契約によるシステム開発作業において，法律で禁止されている行為はどれか。

ア　請負先が，請け負ったシステム開発を，派遣契約の社員だけで開発している。

イ　請負先が，請負元と合意の上で，請負元に常駐して作業している。

ウ　請負元が，請負先との合意の上で，請負先から進捗状況を毎日報告させている。

エ　請負元が，請負先の社員を請負元に常駐させ，直接作業指示を出している。

解説

ア　請負先が，請け負ったシステム開発を、派遣契約の社員だけで開発しても、請負先の社員だけで開発しても構いません。請負先が他の会社にシステム開発作業の全体を委託しても構いません。

イ　請負先が、請負元と合意の上ならば、請負元に常駐して作業しても構いません。作業場所はどこでも構いません。

ウ　請負元が、請負先との合意の上ならば、請負先から進捗状況を毎日報告させても構いません。ただし、納期が来ていないときは、進捗が遅れていても、請負元は請負先に指示を出せません。

エ　請負元は、請負先の社員に、直接作業指示を出せません。請負先の社員に、直接作業指示を出せるのは、請負先に所属している者だけです。

問 2

(IP-H23-A-30)

民法では，請負契約における注文者と請負人の義務が定められている。記述a ～ cのうち，民法上の請負人の義務となるものだけを全て挙げたものはどれか。

a　請け負った仕事の欠陥に対し，期間を限って責任を負う。

b　請け負った仕事を完成する。

c　請け負った全ての仕事を自らの手で行う。

ア　a　　　　イ　a, b　　　　ウ　a, b, c　　　　エ　a, c

解説

記述a ～ cの追加説明は、次のとおりです。

a　この責任を瑕疵担保責任（かしたんぽせきにん）といいます。

b　請け負った仕事を完成しないと、報酬の請求ができません。

c　請け負った全ての仕事を自らの手で行わず、他の会社や個人事業者に外注しても構いません。

 法律はもちろん、各種ルールやモラルも守って
企業活動を行うことを**コンプライアンス**といいます。

　コンプライアンスとは法令遵守とも訳される言葉で、「儲かれば何をやってもいい」とは真逆の意味を示します。たとえば「コンプライアンスなんて知るかー」といって好き勝手な企業活動を行った場合、一見収益があがっているように見えても、同時に大きなリスクまで抱え込んでしまっているケースが多々あります。ひょっとすると何かを契機に経営者が逮捕される…? そんな事態も「ない」とは言えませんよね。

　企業には、経営者だけではなくて、その社員や顧客、株主など、様々な利害関係者 (ステークホルダ) が存在します。「儲かりゃいいぜー」と暴走行為を働いたツケは、きまって全員に降りかかりますが、そもそも皆が望んだ結果とは限りません。「知っていれば投資しなかった」「もっと経営に透明性を!」なんて言葉はよく耳にするところです。

　企業の経営管理が適切になされて、その透明性や正当性がきちんと確保できているか。それを監視する仕組みを**コーポレートガバナンス** (企業統治) といいます。もちろん、「ちゃんとしようね」なんてかけ声だけじゃ効力はありませんから、違法行為や不正行為のチェックを行う体制作りは不可欠。こっちは**内部統制**と呼びます。

　それでは「逮捕されちゃったー」なんてことにならないよう、企業活動に関係する法令を色々と見ていきましょう。

著作権

　発明や創作、商品開発など、それらは誰かの努力があって生み出されるものです。しかし、生み出した後のものをコピーするのは簡単だったりするんですよね。人の作品を丸パクリしたりとか、ゲームソフトをコピーしてばらまいたりとか…。

　そう、苦労して生み出したものをあっさりコピーされてはやるせなさ過ぎますし、なによりそれでは収入にならなくて食べていけません。

　そこで、「作り手の権利を守らなきゃいけないんじゃないの?」という法律ができました。それが知的財産権というやつです。

　知的財産権は、大きく2つに分かれます。うちひとつが著作権で、次のような権利を規定しています。

　著作権は著作物に対する権利保護を行うものなので、創作された時点で自動的に権利が発生します。さらに細かく見ると、次のような権利に分かれます。

権利名称	説明
著作人格権	著作物の「生みの親」に付与される権利で、公表権(いつどのように公表するか決定する権利)、氏名表示権(公表時に名前を表示する権利)、同一性保持権(著作物の改変を禁止する権利)を保護します。 他人に譲渡したり相続したりすることはできません。
著作財産権	著作物から発生する財産的権利で、複製権(出版などの著作物をコピーする権利)や公衆送信権(不特定多数に向けて著作物を発信する権利)などを保護します。 こちらは他人に譲渡したり相続したりすることができます。

産業財産権

知的財産権を大きく2つに分けたうちの、もうひとつが産業財産権です。

こっちは著作権と違って「先願主義」というやつなので、発明しただけだと権利は発生しません。特許庁に登録することで、はじめて権利が発生して保護対象となります。

産業財産権には次のようなものがあります。

権利名称		説明
特許権		高度な発明やアイデアなどを保護します。
実用新案権		ちょっとした改良とか創意工夫とか、特許ほど高度ではない考案を保護します。
意匠権		製品のデザインを保護します。
商標権		商品名やマーク（トレードマークとか）などの商標を保護します。

法人著作権

2ページ前でも述べた通り、著作権は著作物の「生みの親」に付与される権利です。創作された時点で自動的に権利が発生し、他人に譲渡したり相続したりすることはできません。

しかし業務として会社従業員が著作物の創作を行った場合、この権利を逐一個人に帰属していては管理を一元化することができません。会社としては、自ずとその活動が大きく制約されてしまうことになり、困ってしまうわけです。

そこで、著作権法15条では、以下の要件を満たす場合には、その著作者は法人とするよう定められています。当然この時、著作権は法人に帰属します。

これを法人著作（職務著作）と言います。

要するに、「法人の発意に基づく法人名義の著作物」の場合は、特段の取決めがない限り、その製作担当者を雇用していた法人の側に著作権が帰属することになるわけです。

著作権の帰属先

少しお堅い言い回しとして、「原始的」という言葉があります。これは、特段の取決めがない限りそのように扱うよーという意味を表していて、たとえば「著作権は原始的にはその創作者個人に帰属します」というように用います。

このように、著作権とは著作物を創作した者に対して原始的に帰属する権利です。しかし、例えば「これこれこういったプログラムが欲しい！」と発案したとしても、それを作成する人物が必ずしも発案者本人とは限りません。

そして、その依頼方法というか、どのような発注形態をとるかによって、成果物に対する著作権の原始的な帰属先は異なってくるのです。

次の3パターンを例に、著作権がどこに帰属するのか詳しく見てみましょう。

著作権によって保護されるのは、アイデアではなく作成された創作物です。したがって、帰属先を考える上では、「"誰が"作ったのか」という視点が重要となります。

派遣の場合

派遣契約の場合、派遣先企業の指揮のもとで、派遣労働者がプログラム開発を行います。

請負の場合

請負契約では、発注元は作成された成果物に対して報酬の支払いを行い、開発体制等には関知しません。

請負の請負の場合

請負契約を結んだ会社が、さらに外部企業へ開発を委託した場合も、請負契約が持つ関係に変化はありません。

　これらはいずれも「原始的には」の話であるため、それ以外の帰属先を検討する場合には、著作権の帰属先を明記した契約書を取り交わす必要が出てきます。

　ちなみに、プログラムやマニュアルといった創作物については著作権法で保護されますが、その作成に用いるプログラム言語や、プロトコルなどの規約類、アルゴリズムといったものは著作権保護の対象外です。

製造物責任法（PL法）

製造物責任法とは、製造物の欠陥によって消費者が生命、身体、または財産に損害を負った場合に、製造業者等の負うべき損害賠償責任を定めた法律です。

ここで言う「製造業者等」とは、次のいずれかに該当する者を指します。

仮に、欠陥が製品を構成する外注部品に起因する場合であっても、本法により消費者に対して責を負うのは、その外注部品のメーカーではなく上記に該当する製造業者等です。

製造物責任法の適用範囲は「製造又は加工された動産の欠陥に起因した損害」に限定しています。つまり、事故が欠陥によって引き起こされたという因果関係が立証されなくてはなりません。

また、欠陥によって事故が発生したという場合においても、次のケースに該当すれば、製造業者等はその責を免れることができます。

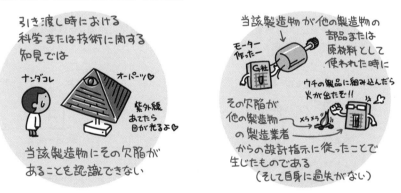

製造物責任法の時効は10年です。この間は、中古品であっても製造業者は自身の製造物に対して責任を負います。逆に消費者の側は事故の発生から3年以内に製造業者に対して損害賠償請求を行わなくてはならず、この期間を超えてしまった場合は時効としてその事故に対する請求権を失います。

労働基準法と労働者派遣法

働く人たちを保護するための法律が、労働基準法と労働者派遣法です。

労働基準法では、最低賃金、残業賃金、労働時間、休憩、休暇といった労働条件の最低ラインを定めています。つまり「これより劣悪な条件で働かせたら違法ですよ」という線引きをしているわけですね。

一方、労働者派遣法は、「必要な技術を持った労働者を企業に派遣する事業に関しての法律」というもので、派遣で働く人の権利を守っています。

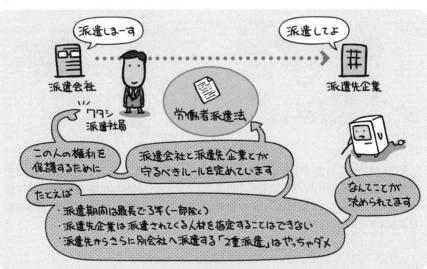

シュリンクラップ契約

シュリンクラップというのは、商品パッケージをぴっちり密着して覆う透明フィルム包装のことです。

「収縮包装」という意味になります

こうした包装を破くことで「使用許諾契約に同意したと見なしますからね」とするのがシュリンクラップ契約です。

よくあるのがこういうパターン

ソフトウェアの入ったDVDが袋にしまわれていて

うらがえすと…

使用許諾の書かれたシールで封印されている

開封のためにこのシールを破ることで、契約に同意したと見なされる

ビリッ！

この契約では、包装を解いた時点で使用許諾契約が成立します。

不正アクセス禁止法

不正アクセス禁止法というのは、不正なアクセスを禁止するための法律です。

不正アクセス禁止法では「不正アクセスを助長する行為」に関しても罰則が定められています。したがって、次のような行為も罰せられる対象となりますので気をつけましょう。

サイバーセキュリティ基本法

日本において、社会インフラとなっている情報システムや情報通信ネットワークへの防御施策を、効果的に推進するための政府組織の設置などを定めた法律がサイバーセキュリティ基本法です。

サイバーセキュリティに関する施策を効果的に推進するため

サイバーセキュリティ戦略本部～！

平成27年に内閣に設置されました！

ここで、サイバーセキュリティの対象となるのは、「電子的方式、磁気的方式その他人の知覚によっては認識することができない方式（以上をまとめて電磁的方式と呼称）により記録され、又は発信され、伝送され、もしくは受信される情報」です。

電磁的方式の　漏洩　滅失　毀損　の防止や　情報システム　の安全性を保つ

この法律では、国、地方公共団体、重要社会基盤事業者、サイバー関連事業者その他の事業者、教育研究機関の果たすべき責務と、国民の果たす努力目標が記されています。

責務あるよ～　努力しましょう

法律　国　地方公共団体　重要社会基盤事業者　サイバー関連事業者その他の事業者　教育研究機関　国民

この法律が定める国の基本的施策には、次の11項目があります。

- ・国の行政機関等におけるサイバーセキュリティの確保
- ・重要社会基盤事業者等におけるサイバーセキュリティ確保の促進
- ・サイバーセキュリティに対する民間事業者及び教育研究機関等の自発的な取組の促進
- ・サイバーセキュリティに関する施策に取り組む多様な主体の連携等
- ・サイバーセキュリティ協議会の組織化
- ・サイバーセキュリティ関連犯罪の取締り及び被害の拡大の防止
- ・サイバーセキュリティに関する事象のうち我が国の安全に重大な影響を及ぼすおそれのある事象への対応
- ・サイバーセキュリティ関連産業の振興及び国際競争力の強化
- ・サイバーセキュリティに関する研究開発の推進等
- ・サイバーセキュリティに係る人材の確保等
- ・サイバーセキュリティに関する教育及び学習の振興、普及啓発等
- ・サイバーセキュリティに関する分野における国際協力の推進等

なんとな～く、うす～くおさえておきましょう

プロバイダ責任制限法

　プロバイダ責任制限法とは、インターネット上で権利侵害があった場合に、特定電気通信役務提供者（プロバイダなど）が負うべき損害賠償責任の範囲や、権利侵害を行った発信者の情報を、被害者が開示請求する権利について定めたものです。

特定電気通信役務提供者とは…

インターネット
接続事業者
ISP

Webサーバ管理者
HTML

電子掲示板等の管理者

などを言う

　たとえばインターネット上の掲示板で権利侵害が発生しましたという場合、その掲示板管理者は次の条件にあてはまる場合には、被害者に対する損害賠償責任を負う必要はありません。

あ！
オレの住所が
さらされてるー！！
被害者

なんちゃらけーじばん
58：ななし
　の住所↓
千葉県ほにゃ市12-
3-456
59：ななし

ええ！
管理者

・他人の権利が侵害されているのを
　知らなかった
・他人の権利が侵害されているのを
　知ることができたと認めるのに足る
　相当の理由がない
→場合は免責！

　一方で、その権利侵害の書き込みを削除した場合に、発信者がそれによって損害を受けたとしても、次の条件にあてはまる場合は、やはり損害賠償責任を負うことはありません。

あ！
オレの表現が
侵害されてるー！！
発信者

なんちゃらけーじばん
58：ななし　抹消
59：ななし

ヨロシクないから
削除しました
スタタン
管理者

・他人の権利が侵害されているのを
　信じるに足る相当の理由があった
・削除の申出があったことを発信者
　に連絡して7日以内に反論がない
→場合は免責！

　で、被害者が「発信者を突き止めて責任を取ってもらうんだ！」と立腹していた場合、その情報を開示請求してお灸を据えてやるぜ！となるわけですね。その際の開示請求は次のような段取りで行われることになります。

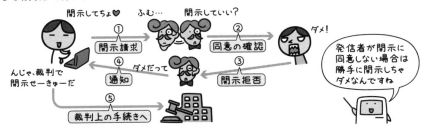

開示してちょ♥　　ふむ…　　開示していい？
① 開示請求　　② 同意の確認　　ダメ！

んじゃ、裁判で　　④ 通知　　ダメだって　　③ 開示拒否
開示せーきゅーだ

⑤ 裁判上の手続きへ

発信者が開示に
同意しない場合は
勝手に開示しちゃ
ダメなんですね

刑法

どのような行為が犯罪となり、それに対してどのような刑が科せられるかを定めた基本的な法令が刑法です。

情報処理の高度化等に対処するためとして…

刑法等の一部を改正する法律が平成23年に公布され

「不正指令電磁的記録に関する罪（いわゆるコンピュータ・ウイルスに関する罪）」が新たに設けられました

えぇっ!?

この刑法と、前ページで挙げた不正アクセス禁止法の間で混同しがちなのがコンピュータウイルスの扱いです。たとえば「コンピュータウイルスを用いて企業で使用されているコンピュータの記憶内容を消去した」という場合、これを罰するのはどの法律でしょうか？

うーん　それはやっぱり不正アクセス禁止法…かな？

えぇ!?　あそこ！　ほら！　あそこに解答書いてあるじゃん!!　ちゃんと読んでる!?

そう、コンピュータウイルス＝情報セキュリティ関連という連想から、うっかり聞き覚えのある「不正アクセス禁止法」が該当するような気がしがちですが、こちらはインターネット等の通信における不正なアクセス行為とそれを助長する行為を禁止するための法律であるため、上のようなケースには該当しません。

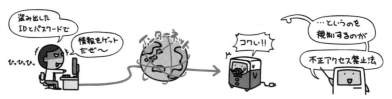

盗み出したIDとパスワードで　情報をゲットだぜ～　ひっひっひ。

コワい!!

…というのを規制するのが不正アクセス禁止法

上のケースの場合、具体的には、刑法に定められた次のような罪によって罰せられます。

［刑法234条の2］ 電子計算機損壊等業務妨害罪	［刑法168条の2および168条の3］ 不正指令電磁的記録に関する罪 （いわゆるコンピュータ・ウイルスに関する罪）
人の業務に使用しているコンピュータや電磁的記録を損壊するなどによって業務を妨害する行為を処罰の対象とする。	使用者の意に反するような不正な指令を与える電磁的記録（コンピュータウイルス）の作成、提供、供用、取得、保管行為を処罰の対象とする。

このように出題されています
過去問題練習と解説

- -

問 1

(IP-R06-18)

コーポレートガバナンスを強化した事例として，最も適切なものはどれか。

ア　女性が活躍しやすくするために労務制度を拡充した。

イ　迅速な事業展開のために，他社の事業を買収した。

ウ　独立性の高い社外取締役の人数を増やした。

エ　利益が得られにくい事業から撤退した。

解説

　各選択肢は、下記を強化した事例です。

ア　女性の社会進出　　　　　イ　新規事業の立ち上げ
ウ　コーポレートガバナンス　エ　事業の選択と集中

問 2

(IP-R06-35)

実用新案に関する記述として，最も適切なものはどれか。

ア　今までにない製造方法は，実用新案の対象となる。

イ　自然法則を利用した技術的思想の創作で高度なものだけが，実用新案の対象となる。

ウ　新規性の審査に合格したものだけが実用新案として登録される。

エ　複数の物品を組み合わせて考案した新たな製品は，実用新案の対象となる。

解説

ア　実用新案の対象は、物品の形状、構造または組み合わせに係る考案（自然法則を利用した技術的思想の創作）であり、製造方法は含まれていません。

イ　実用新案の対象は、考案（自然法則を利用した技術的思想の創作）であり、高度である必要はありません。

ウ　実用新案に"新規性の審査"はなく、新規性は問われません。

エ　そのとおりです。例えば、カレーとパンを組み合わせたカレーパン（実用新案登録時の名前は"洋食パン"）です。

問 3

(IP-R03-30)

情報の取扱いに関する不適切な行為a ～ cのうち，不正アクセス禁止法で定められている禁止行為に該当するものだけを全て挙げたものはどれか。

a　オフィス内で拾った手帳に記載されていた他人の利用者IDとパスワードを無断で使って，自社のサーバにネットワークを介してログインし，格納されていた人事評価情報を閲覧した。

b 同僚が席を離れたときに，同僚のPCの画面に表示されていた，自分にはアクセスする権限のない人事評価情報を閲覧した。

c 部門の保管庫に保管されていた人事評価情報が入ったUSBメモリを上司に無断で持ち出し，自分のPCで人事評価情報を閲覧した。

ア a　　　　イ a, b　　　　ウ a, b, c　　　　エ a, c

解説

　不正アクセス禁止法で定められている禁止行為は、他人のIDとパスワード等を入力したり、パスワード管理の脆弱性を突いたりなどして、本来は利用権限がないのに、不正に利用できる状態にする行為と、他人のIDとパスワード等を漏洩させる行為です。したがって、aのみがそれに該当しています。

問4 (IP-R06-02)

情報システムに不正に侵入し，サービスを停止させて社会的混乱を生じさせるような行為に対して，国全体で体系的に防御施策を講じるための基本理念を定め，国の責務などを明らかにした法律はどれか。

ア 公益通報者保護法　　　　イ サイバーセキュリティ基本法
ウ 不正アクセス禁止法　　　　エ プロバイダ責任制限法

解説

ア 公益通報者保護法は、従業員が勤め先の不正行為を通報したことを理由に、解雇や降格、不自然な異動など、勤め先から不利益な取扱いを受けないよう、通報者（従業員）が守られるための条件などを定めた法律です。選択肢イ～エの説明は、下記のページを参照してください。
イ 531ページ　　　ウ 530ページ　　　エ 532ページ

　なお、本問の問題文の"基本理念を定め，国の責務などを明らかにした"が、サイバーセキュリティ基本法を示すヒントになっています。また、サイバーセキュリティ基本法には、サイバー犯罪・サイバー攻撃に対する罰則は規定されていません。

問5 (IP-R06-32)

労働者派遣における派遣労働者の雇用関係に関する記述のうち，適切なものはどれか。

ア 派遣先との間に雇用関係があり，派遣元との間には存在しない。
イ 派遣元との間に雇用関係があり，派遣先との間には存在しない。
ウ 派遣元と派遣先のいずれの間にも雇用関係が存在する。
エ 派遣元と派遣先のいずれの間にも雇用関係は存在しない。

解説

①：派遣労働者は、派遣元との間に雇用関係を持ちます。
②：派遣元は、派遣先と派遣契約を結びます。
③：派遣元は、派遣先に派遣労働者を派遣し、派遣先は、派遣労働者との間に指揮命令関係を持ちます。

正解 ▶ 問1：ウ　問2：エ　問3：ア　問4：イ
問5：イ

経営戦略のための
業務改善と分析手法

1 業務改善の手法で有名なのが、PDCAサイクルってやつ

Plan（計画）
Do（実行）
Check（評価）
Act（対策）

なんだコレ　知らん

2 これは、「実行結果を反省しながら次に生かす」というものです

この方法でやってみよう
よし、やるぞガンバッタぞ
ちゃんとできたかな
次はこうやってみよ

3 …ん?

でも これってさ
別にフツーにやってることなんじゃないの？
うむぅ

4 そう、ごく普通の「やりっ放しはダメよ」というだけの話

なんでお客様が怒ったか胸に手を当てて考えろ！
はい！2時間遅刻したせいか
ズボンをはきそびれてしまったせいかの
反省をうながすの国
どちらかかと！
どっちもだバカモン！！

5 でも、たとえばアナタがラーメンを食べたかったとします

駅前にできた濃厚とんこつラーメン屋
濃厚とんこつラーメン
昔ながらの支那そば屋か…
ゴクリ
いやいやそれとも

6 けれども選んだお店がすごくまずい店だったとする

こ…この味は!!
秘伝スープはひたすら萎えてる味に
油がくどすぎて吐きそうだぜ!!
まずすぎ!!

7 やりっ放しというのはこの時に…

なんでオレはあんな店を…
うぷ
気持ろ…

8 単に

あぁ まずい店だったもう2度と行かねーぞ

…とだけ思って済ませちゃうこと

9

どうですか？
してないとは
言わせませんよ？

なんでだよ!!
ちゃんと反省してるじゃ
ねーか!!

うんうん
確かに

10

でもそれだとまた
同じような店相手に、
同じような失敗を
しちゃいませんか？

うひゃ
オイシソ～

麺の道

濃厚スープ

はっ!!

ギクリ

11

じゃあ、食べた時の
教訓をもとに毎回
こんなチャートを
残していたとしたら？

味の傾向チャート

コク

麺の太さ

油

香り

辛さ

クセ

寸評：★★★☆☆
ひと口目はいいけど
クドすぎて飽きる。

12

お前ってさ、
そもそも濃厚なのが
ダメなんじゃないの？

こーやって
数店分を
見比べてくとさ

う…うん

そんな気が
するね

13

いかがですか？
データを集めて
分析する重要性が
伝わったでしょうか？

ふむ

データがあるから
評価できて

次に生かすことが
できる

次は
こうやってみよ

うん

うむ

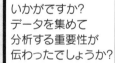

14

これすなわち
業務改善のために
必要なことと
言えるのであります

なにを改善したのか
言ってみろ!!

はい! 納車の2時間前に行って

ズボンを
忘れずに
はいて行き
ました!!

キリッ

改善を
してみたよ
の国

上着忘れ
ましたけど!

時間通りに服を着て
行くんだよバカモン!!

15

なるほどなぁ

世の中には統計なんて
取るまでもない周知の
ことも多いけど・・・

そればっかじゃ
ないもん
なぁ

へぇ～
「周知のこと」
ってなに？

16

たとえばオレが
ハンサム度100%で
モテまくりだとか

キリッ

お前それこそ
統計取れよ

PDCAサイクルと
データ整理技法

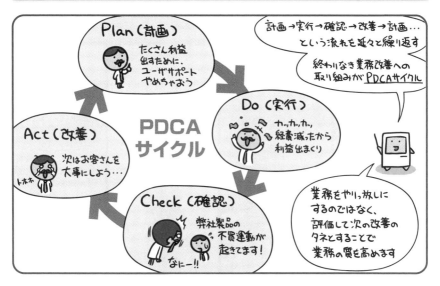

 業務の「やりっ放し」を防ぐのが、
PDCAサイクルによる業務改善の役割です。

　計画をして、実行したら、その結果を確認・評価して、次につなげる改善のタネとして、また計画して…と延々繰り返すのがPDCAサイクル。業務改善の手法としてごくポピュラーな手法です。失敗は成功のタネとしていくわけですね。

　このPDCAという手順。個人レベルであれば、「特に意識せずともそうしてるよ」という人も多いのではないでしょうか。

　しかしこれが組織レベルになってくると、なかなか「意識せずとも」というわけにもいきません。特に、一番大事な「評価して次の改善につなげる」というところがことのほか難しい。だって、みんながどんな点に「問題アリ」と感じていて、それを「どのように改善するか」なんて、人によって考え方は千差万別で、誰かが勝手に決めて押しつけるようなものでもないですものね。

　じゃあどうしましょう?

　そんな時、知恵を出し合い、活用するための手法として用いられるのが様々なデータ整理技法です。具体的にどんな方法があるのかについては、いざ次ページ以降へレッツゴー。

ブレーンストーミング

なにか検討するにしても分析するにしても、まず知恵を出し合わなきゃはじまりません。そのため、複数人で自由に意見を言い合って、幅広いアイデアをひっぱり出す手法として用いられるのがブレーンストーミングです。

ブレーンストーミングでは、次のようなルールにのっとって発言を行います。

主に「発言を萎縮させるような行為は控えて、自由闊達な意見交換をしましょうね」という基本方針に沿ったルールたちとなっています。

萎縮させて発言の機会を奪うことにつながるので、人の発言を批判しない。

型にとらわれない奇抜な発想を笑うのではなく、そういう発言こそ重視する。

発言の質にこだわらず、とにかくたくさんの意見やアイデアを出し合うようにする。

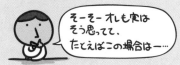

便乗意見は大歓迎。アイデア同士をくっつけることで、新しいアイデアが生まれたりする。

バズセッション

しかし、自由闊達な意見交換がいいよねーとか思っても、30人40人と人数がふくらんでくると、好き勝手に発言していては議論に収拾がつかなくなってしまいます。

というか発言を把握するだけでもチョー大変。聖徳太子レベルのマルチタスクな耳が必要になってくるのは自明の理なわけでありますよ。

そこで、全体を少人数のグループに分け、それぞれのグループごとに結論を出すようにする手法がバズセッションです。

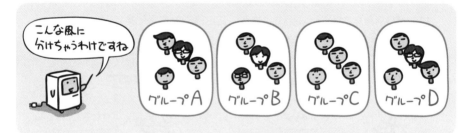

各グループの出した結論は、あらためて全体の場で発表を行います。こうやってグループごとの結論を持ち寄ることにより、全体としての結論を導き出すわけです。

KJ法

ところで話し合った結果というのは、どう取りまとめて分析を行うのでしょうか。

ブレーンストーミングなどで出し合ったアイデアや意見、事実を整理して、解決すべき問題を明確にするデータ整理技法にKJ法があります。

KJ法は、収集した情報をカード化して、それらをグループ化することで、問題点を浮かびあがらせます。新QC七つ道具（P.547）で用いられる親和図法は、これを起源とした同様の整理手法です。

具体的にどうやるかというと、次のような流れで情報を整理していきます。

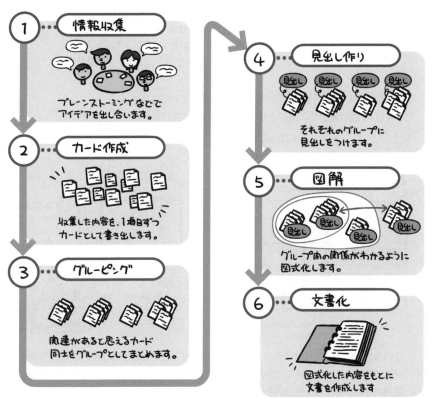

決定表 (デシジョンテーブル)

　複数の条件と、それによって決定づけられる行動とを整理するのに有効なのが決定表 (デシジョンテーブル) です。たとえば「腹痛の時にどうするか」という行動パターンを、すごく単純な例として決定表でまとめてみると下図のようになります。

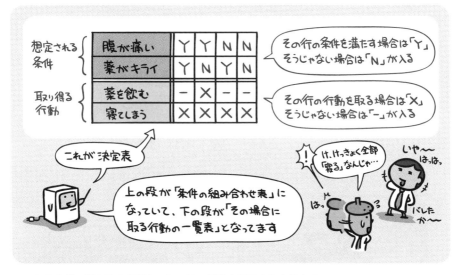

　ある条件の時に取る行動というのは、縦軸を見るとわかります。
　たとえば、「腹は痛いが、薬がキライ」という場合の行動パターンを見てみると…。

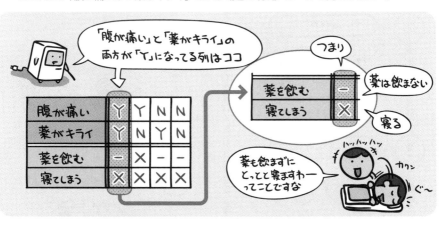

　…という感じ。行さえ足せばどんどん条件を増やすこともできますから、複雑な条件だってバッチリです。そんなわけでこの技法は、プログラミング時に内部の処理条件を整理したり、試験パターンを作ったりという用途でも使われています。

問 1
(IP-H30-S-20)

ブレーンストーミングの進め方のうち，適切なものはどれか。

ア　自由奔放なアイディアは控え，実現可能なアイディアの提出を求める。

イ　他のメンバの案に便乗した改善案が出ても，とがめずに進める。

ウ　メンバから出される意見の中で，テーマに適したものを選択しながら進める。

エ　量よりも質の高いアイディアを追求するために，アイディアの批判を奨励する。

解説

ア　自由奔放なアイディアを推奨し、実現可能か否かを問いません。

イ　そのとおりです。539ページを参照してください。

ウ　テーマから外れたものでも、話が弾むものであれば、発言を認めます。

エ　質よりも量の多いアイディアを求めるために、アイディアの批判を禁止します。

問 2
(IP-R06-86)

PDCAモデルに基づいてISMSを運用している組織において，C（Check）で実施することの例として，適切なものはどれか。

ア　業務内容の監査結果に基づいた是正処置として，サーバの監視方法を変更する。

イ　具体的な対策と目標を決めるために，サーバ室内の情報資産を洗い出す。

ウ　サーバ管理者の業務内容を第三者が客観的に評価する。

エ　定められた運用手順に従ってサーバの動作を監視する。

解説

538ページの説明にあるとおり、PDCAとは、Plan（計画）、Do（実行）、Check（確認）、Act（改善）の頭文字です。各選択肢の記述は、下記に該当します。

ア　Act（改善）　　イ　Plan（計画）　　ウ　Check（確認）　　エ　Do（実行）

グラフ

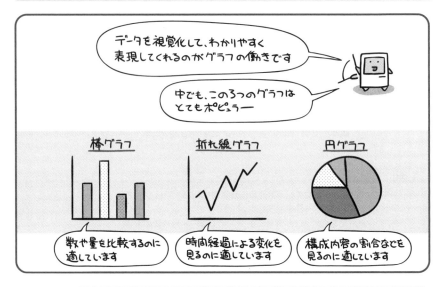

データをわかりやすく表現するためには、
その内容に適した種類のグラフを選択します。

　様々な討論や調査をしたとしても、そこで集まったデータが生かされなければなんの意味
もありません。

　ところがデータって、いっぱいあると正確性が増すんですけど、同じくいっぱいあると整
理したり把握したりが大変になってくるんですよね。それこそ数字ばっかりのデータともな
れば、「データ単独だと何を意味してるのかよくわからない」なんてことになりがちですし…。

　というわけで出てくるのがグラフです。かき集めたデータは、グラフとして視覚化してや
ることで、ひと目見ただけで直感的にわかる、価値ある情報に生まれ変わらせることができ
るのです。

　代表的なものとしては、上のイラストにもある「棒グラフ」「折れ線グラフ」「円グラフ」と
いう3つが挙げられます。他にも、項目のバランスを見るためのものや、グループの分布状
況や関連性を分析するためのものなど、様々なグラフがあります。

レーダチャート

項目ごとのバランスを見るのに役立つのがレーダチャートです。くもの巣のような形をしたグラフで、描かれる形状の面積と凸凹具合で、特徴を把握することができます。

ポートフォリオ図

2つの軸の中で、個々のグループが「どの位置にどんな大きさで分布しているか」見ることのできるグラフが、ポートフォリオ図です。たとえば業界内における自社の位置づけや、製品ごとのマーケット分布図などをあらわすのに使います。

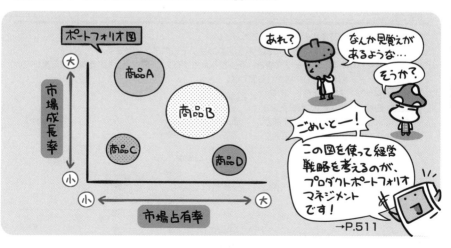

→P.511

このように出題されています
過去問題練習と解説

- -

問 1

(IP-R03-40)

同一難易度の複数のプログラムから成るソフトウェアのテスト工程での品質管理において，各プログラムの単位ステップ数当たりのバグ数をグラフ化し，上限・下限の限界線を超えるものを異常なプログラムとして検出したい。作成する図として，最も適切なものはどれか。

ア　管理図　　イ　特性要因図　　ウ　パレート図　　エ　レーダチャート

解説

　選択肢ア～エの中で，問題文がいう「上限・下限の限界線」があるのは，管理図だけです。各選択肢の用語説明は，下記のページを参照してください。

ア　管理図…551ページ　　　　　　イ　特性要因図…552ページ
ウ　パレート図…549ページ　　　　エ　レーダチャート…545ページ

問 2

(IP-R05-27)

ファミリーレストランチェーンAでは，店舗の運営戦略を検討するために，店舗ごとの座席数，客単価及び売上高の三つの要素の関係を分析することにした。各店舗の三つの要素を，一つの図表で全店舗分可視化するときに用いる図表として，最も適切なものはどれか。

ア　ガントチャート　　　　イ　バブルチャート
ウ　マインドマップ　　　　エ　ロードマップ

解説

ア　ガントチャート…376ページを参照してください。
イ　バブルチャート…本問の問題文に書かれているのは，下図のような図です。
ウ　マインドマップ…中心にテーマを書き，そこから派生するテーマを絵や言葉で放射状に書いていき，アイディアを出すために描かれる図です。
エ　ロードマップ…プロジェクト・事業・製品・制度・組織などの将来予測について，どの時点でどんな出来事が起こるのかの"道のり"を時系列に示した図です。

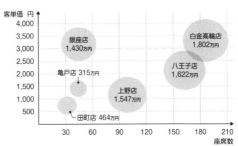

正解 ▶ 問1：ア　問2：イ

QC七つ道具と呼ばれる品質管理手法たち

 QC七つ道具の「QC」とは「Quality Control」を略したもの。品質管理を意味しています。

「七つ道具」といっても何か特別な姿形があるわけじゃなくて、主に数値データなどを統計としてまとめ、これを分析して品質管理に役立てる手法のことをQC七つ道具と呼んでいます。層別、パレート図、散布図、ヒストグラム、管理図、特性要因図、チェックシートという種類があり、一部を除いていずれも独自のグラフ形状を描きます。

要するに、現場に潜む色んな情報を視覚的にあらわすことで、「あー、このへんに問題がありそうね」とかいうことを把握しやすくするグラフたちなわけですね。たとえば「不良品の発生箇所はどの作業区間に多く認められるか」なんて傾向を図式化して、作業工程の問題箇所発見に役立てたりするわけです。

元々は工業製品の品質向上に役立てていた手法なのですが、現在ではもっと広範な、「仕事上の問題点を発見する」ためのデータ分析手法としても使われています。

一方、定量的な分析を行うQC七つ道具に対して、言語データ（たとえば顧客からのクレームとか）を元に定性的な分析を行う手法として新QC七つ道具があります。こちらは、連関図法、親和図法（KJ法と同じ、P.541）、系統図法、マトリックス図法、マトリックスデータ解析法、PDPC法、アローダイアグラム法（P.377、PERT図とも言う）が含まれます。

層別

データを属性ごとに分けることで特徴をつかみやすくする…という考え方です。そう、QC七つ道具の中にあって、こいつだけはグラフでもなんでもなく、ただの考え方なのです。

パレート図

現象や原因などの項目を件数の多い順に棒グラフとして並べ、その累積値を折れ線グラフにして重ね合わせることで、重要な項目を把握する手法です。

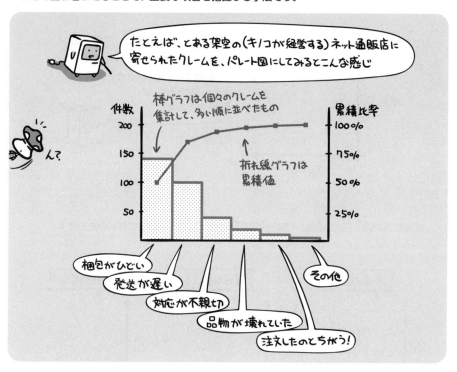

このパレート図を利用して、「累積比率の70%をしめる項目をA群、それ以降の20%をB群、最後の10%をC群と分けて考える手法」をABC分析と呼びます。

「A群だけはちょっと対策しておいた方がいいんじゃないの?」的に使います。

相関関係を調べたい2つの項目を対としてグラフ上にプロット（点をうつこと）していき、その点のばらつき具合によって両者の相関関係を判断する手法です。

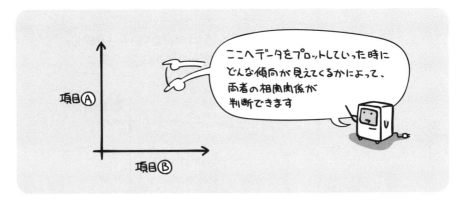

相関関係には、「正の相関」「負の相関」「相関なし」という3つの関係があります。

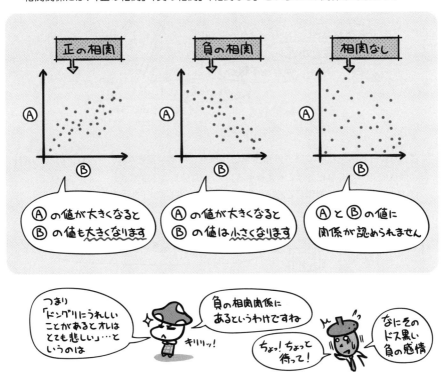

ヒストグラム

収集したデータをいくつかの区間に分け、その区間ごとのデータ個数を棒グラフとして描くことで、品質のばらつきなどを捉える手法です。

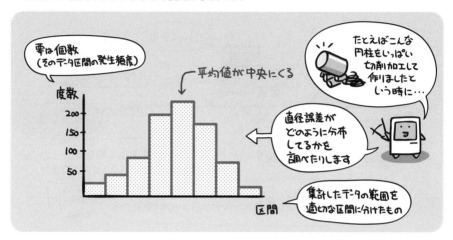

管理図

時系列的に発生するデータのばらつきを折れ線グラフであらわし、上限と下限を設定して異常の発見に用いる手法です。

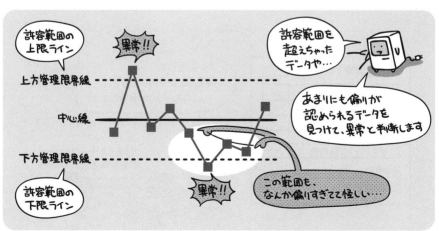

特性要因図

原因と結果の関連を魚の骨のような形状として体系的にまとめ、結果に対してどのような原因が関連してるかを明確にする手法です。

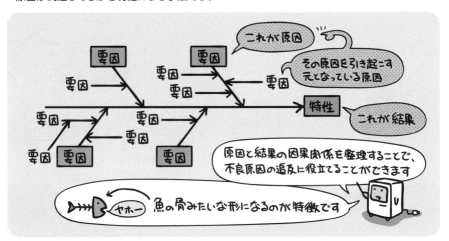

チェックシート

あらかじめ確認すべき項目を列挙しておいたシートを使って、確認結果を記入していく手法です。

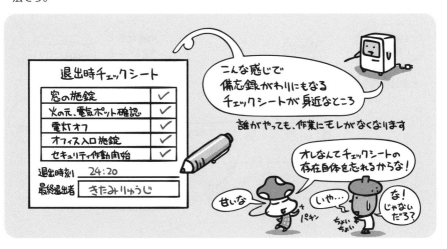

連関図法

　最後に、新QC七つ道具からもひとつだけ、連関図法を紹介しておきましょう。

　連関図法とは、複雑な要因が絡み合う事象について、その事象間の因果関係を明らかにする手法です。

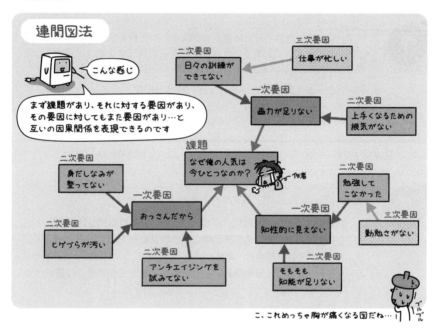

　前ページで紹介したQC七つ道具の特性要因図と位置付けが似ていますが、あちらは結果に対して各要因が伸びていくだけなのに対し、連関図法では各要因同士のつながりも表現できるところに違いがあります。

問1

(IP-H26-S-4)

ソフトウェアの設計品質には設計者のスキルや設計方法，設計ツールなどが関係する。品質に影響を与える事項の関係を整理する場合に用いる，魚の骨の形に似た図形の名称として，適切なものはどれか。

ア　アローダイアグラム　　　イ　特性要因図
ウ　パレート図　　　　　　　エ　マトリックス図

解 説

本問の説明の中にある「魚の骨の形に似た図形」をヒントにして、特性要因図を選びます。

問2

(IP-R03-21)

ABC分析の事例として，適切なものはどれか。

ア　顧客の消費行動を，時代，年齢，世代の三つの観点から分析する。
イ　自社の商品を，売上高の高い順に三つのグループに分類して分析する。
ウ　マーケティング環境を，顧客，競合，自社の三つの観点から分析する。
エ　リピート顧客を，最新購買日，購買頻度，購買金額の三つの観点から分析する。

解 説

選択肢ア〜エの事例の分析手法の例は、下記のとおりです。
ア　コーホート分析　　イ　ABC分析　　ウ　3C (Customer Competitor Company) 分析
エ　RFM (Recency Frequency Monetary) 分析

問3

(IP-R02-A-53)

プロジェクトのゴールなどを検討するに当たり，集団でアイディアを出し合った結果をグループ分けして体系的に整理する手法はどれか。

ア　インタビュー　　　　　　イ　親和図法
ウ　ブレーンストーミング　　エ　プロトタイプ

解 説

ア　インタビューは、面談して、必要な情報を収集する手法です。
イ　親和図法は、KJ法と同じです（KJ法の説明は、541ページを参照してください）。
ウ　ブレーンストーミングの説明は、539ページを参照してください。
エ　プロトタイプの説明は、336ページを参照してください。

問 4 (IP-R06-51)

システム開発プロジェクトにおいて，テスト中に発見された不具合の再発防止のために不具合分析を行うことにした。テスト結果及び不具合の内容を表に記入し，不具合ごとに根本原因を突き止めた後に，根本原因ごとに集計を行い発生頻度の多い順に並べ，主要な根本原因の特定を行った。ここで利用した図表のうち，根本原因を集計し，発生頻度順に並べて棒グラフで示し，累積値を折れ線グラフで重ねて示したものはどれか。

ア　散布図　　イ　チェックシート　　ウ　特性要因図　　エ　パレート図

解説

選択肢ア～エの説明は，下記のページを参照してください。

ア　550ページ　　イ　552ページ　　ウ　552ページ　　エ　549ページ

本問の問題文の "発生頻度順に並べて棒グラフで示し，累積値を折れ線グラフで重ねて示したもの" がヒントになっています。

問 5 (IP-R05-38)

システム開発プロジェクトの品質目標を検討するために，複数の類似プロジェクトのプログラムステップ数と不良件数の関係性を示す図として，適切なものはどれか。

ア　管理図　　イ　散布図　　ウ　特性要因図　　エ　パレート図

解説

選択肢ア～エの図の説明は，下記のページを参照してください。

ア　管理図 … 551ページ　　　イ　散布図 … 550ページ
ウ　特性要因図 … 552ページ　　エ　パレート図 … 549ページ

本問の問題文の "複数の類似プロジェクト" と "関係性" がヒントになっています。

問 6 (IP-R06-14)

ある商品の販売量と気温の関係が一次式で近似できるとき，予測した気温から商品の販売量を推定する手法として，適切なものはどれか。

ア　回帰分析　　　　　イ　線形計画法
ウ　デルファイ法　　　エ　パレート分析

解説

ア　回帰分析は，単回帰分析と重回帰分析に分けられます。本問で取り上げているのは、単回帰分析です。単回帰分析は、直線回帰分析とも呼ばれ、2つの関係（本問では気温と販売量）を一次式（＝直線）で近似させ、傾向を明らかにする分析方法です。

イ　線形計画法は、問題となる事象を、変数と一次関数（図で書くと直線になる＝線形）で表し、最大値もしくは最小値を求める方法です。

ウ　デルファイ法は、①：進行役が質問書を使って、ある問題に対する見解を、専門家に対して聞く。②：専門家は、これに回答する。③：進行役は、専門家から入手した回答を他の専門家に配布し、さらにこれに対する見解を得る。④：①～③の手順を数回繰り返すことによって、最終的な見解にまとめていく。という方法です。

エ　パレート分析は、パレート図を使った分析方法です。

正解 ▶ 問1：イ　問2：イ　問3：イ　問4：エ
　　　問5：イ　問6：ア

財務会計は忘れちゃいけないお金の話

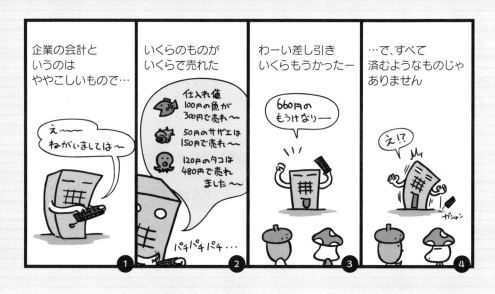

1　企業の会計というのはややこしいもので…

え〜〜ねがいましては〜

2　いくらのものがいくらで売れた

仕入れ値
100円の魚が300円で売れ〜
50円のサザエは150円で売れ〜
120円のタコは480円で売れました〜

パチパチパチ…

3　わーい差し引きいくらもうかったー

660円のもうけなりー

4　…で、すべて済むようなものじゃありません

え!?

ガシャン

5　なんでかというとですね

たとえば10円で仕入れた魚が…

1万円で売れたとする

やったぜ大もうけー!!

6　ところがそのための売り子が↓だと…

じゃてーむ　まだぁむ♡アナタのひとみはきらめくボクのココロにキンメダイ

ああ買うわそれ

ズキューン♡

実は名うてのホストで日給4万円

大赤字ーー!!

7　その一方で

い、いこいっこのもうけは少なくても

無人販売所

15円　15円　15円

お代はこちらにお願いします

販売コストがかからなければ薄利多売でもうけが出せる

8　…なんてケースもある

まあ売れなきゃ赤字になるのは…

同じなんですがね

しくしく

確かに差し引きだけじゃないみたいね…

イタイタいな

さらにはお店を
都会の一等地に
構えるか

うじゃうじゃ

ごちゃごちゃ

魚

過疎地の農村地帯に
構えるか でも、
ぜんぜんコストは
ちがってきますし

ぽつねん

白川

魚

品物1個1個は
超高値で売れたと
しても…

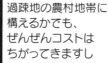

はっはっは、
タコ大人気!!

1,000円や2,000円で
バンバン売れる!!

…こんなことも
ある

でも

在庫たっぷりで
まだまだ
トータルじゃ
大赤字

ごちゃ

ぐちゃ ごちゃごちゃ

9 10 11 12

このように企業の
会計というのは

こんなのが色々と

ヒト

モノ

カネ

100
10円

絡まりあって
できているのです

なのでそれらを
わかりやすく
まとめたのが…

損益計算書

貸借対照表
資産 負債 純資産

これらをはじめとする
財務諸表たち

企業の経営状態を
明らかにする、
一種の成績書みたい
なものですね

せ、せいせき書
ですとー!?

成績
書や

ガイーン

せ…成績書…

成績書怖い

怖いよ…うう

ガクガク ブルブル

な…
なにが
あったん
やー!!

13 14 15 16

費用と利益

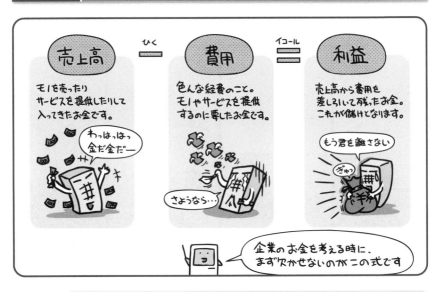

> 売上高を伸ばし、費用を抑えることによって、
> 企業の利益はウハウハドッカンと大きなものになるわけです。

　企業活動の目的はどこにあるかといえば、やはりまずは儲けること。たくさんの利益を出すことです。そうじゃないと事業を継続できないですし、人を雇うこともできません。

　そんなわけで、「企業のお金」を知ろうと思えば「儲けはどこから出るでしょう」って話を欠かすわけにはいかないとなり、そしてつまりはそれが、上のイラストにある式というわけです。売れたお金からかかったお金を差し引いて、残ったお金が儲けですよと。実にシンプルな話ですね。

　しかしもちろん企業の話ですから、そうシンプルなだけで話は終わりません。

　まず、「かかったお金」と言ったって、その内訳も様々です。商品をぜんぜん作らなくても、社員を抱えてりゃお金は消えていきます。オフィスを構えていれば場所代だって必要です。そのお金はどっから持ってくるのか、どれだけ売り上げればこの事業は採算がとれるのか。そんなことも考えなきゃいけません。

　というわけでこの節は、費用の話と採算性の話。そのあたりについて見ていきます。

費用には「固定費」と「変動費」がある

さて、企業活動を行う上で必要な諸経費である費用。その内訳は、固定費と変動費にわかれます。

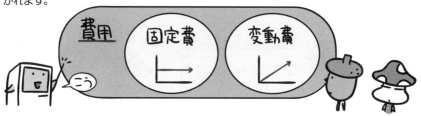

固定費というのは、売上に関係なく発生するお金たち。たとえば人件費やオフィスの賃料、光熱費などがそうです。

これらは、商品の生産量や売れ行きに関係なく、必ず発生する費用です。

一方、売上と比例して増減するお金が変動費。こちらは主に、商品の生産に必要な材料を買うお金が該当します。

当然生産量が増えれば増えるほど、変動費は大きくなるわけです。

損益分岐点

損益分岐点というのは、その名の示す通り損失 (赤字) と利益 (黒字) とが分岐するところ。「これ以上に売上を伸ばせたら、赤字から黒字に切り替わりますよー」というポイントのことです。

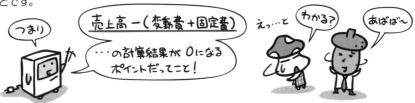

それでは順をおって見ていきましょう。

こちらにタコを売ることを生業とする企業さんがありました。人件費やら売り場の確保やらで、毎月固定費として30万円が必要な企業さんです。

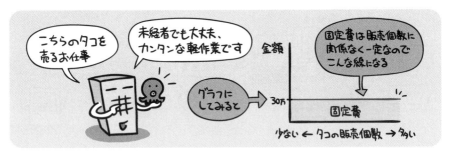

このタコを1匹1,000円で販売します。

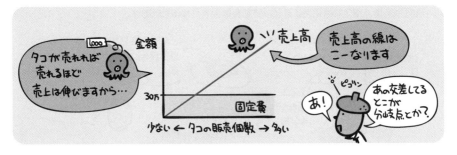

いえいえ、それは気が早いというもの。大事なことを忘れちゃいけません。タコはどっかから仕入れてくるわけですよね。当然それにはお金が必要です。

タコの仕入れ値が1匹600円だったとしましょう。これが変動費です。

その総額は当然タコの売れた数に比例しますから、次のような線となります。

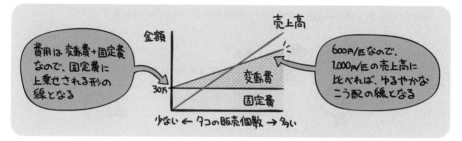

さて、こうして出来上がったグラフを良く見てください。（変動費＋固定費）と、売上高とがイコールになっている箇所（つまりは交差している箇所）がありますよね。

それが損益分岐点ですよ…というわけです。

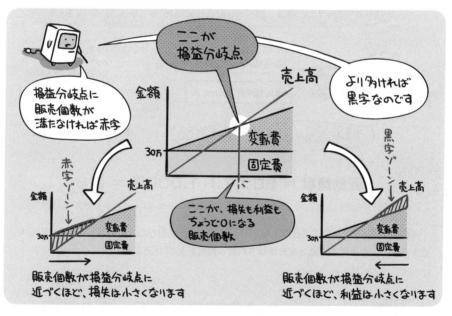

ちなみに、損益分岐点になる時の売上高を、損益分岐点売上高と呼びます。実にそのまんまの名称で、覚えやすいことこの上なしですね。

ところで上の場合の損益分岐点売上高。果たしていくらになるか、わかります？

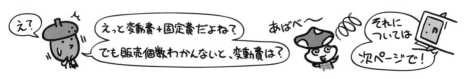

変動費率と損益分岐点

損益分岐点売上高を算出するためには、変動費率というものを使います。

変動費率というのは、売上に対する変動費の比率を示すものです。要するに「品物価格に含まれる変動費の割合はいくつか」ということです。

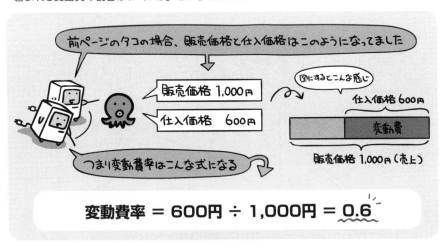

前ページのタコの場合、販売価格と仕入価格はこのようになってました

図にするとこんな感じ

販売価格 1,000円
仕入価格　600円

仕入価格 600円
変動費
販売価格 1,000円（売上）

つまり変動費率はこんな式になる

変動費率 = 600円 ÷ 1,000円 = 0.6

変動費率は「売上に対する比率」なので、タコの販売個数が増えても減っても特に影響を受けません。売上高と変動費率を乗算すれば、常に変動費が出てきます。

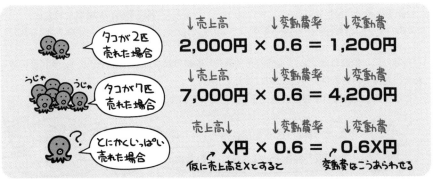

↓売上高　　↓変動費率　　↓変動費
タコが2匹売れた場合
2,000円 × 0.6 = 1,200円

↓売上高　　↓変動費率　　↓変動費
タコが7匹売れた場合
7,000円 × 0.6 = 4,200円

売上高↓　　↓変動費率　　↓変動費
とにかくいっぱい売れた場合
X円 × 0.6 = 0.6X円
仮に売上高をXとすると　　変動費はこうあらわせる

つまり変動費というのは、次のように書くことができるわけです。

$$変動費 = 売上高 \times 変動費率$$

…ということは、こんな式にもできちゃうわけです。

$$損益分岐点売上高 = \underline{変動費} + 固定費$$
$$= \underline{(損益分岐点売上高 \times 変動費率)} + 固定費$$

さあ、それでは前々ページのやり残しを、この式を使って片づけちゃいましょう。

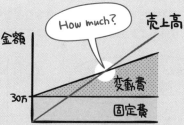

損益分岐点売上高 = (損益分岐点売上高 × 変動費率) + 固定費

…なので、 $X = (X \times 0.6) + 300{,}000$ という式になる。

このXを解いていくと…

$$X = 0.6X + 300{,}000$$
$$X - 0.6X = 300{,}000$$
$$0.4X = 300{,}000$$
$$X = 750{,}000$$

つまり赤字と黒字の境目は…

75万円！

はい、正解

固定資産と減価償却

モノやサービスを提供するために使ったお金は、通常は経費として売上高から差し引くことになります。

しかし、ある程度高額な品…たとえばパソコンやクルマなどを想像してみるとわかりやすいんですけど、そういった品は買ってきて使用したからといっていきなり価値が0になるわけじゃありません。

これを固定資産と言います。

ところで中古のクルマって、「いきなり価値が0になるわけじゃない」と言ったって、2年落ち、3年落ちと使用期間がかさむにつれて価値は目減りしていきますよね?

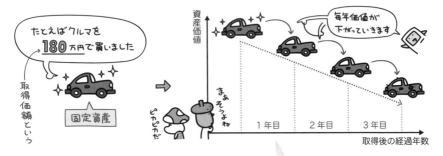

なので固定資産は、その「目減りした価値」の分を、その会計年度に要した経費の一部として計上します。これを減価償却と言います。

でも「目減りした価値」が
いくらになるかって、
どうやったらわかるんだ？

ですよね？
そこで登場するのが耐用年数です。

タイヨウ…？
おてんとさんは
見てるぜ的な？

チガイマスヨー！
「使用に耐える」で
耐用ですからね！

資産には、一応種類ごとに「これだけの期間は使えますよ」という基準が定められているのです。これが耐用年数です。

たとえば
パソコンなら4年

クルマだと6年

…と決まっている

耐用年数

なので、取得価額（購入した金額）をその年数で割ってやれば、1年に償却するべき金額が求められます。

$$取得価額 \div 耐用年数 = 毎年の減価償却額$$

つまり先ほどのクルマの例で言えば、こんな風になるわけですね。

毎年の
減価償却額は…

$$180万円 \div 6年 = 30万円 / 年$$

なのでこれを
年ごとに見ていくと…

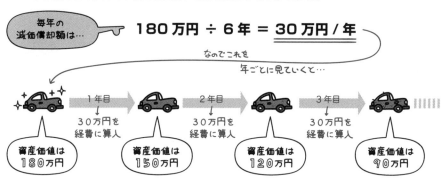

1年目
30万円を
経費に算入

2年目
30万円を
経費に算入

3年目
30万円を
経費に算入

資産価値は
180万円

資産価値は
150万円

資産価値は
120万円

資産価値は
90万円

このように、毎年一定額を償却していくやり方を定額法と言います。他にも定率法というやり方があって、この場合は毎年同じ率で償却を行います。定率なので、資産価値の高い初年度に償却する額が一番多くなり、後は年々償却額が減る形になります。

最後にROIという指標を知っておきましょう。これは、「費用対効果」を意味します。

ROIは一般的に、次の式によって算出されます。

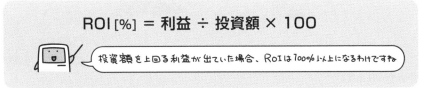

ROIの数値が大きいほど、その投資は効果的で利益も大きいと考えることができるので、価値のある施策だと判断する材料になるわけです。

ちなみに、投資したお金を何年後に回収できるか示す指標をPBP（Pay Back Period）と言います。投資額÷1年間のキャッシュフロー（収入から諸経費や税金等を差し引いた額）により回収期間を算出します。

当然、この期間が短いほど「優秀な投資だ」となるわけですね

問 1
(IP-R02-A-33)

インターネット上で通信販売を行っているA社は、販売促進策として他社が発行するメールマガジンに自社商品Yの広告を出すことにした。広告は、メールマガジンの購読者が広告中のURLをクリックすると、その商品ページが表示される仕組みになっている。この販売促進策の前提を表のとおりとしたとき、この販売促進策での収支がマイナスとならないようにするためには、商品Yの販売価格は少なくとも何円以上である必要があるか。ここで、購入者による商品Yの購入は1人1個に限定されるものとする。また、他のコストは考えないものとする。

①	メールマガジンの購読者数	100,000人
②	①のうち，広告中のURLをクリックする割合	2%
③	②のうち，商品Yを購入する割合	10%
④	商品Yの1個当たりの原価	1,000円
⑤	販売促進策に掛かる費用の総額	200,000円

ア 1,020
イ 1,100
ウ 1,500
エ 2,000

解説

商品Yの販売価格を、yとします。「④：商品Yの1個当たりの原価」が、変動費に該当しますので、変動費率は、1,000円÷yです。販売個数は、「①：メールマガジンの購読者数」100,000人 ×「②：①のうち，広告中のURLをクリックする割合」2% ×「③：②のうち，商品Yを購入する割合」10% = 200個です。「⑤：販売促進策に掛かる費用の総額」200,000円は、固定費に該当します。損益分岐点での利益はゼロですので、損益分岐点での売上高－損益分岐点での変動費－固定費=0です。したがって、損益分岐点での売上高「200個×y円」－（損益分岐点での変動費「200個×y円」×変動費率「1,000円 ÷ y」－ 固定費「200,000円」=0となり、式を整理すると、y = 2,000円です。

問 2
(IP-H29-A-09)

販売価格1,000円の商品の利益計画において、10,000個売った場合は1,000千円、12,000個販売した場合は1,800千円の利益が見込めるとき、この商品の1個当たりの変動費は何円か。

ア 400　　　イ 600　　　ウ 850　　　エ 900

解説

1個当たりの変動費をY、固定費をZとします。販売価格1,000円の商品を10,000個売った場合の利益は1,000千円ですので、1,000×10,000(売上高)－ Y×10,000(変動費)－ Z(固定費)=1,000,000です。また、販売価格1,000円の商品を12,000個売った場合の利益は1,800千円ですので、1,000×12,000(売上高)－ Y×12,000(変動費)－ Z(固定費) = 1,800,000です。式を整理すると、Yは600になります。

正解▶問1：エ 問2：イ

問 3
(IP-H23-S-21)

製造・販売業A社の損益分岐点売上高を下げる施策として，最も適切なものはどれか。

ア　現状と同一の設備を追加し，生産量の増加を図る。
イ　人件費の抑制と，間接部門の合理化を進める。
ウ　販売価格は一定のまま，製品の販売数量増大を図る。
エ　販売数量は現状のまま，製品の販売価格を下げる。

解説

損益分岐点を下げるには、固定費もしくは変動費率を下げなければなりません。

ア　設備を追加すると、固定費が増加するので損益分岐点売上高も上がってしまいます。
イ　人件費の抑制と間接部門の合理化を進めれば固定費が削減されるので、損益分岐点売上高は下がります。なお、生産・販売量を維持したまま、残業時間や休日出勤を減らせるのであれば、変動費も削減され、さらに損益分岐点売上高は下がります。
ウ　販売価格は一定のまま、製品の販売数量を増大させると利益は増えますが、損益分岐点売上高は変わりません。
エ　販売数量は現状のまま、製品の販売価格を下げると変動費率が相対的に上がり、損益分岐点売上高も上がってしまいます。

問 4
(IP-R06-20)

A社では，1千万円を投資して営業支援システムを再構築することを検討している。現状の営業支援システムの運用費が5百万円／年，再構築後の営業支援システムの運用費が4百万円／年，再構築による新たな利益の増加が2百万円／年であるとき，この投資の回収期間は何年か。ここで，これら以外の効果，費用などは考慮しないものとし，計算結果は小数点以下第2位を四捨五入するものとする。

ア　2.5　　　　イ　3.3　　　　ウ　5.0　　　　エ　10.0

解説

(1) 1年間の期待金額
"現状の営業支援システムの運用費が5百万円／年，再構築後の営業支援システムの運用費が4百万円／年"ですので、5 − 4 = 1百万円／年の費用が削減でき、さらに"再構築による新たな利益の増加が2百万円／年"ですので、1 + 2 = 3百万円／年（★）が期待できます。

(2) 投資の回収期間
"1千万円を投資して営業支援システムを再構築する"ので、1千万円÷3百万円／年（★）= 3.3333....年 → 小数点以下第2位を四捨五入 → 3.3年　で投資を回収できます。

在庫の管理

お客さんへの販売機会を逃さないように、
通常は商品の在庫をいくつか抱えておくものですが…

実は時期によって、仕入れ価格ってちがうんだよね

仕入れ価格
↓

600円　580円　450円　800円　800円　750円　600円　600円　550円

あのタコって
いくらの利益が出る
タコなんだろか？

へい毎度あり！

1,000円です

その時々の利益や費用を
試算するには

「どの在庫を販売したか」
把握する必要が
出てきてしまいます

売る度に「いくらで仕入れた在庫だったか」を確認するのは
現実的じゃないので、在庫計算はお約束を決めて行います。

　なんでもかんでも「時価」と書いてあるお寿司屋さんじゃないですが、たいてい物価というのはフラフラ上下動しているものです。そうすると、こちらは同じ値段で売り続けていても、仕入れ価格に応じて利益はフラフラ上下動することになる。

　すると、「利益はその都度把握したいんだけど、何百何千と販売されていく商品ひとつひとつの仕入れ価格なんて、個別に管理しきれるはずもない」となるわけです。

　そりゃそうですよ。困っちゃいますよね。

　そこで、個々の仕入価格を厳密に管理するのではなくて、「このやり方でやります」とお約束を決めて、計算を簡単にしてしまうのが在庫管理の一般的な手法です。

先入先出法	先に仕入れた商品から、順に出庫していったと見なす計算方法です。
後入先出法	後に仕入れた商品から、順に出庫していったと見なす計算方法です。
移動平均法	商品を仕入れる度に、残っている在庫分と合算して平均単価を計算し、それを仕入れ原価と見なす計算方法です。

※ただし、後入先出法は2011年3月期から廃止されています。

先入先出法と後入先出法

それでは代表的な手法である先入先出法と後入先出法を例に、売上原価（売上に含まれる原価）と在庫評価額（在庫分の原価合計）が、どのような計算になるか見てみましょう。

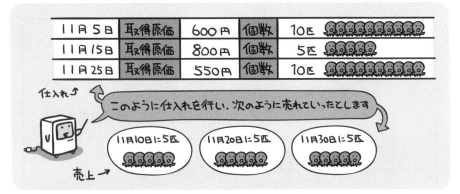

先入先出法では、仕入れた順番に出庫したとみなすので、次のように計算します。

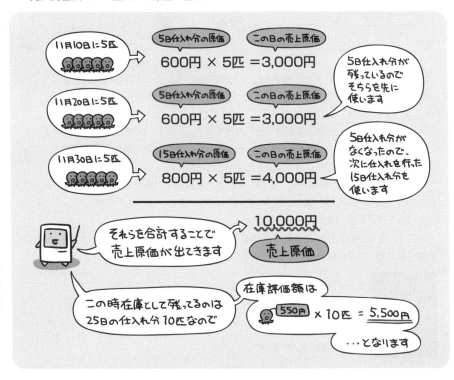

一方、後入先出法では、最後に仕入れたものから順番に出庫したとみなすので、次のように計算します。

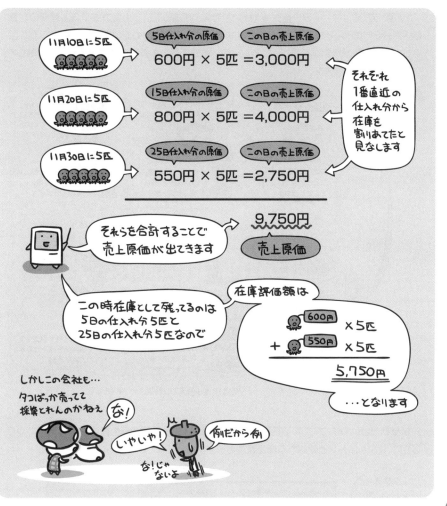

かんばん方式

　かんばん方式とは、トヨタ自動車（株）が開発・実施している生産方式で、工程間の在庫を極力減らすための仕組みです。この方式では、生産ラインにおいて、後工程に必要な部品だけを前工程から調達します。これにより、中間工程での作り過ぎによる無駄を排除して、生産コストを削減します。

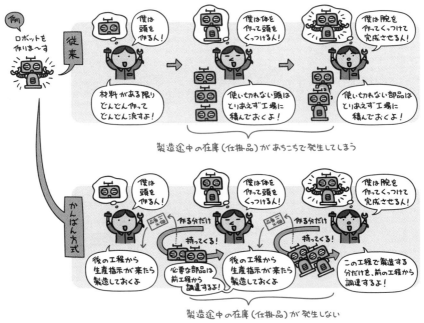

製造途中の在庫（仕掛品）があちこちで発生してしまう

製造途中の在庫（仕掛品）が発生しない

　なんで"かんばん"方式なんて名前なのかというと、後工程から生産指示を行う際のやりとりに、「かんばん」と呼ばれる商品管理カードが用いられていたから。

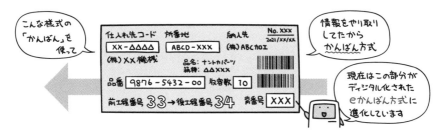

　このかんばん方式は、「必要なものを、必要なときに、必要な分だけ生産する」というジャストインタイム生産方式を実現する運用手段のひとつです。

問1

(IP-H29-S-32)

ある商品の4月の仕入と売上が表のとおりであるとき，移動平均法による4月末の商品の棚卸評価額は何円か。移動平均法とは，仕入の都度，在庫商品の平均単価を算出し，棚卸評価額の計算には直前の在庫商品の平均単価を用いる方法である。

日付	摘要	入庫			出庫			在庫		
		数量(個)	単価(円)	合計(円)	数量(個)	単価(円)	合計(円)	数量(個)	平均単価(円)	合計(円)
4月1日	繰越	100	10	1,000				100	10	1,000
4月8日	仕入	100	14	1,400				200	12	2,400
4月18日	売上				150			50		
4月29日	仕入	50	16	800				100		

注記 網掛けの部分は，表示していない。

ア 1,280　　イ 1,300　　ウ 1,400　　エ 1,500

解説

　移動平均法は、569ページに書かれているとおり、商品を仕入れる度に、残っている在庫分と合算して平均単価を計算し、それを仕入れ原価とみなす計算方法です。

日付	摘要	入庫			出庫			在庫		
		数量(個)	単価(円)	合計(円)	数量(個)	単価(円)	合計(円)	数量(個)	単価(円)	合計(円)
4月1日	繰越	100	10	1,000				100	10	1,000
4月8日	仕入	100	14	1,400				200	12★	2,400
4月18日	売上				150	12●	1,800◆	50	12■	600▲
4月29日	仕入	50	16	800☆				100	14◎	1,400▼

　4月18日の売上に関する出庫単価は、4月8日の在庫の平均単価（★）である12円（●）になり、その出庫合計は150個×12円＝1,800円（◆）です。4月18日の在庫の平均単価は12円（■）であり、その在庫合計は、50個×12円＝600円（▲）です。

　4月29日の仕入の後の在庫の合計は、600円（▲）＋ 800円（☆）＝ 1,400円（▼）であり、その平均単価は、1,400円÷100個＝14円（◎）です。

正解 ▶ 問1：ウ

問 2 (IP-R05-26)

組立製造販売業A社では経営効率化の戦略として，部品在庫を極限まで削減するためにかんばん方式を導入することにした。この戦略実現のために，A社が在庫管理システムとオンラインで連携させる情報システムとして，最も適切なものはどれか。

なお，A社では在庫管理システムで部品在庫も管理している。また，現在は他のどのシステムも在庫管理システムと連携していないものとする。

ア　会計システム　　　　　　　イ　部品購買システム
ウ　顧客管理システム　　　　　エ　販売管理システム

解説

　かんばん方式とは、572ページに説明してあるとおり、工場の中で、後工程内の▼部品在庫が減り、後工程の製造に支障が出そうになったら、後工程が▲前工程に対し、部品の供給を依頼する方式です。また、上記▲の下線部の"前工程"が、自社の前工程ではなく、協力会社（＝部品の外注会社）である場合は、★部品を購買するために、当該協力会社に発注します。

　上記▼と★の下線部より、A社の在庫管理システムが、"後工程の部品在庫数が、あらかじめ設定された数を下回っている"と検知したら、在庫管理システムとオンラインで連携している部品購買システムを使って、協力会社に部品の発注をします。

問 3 (IP-R06-15)

必要な時期に必要な量の原材料や部品を調達することによって，工程間の在庫をできるだけもたないようにする生産方式はどれか。

ア　BPO　　　　　イ　CIM　　　　　ウ　JIT　　　　　エ　OEM

解説

ア　BPOの説明は、499ページを参照してください。
イ　CIM (Computer Integrated Manufacturing) は、設計・製造・技術・管理情報など、工場で発生する各種情報をコンピュータシステムによって統括し、生産の効率化を推進する仕組みのことです。
ウ　JIT (Just In Time) の説明は、572ページの"ジャストインタイム生産方式"を参照してください。なお、本問の問題文に記述されている"必要な時期"を、JIT ⇒ "Just In Time：ちょうど必要な時"と結びつけて覚えておくとよいでしょう。
エ　OEM (Original Equipment Manufacturing) は、受託会社が委託会社のブランドを用いて製品を製造することです。

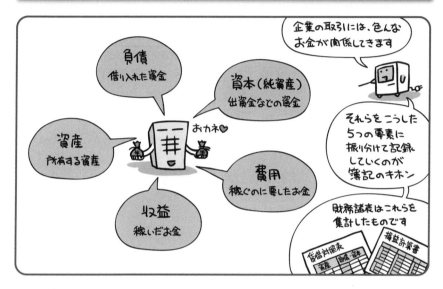

「資産」「負債」「資本」を集計したのが貸借対照表。
「費用」と「収益」を集計したのが損益計算書となります。

　企業の経理業務とか会計士さんとかがなにをしてるのかというと、「はあ? 経費と認めて
くれだあ? 今頃こんな領収書持ってきて寝ぼけたこと言ってんじゃねーよ」とかいって社員
をいじめるのがお仕事…なわけではなくて、会社の中のお金の流れを管理するという仕事を
担っているわけです。

　管理というからには、当然お金の流れは記録されていってます。ちゃんとコツコツ帳簿に
記録していくからこそ、「今の損益はどうなっているんだろう」とか、「今のうちの財務体質
はどんな案配だろうかね」なんて確認ができるようになるんですね。

　ただ、「確認する」といったって、いちいち社長さんや株主さんたちが、帳簿をひっくり返
して最初から確認していくわけじゃありません。あんなの一件一件追って行ったら、意味が
わかる前に日が暮れます。

　そこでズバッと、「今の財務体質」とか「今の損益状況」などを確認できる資料が必要で
ありますよと。それがつまりは財務諸表。企業のフトコロ具合を示す成績書だと言えます。

貸借対照表は、「資産」「負債」「資本（純資産）」を集計したもので、バランスシート（B/S：Balance Sheet）とも呼ばれます。

以降の話は、本試験においてあまり詳しく聞かれるわけじゃないですから、試験対策という意味ではことさら暗記する必要はありません。ただ、意味がわからないと上のイラストも単なる呪文で終わっちゃいますので、ざっと読むだけ読んでください。

というわけで解説です。企業活動に必要なお金は、自前で用意するか、株主に出資してもらうか、それでも足りなきゃどっかから借りてくるかして賄わなきゃいけませんよね。それをあらわしているのが、資本と負債の部。

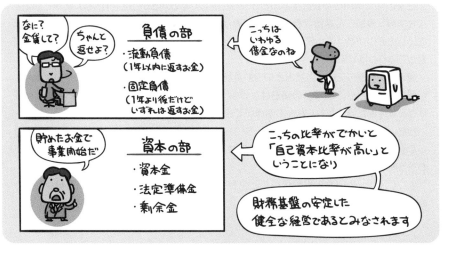

一方、そうして集めたお金を、どんなことに使ってるかあらわしているのが資産の部です。

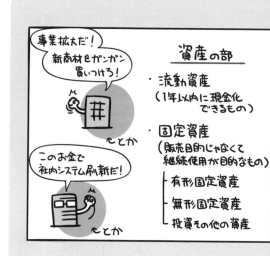

入金待ちの売上（売掛金）とか
銀行預金や商品の在庫などは
ぜんぶ 流動資産

システム新しくなったー

備品、機械装置、土地建物、
各種権利（著作権とか）などは
すべて固定資産です

…ということをふまえて下のものを見比べてみると、財政状態の良し悪しにちがいができているのがわかるようになっている…というわけです。

損益計算書

損益計算書は「費用」と「収益」を集計することで、その会計期間における利益や損失を明らかにしたものです。ピーエル（P/L:Profit & Loss statement）とも呼ばれます。

ただし「儲け」にも色んな種類があるので、そこだけはちょっと要注意。例としてあげる次の計算書を見ながら、どんな利益があるのか確認しておきましょう。

科目	金額 [千円]
売上高	10,000
売上原価	3,000
売上総利益（粗利益）	7,000
販売費及び一般管理費	3,000
営業利益	4,000
営業外収益	1,000
営業外費用	1,500
経常利益	3,500
特別利益	1,000
特別損失	500
税引前当期純利益	4,000
法人税等	1,600
当期純利益	2,400

商品を売ったお金から原価を差しひいた金額　もっとも基本となる利益

売上総利益から、販促費や間接部内の人件費などを差しひいたお金　本業の儲けをあらわす利益

「お金貸したら利子が入ったー」みたいな、本業以外の収支もあわせた結果の利益

臨時の損失なども全部込みで、最終的に残った金額をあらわす利益

ちょっと「利益」という言葉ばかりが並んでいるので、覚えづらいかもしれません。特に営業利益と経常利益は、前後関係を混同してしまうケースが多々見られます。

これについては、「営業」と「経常」という言葉の意味を知ることで、ある程度間違いを予防することができます。

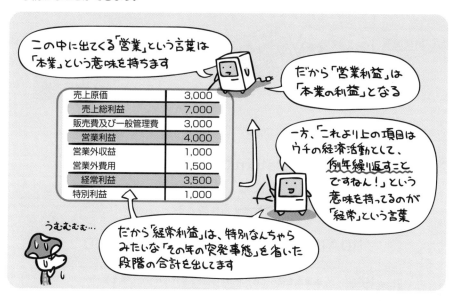

え？ それでもまだ覚えづらい？ そんなキノコみたいなアナタは、下のイラストを脳裏に焼き付けて、計算書の中に出てくる順番だけでも覚えておくと良いでしょう。

様々な財務指標

財務諸表の数値をもとにして、企業の業績や経営状況を分析・把握するために計算する指標が財務指標です。

ここでは収益性を計る指標をいくつか紹介しておきましょう。

総資本利益率 (ROA: Return On Assets)

現金や売掛金の他、借入金や社債なども含む、企業の総ての資本を使ってどれだけの利益を生み出せたかを示す指標値です。

$$ROA\,[\%] = 当期純利益 \div 総資本 \times 100$$

総資本を使ってどれだけの利益をあげられたかが見えるので、
資本に対する運用効率と収益性を測ることができます

自己資本利益率 (ROE: Return On Equity)

借入金や社債などの他人資本は含まず、自己資本だけを対象として、そこからどれだけの利益を生み出せたかを示す指標値です。

$$ROE\,[\%] = 当期純利益 \div 自己資本 \times 100$$

自己資本というのは主に株主が出資したお金なので、
投資に対する収益性を測ることができます

投資家による株式投資の際、参考にされる指標値ですね

費用対効果 (ROI: Return On Investment)

投下した資本に対して、どれぐらい利益が得られたのかを示す指標値です。
→ P.566

問 1

(IP-R03-29)

粗利益を求める計算式はどれか。

ア （売上高）－（売上原価）

イ （営業利益）＋（営業外収益）－（営業外費用）

ウ （経常利益）＋（特別利益）－（特別損失）

エ （税引前当期純利益）－（法人税，住民税及び事業税）

解説

各選択肢は、下記の計算式です。

ア 粗利益（売上総利益）　　イ 経常利益　　ウ 税引前当期純利益　　エ 当期純利益

問 2

(IP-R06-08)

表はA社の期末の損益計算書から抜粋した資料である。当期純利益が800百万円であるとき，販売費及び一般管理費は何百万円か。

単位 百万円

売上高	8,000
売上原価	6,000
販売費及び一般管理費	□
営業外収益	150
営業外費用	50
特別利益	60
特別損失	10
法人税等	350

ア 850　　　　イ 900

ウ 1,000　　　エ 1,200

解説

売上高(8,000) －売上原価(6,000) －販売費及び一般管理費(？)＋営業外収益(150) －営業外費用(50) ＋特別利益(60)－特別損失(10)－法人税等(350) ＝ 当期純利益(800)　⇒　販売費及び一般管理費＝1,000

問 3

(IP-R05-20)

資本活用の効率性を示す指標はどれか。

ア 売上高営業利益率　　　　イ 自己資本比率

ウ 総資本回転率　　　　　　エ 損益分岐点比率

解説

ア 売上高営業利益率（営業利益÷売上高×100）は、本業の営業活動の収益力を示す指標です。

イ 自己資本比率（自己資本÷総資本×100）は、財務面の安全性を示す指標です。

ウ 総資本回転率（売上高÷総資本×100）は、資本活用の効率性を示す指標です。

エ 損益分岐点比率（損益分岐点売上高÷売上高×100）は、収益面の健全性を示す指標です。

正解▶問1：ア　問2：ウ　問3：ウ

過去問題に挑戦！

完読おつかれさまでした。最後に実際に過去に出された試験問題にチャレンジしてみてください。本書にはページ数の関係で収録できませんでしたので、以下のサイトにてダウンロードサイトへのリンクを案内しています。

実際にどのようなかたちで試験に出されるかに慣れていただき、解くことができなかった問題については、再度本書にて基礎知識からしっかり学習していただければと思います。

> **サポートページ：**
> https://gihyo.jp/book/2024/978-4-297-14478-4

ダウンロードサイトでは、平成21年度春期から令和5年度までの公開問題が用意されています。

ちなみに、試験時間は、120分で100問となり、「ストラテジ系」（35問程度）「マネジメント系」（20問程度）「テクノロジ系」（45問程度）の3分野から出題され、総合得点（分野別得点の合計）が60％以上で、また分野別得点がそれぞれ3つの分野ごとに満点の30％であれば合格となります。

詳細については、情報処理推進機構のWebサイト（https://www.jitec.ipa. go.jp/）をご参照ください。

注：平成28年3月5日の試験から試験時間が120分になり、出題数の出題方式が100問すべて小問に
　　変更されました。

索引

◆ 著者について

きたみりゅうじ

もとはコンピュータプログラマ。本職のかたわらホームページで4コマまんがの連載などを行う。この連載がきっかけで読者の方から書籍イラストをお願いされるようになり、そこからの流れで何故かイラストレーターではなくライターとしても仕事を請負うことになる。

本職とホームページ、ライター稼業など、ワラジが増えるにしたがって睡眠時間が過酷なことになってしまったので、フリーランスとして活動を開始。本人はイラストレーターのつもりながら、「ライターのきたみです」と名乗る自分は何なのだろうと毎日を過ごす。

自身のホームページでは、遅筆ながら現在も4コマまんがを連載中。

平成11年 第二種情報処理技術者取得
平成13年 ソフトウェア開発技術者取得
https://oiio.jp

● 練習問題解説／金子則彦
● 装丁／小山 巧（志岐デザイン事務所）
● イラスト／きたみりゅうじ
● 本文デザイン・DTP／小島明子（株式会社 しろいろ）
● 編集／山口政志

■ お問い合わせに関しまして ■

本書に関するご質問については、本書に記載されている内容に関するもののみとさせていただきます。本書の内容を超えるものや、本書の内容と関係のないご質問につきましては一切お答えできませんので、あらかじめご承知ください。なお、ご質問の際には、書名と該当ページ、返信先を明記してくださいますようお願いいたします。

また、電話でのご質問は受け付けておりません。Webの質問フォームにてお送りください。FAXまたは書面でも受け付けております。

○質問フォームのURL（本書サポートページ）
https://gihyo.jp/book/2024/978-4-297-14478-4
※本書内容の訂正・補足についても上記URLにて行います。あわせてご活用ください。

○FAXまたは書面の宛先
〒162-0846 東京都新宿区市谷左内町21-13
株式会社 技術評論社 書籍編集部
『キタミ式イラストIT塾
ITパスポート 令和07年』
質問係
FAX：03-3513-6183

キタミ式イラストIT塾 ITパスポート 令和07年

2010年 4月 1日 初　版　第 1 刷発行
2024年 12月 14日　第 16 版　第 1 刷発行

著　者　　きたみりゅうじ
発行者　　片岡　巌
発行所　　株式会社技術評論社
　　　　　東京都新宿区市谷左内町21-13
　　　　　電話　03-3513-6150　販売促進部
　　　　　　　　03-3513-6166　書籍編集部
印刷／製本　昭和情報プロセス株式会社

定価はカバーに表示してあります.

ISBN978-4-297-14478-4　C3055

Printed in Japan